最新
タイのビジネス法務

第3版

Chandler MHM Limited
森・濱田松本法律事務所
バンコクオフィス 編

商事法務

第3版はじめに

　本書の第2版を刊行した2019年12月から程なくして世界中を巻き込んだコロナ禍により、我々を取り巻く生活もビジネスも大きな影響を受けた。法律の世界も例外ではなく、弁護士としてこれまで経験したことのない事態や法的問題に直面することも少なくなかった。ただ、こうした思いがけない事態や考えたこともない問題に対し、事務所の総力を挙げて取り組み、得難い経験を積むことができた。本書ではこうした経験・知見を詰め込んでいる。

　本書は2017年4月に初版を刊行し、2019年12月に第2版を刊行した『最新 タイのビジネス法務』の第3版となる。初版の『最新 タイのビジネス法務』以降、本書はタイの法令に関する網羅的な日本語文献としてタイビジネスに関わる企業人の必携の基本書と認識されてきたと自負しているが、第2版の刊行からほぼ4年が経ち、様々な法改正や新法が施行されたことをも踏まえ、満を持しての刊行となった。

　本書では、民商法改正を始めとした法令・判例のアップデートのほか、テクノロジー・フィンテック関連法の章を追加し、倒産手続の項を章として独立させた。また、下位規則の整備が進む取引競争法や個人情報保護法の章についての記載を充実させ、不動産法制の章について近時の実務を踏まえ、加筆した。利用者目線に立ち、より分かりやすく、より実務向けにとの思いを込めている。少しでもビジネスの現場に立つ読者の皆様のお役に立てれば幸甚である。

　なお、本書の内容についての責任については、初版および第2版同様、Chandler MHM Limited 全体ではなく、個々の執筆者が負うものであり、また、本書において述べられた見解も当該執筆者の私見であって、執筆者らが所属するいかなる団体の見解を拘束ないし制約するものではないことを改めて明記させていただく。

　この第3版の刊行に当たって、株式会社商事法務の櫨元ちづる氏に多大な

るご協力をいただいた。ここに改めて心から感謝を申し上げたい。

2023年9月

執筆者を代表して　Chandler MHM Limited
代表　弁護士　高谷知佐子

第2版はじめに

　本書は、森・濱田松本法律事務所に所属し、現在タイの最大手法律事務所の一つに成長したChandler MHM Limitedに勤務している弁護士が中心となって2017年4月に刊行した『最新 タイのビジネス法務』の第2版である。

　幸いなことに、初版の『最新 タイのビジネス法務』は、本邦初のタイの法令に関する網羅的な日本語文献としてタイビジネスに関わる企業人の必携の基本書として迎えられたほか、日本国内外の研究者にも貴重な文献として好評を博した。私自身、タイを代表する研究機関であるチュラロンコン大学法学部の現役教授にお会いした際に、このようなタイ法令の基本書を刊行したことについて図らずも教授から謝辞をいただき、恐縮した思い出が記憶に残っている。

　第2版においては、初版刊行以来の法令・判例のアップデートはもとより、取引競争法の大改正や個人情報保護法の制定等日本企業のタイビジネスにとって重要な新法令並びにREIT・インフラファンド等近時の重要ビジネス分野の章・項目を追加したほか、初版での各章・項目についての記載を大幅に加筆し、もって現在のタイの法令の全体像を改めて示すことができたものと自負している。特に個人情報保護法については、EUのGDPRに類似した法規制になっており、日本法よりも厳しい条項もあるので、日本企業にとって対応に十分留意する必要がある。

　もちろん、本書の内容についての責任については、初版同様、Chandler MHM Limited全体ではなく、個々の執筆者が負うものであり、また、本書において述べられた見解も当該執筆者の私見であって、執筆者らが所属するいかなる団体の見解を拘束ないし制約するものではないことを改めて明記させていただく。

　この第2版の成立にあたっても、株式会社商事法務の小山秀之氏に多大な

るご協力をいただいた。ここに改めて心から感謝を申し上げたい。

2019 年 11 月

　　　　　　　　　　　執筆者を代表して　Chandler MHM Limited
　　　　　　　　　　　　　　代表　弁護士　河井　聡

はじめに

　本書は、森・濱田松本法律事務所に所属し、現在 Chandler MHM Limited に勤務している弁護士を中心として、日系企業の皆様がタイにおいて遭遇するであろうビジネスローの重要論点について概説したものである。

　ここで Chandler MHM Limited についてご紹介させていただきたい。

　森・濱田松本法律事務所は、2013 年 9 月に Chandler & Thong-ek Law Offices Limited（CTLO）の中に MHM デスクを開設して、タイの依頼者の皆様に対しリーガルサービスの提供を開始した。その後順調に業務を拡大させたのち、2015 年 4 月に森・濱田松本法律事務所バンコクオフィス（MHM バンコク）を開設した。

　MHM バンコクの開設にあたっては、主として日本企業の皆様の M&A 等によるタイ進出を法律面からサポートすることを念頭に置いていたが、かかるニーズに加え、タイ進出後のビジネス面におけるリーガルサポートのニーズも非常に高く、タイローカルロー実務を深める必要性を実感した。

　そこで、我々は、もともと協力関係にあった CTLO との統合により、タイローカルローの実務能力を進化させ、日本企業の皆様に対してより充実したリーガルサポートを提供することを目的として、本年 1 月より MHM バンコクと CTLO を経営統合し、新たに Chandler MHM Limited として発足させることにした。

　本書は、Chandler MHM Limited の弁護士が今現在体感しているタイの法律実務のエッセンスを概説するものであり、日本語文献としては類書のないものであると自負している。もっとも、その内容についての責任は、Chandler MHM Limited 全体ではなく、個々の執筆者が負うものであり、また、本書において述べられた見解も当該執筆者の私見であって、執筆者らが所属するいかなる団体の見解を拘束ないし制約するものではないことを明記する。

本書の成立にあたっては、株式会社商事法務の小山秀之氏に多大なるご協力をいただいた。ここに心から感謝を申し上げたい。

2017年4月

　　　　　　　　　　　　　執筆者を代表して　Chandler MHM Limited
　　　　　　　　　　　　　　　　　代表　弁護士　**河井　聡**

凡　例

● 法令等の内容
  ・本書は、特に記述のない限り、2023年9月19日現在の内容に基づく。
  ・法令名についてはタイ語の法令名が正式名称であり、英語および日本語の法令名はあくまでも参考訳にすぎない。
  ・法令の内容については、政府の公定訳が公表されているものを除き、非公式の私的な翻訳に依拠している。
● 組織・法令等については、正式名称のほか、以下の**略称**を用いる。

[組織名]

ERC（エネルギー規制委員会）	Energy Regulatory Commission
DOEB（エネルギー事業局）	Department of Energy Business
MOE（エネルギー省）	Ministry of Energy
EPPO（エネルギー政策企画事務局）	Energy Policy and Planning Office
技能開発局	Department of Skill Development
ECD（経済サイバー警察）	Economic and Cyber Crime Division, Thai Police
検察庁	Office of Attorney General
工業省	Ministry of Industry
工業省事務次官事務所	Office of the Permanent Secretary Ministry of Industry
公的債務管理事務局	Public Debt Management Office
SEPO（国営企業政策局）	State Enterprise Policy Office
個人情報保護委員会	Personal Data Protection Committee
NEPC（国家エネルギー政策審議会）	National Energy Policy Council
NACC（国家汚職防止委員会）	National Anti-Corruption Commission
国家評議会	Council of State
NCPO（国家平和秩序評議会）	National Council for Peace and Order
財務省	Ministry of Finance

資本市場監視委員会	the Capital Market Supervisory Board
社会保険事務所	Social Security Office
MEA（首都圏配電公社）	Metropolitan Electricity Authority
SEC（証券取引委員会）	Securities and Exchange Commission
消費者保護委員会	Consumer Protection Board
商務省	Ministry of Commerce
DBD（商務省事業開発局）	Department of the Business Development, Ministry of Commerce
DIP（商務省知的財産局）	Department of Intellectual Property, Ministry of Commerce
専門控訴裁判所	Court of Appeal for Specialized Cases
SET（タイ証券取引所）	Stock Exchange of Thailand
タイ中央銀行	Bank of Thailand
BOI（タイ投資委員会）	Board of Investment of Thailand
EGAT（タイ発電公社）	Electricity Generating Authority of Thailand
DEDE（代替エネルギー開発・エネルギー保全局）	Department of Alternative Energy Development and Efficiency
PEA（地方配電公社）	Provincial Electricity Authority
CIPITC（中央知的財産および国際貿易裁判所）	Central Intellectual Property and International Trade Court
中小企業振興事務局	Office of Small and Medium Enterprises Promotion
ETDA（電子取引開発局）	Electronic Transactions Development Agency
DSI（特別捜査機関）	Department of Special Investigation, Ministry of Justice
取引競争委員会	Trade Competition Commission
PPP 政策委員会	Public Private Partnership Policy Board
法務省	Ministry of Justice
保険委員会事務局	Office of Insurance Commission
保健省食品医薬品局	Food and Drug Administration, Ministry of Public Health
民事執行局	Legal Execution Department
予算局	Budget Bureau
労働省	Ministry of Labour

労働省雇用局	Department of Employment
労働福祉省	Ministry of Labour and Welfare（労働省の旧名）
労働福祉保護局	Department of Labour Protection and Welfare
［法 令 名］	
営業秘密保護法	Trade Secret Act, B.E. 2545（2002）
外国人事業法	Foreign Business Act, B.E. 2542（1999）
外国人就労の管理に関する緊急勅令	Emergency Decree on Foreighers' working Management Emergency Decree B.E. 2560（2017）
外国人就労の管理に関する緊急勅令（第2版）	the Emergency Decree on Foreign Employee Management（No. 2）B.E. 2561（2018）
関税法	Custom Act, B.E. 2469（1926）
金融機関貸付利率法	Interest on Loans of Financial Institutions Act, B.E. 2523（1980）
金融機関事業法	Financial Institutions Business Act, B.E. 2551（2008）
経済社会開発に関する法律	Act on Digital Development for Economy and Society B.E. 2560（2017）
刑法	Penal Code, B.E. 2499（1956）
決済システム法	Payment System Act B.E. 2560（2017）
現行憲法	Constitution of the Kingdom of Thailand, B.E.2560（2017）
憲法（初）	Constitution of the Kingdom of Siam, B.E.2475（1932）
公開会社法	Public Limited Company Act, B.E. 2535（1992）
工場機械登録法	Machinery Registration Act, B.E. 2514（1971）
公的負債管理に関する法律	Public Debt Management Act B.E. 2548（2005）
国営企業民営化法	State Enterprise Corporatization Act, B.E. 2542（1999）
国営企業労働関係法	State Enterprises Labour Relations Act, B.E.2543（2000）
個人情報保護法	Personal Data Protection Act, B.E. 2562（2019）
コンドミニアム法	Condominium Act, B.E. 2522（1979）
歳入法	Revenue Code, B.E.2481（1938）
暫定憲法	Constitution of Kingdom of Thailand（Interim）, B.E. 2557（2014）

事業担保法	Business Collateral Act, B.E. 2558 (2015)
資本市場取引信託法	Trust of Transactions in Capital Market Act, B.E. 2550 (2007)
社会保険法	Social Security Act, B.E. 2533 (1990)
集積回路の回線配置保護法	Protection of Layout-Designs of Integrated Circuits Act, B.E. 2543 (2000)
種苗法	Plant Varieties Protection Act, B.E. 2542 (1999)
障がい者支援法	Persons with Disabilities Empowerment Act, B.E. 2550 (2007)
商業登記法	Commercial Registration Act, B.E. 2499 (1956)
証券取引法	Securities and Exchange Act, B.E. 2535 (1992)
商工業用不動産賃貸借法	Act on the Lease of Immovable Property for Commercial and Industrial Purposes, B.E. 2542 (1999)
上場会社買収規則告示（上場会社の証券の買収に関する規則、条件および手続に関する資本市場監視委員会の告示）	Notification of the Capital Market Supervisory Board No. Tor Jor.12/2554 Re: Rules, Conditions and Procedures for the Acquisition of Securities for Business Takeovers
消費者事件手続法	Consumer Case Procedure Act, B.E. 2551 (2008)
消費者保護法	Consumer Protection Act, B.E. 2522 (1979)
商標法	Trademark Act, B.E. 2559 (2016)
生命保険法	Life Insurance Act, B.E. 2535 (1992)
石油所得税法	Petroleum Income Tax Act, B.E. 2514 (1971)
石油法	Petroleum Act, B.E. 2514 (1971)
損害保険法	Non-Life Insurance Act, B.E. 2535 (1992)
タイ工業団地公社法	Industrial Estate Authority of Thailand, Act, B.E. 2522 (1979)
第一次PPP法	Private Participation in State Undertakings Act, B.E. 2535 (1992)
第二次PPP法	Public Private Partnership in State Undertaking, Act, B.E. 2556 (2013)
談合防止法	Act on Offences Relating to the Submission of Bids to State Agencies, B.E. 2542 (1999)

凡　例

仲裁法	Arbitration Act, B.E. 2545 (2002)
著作権法	Copyright Act, B.E.2517 (1994)
地理的表示法	Protection of Geographical Indications Act, B.E. 2546 (2003)
デジタル個人貸付プラットフォーム事業に関するタイ中央銀行通達	Circular No. BOT.FhorGorSor. (01) Wor.977/2563 Re: Criteria, Procedures and Conditions on Digital Personal Loan Business Operations
デジタル資産事業緊急勅令	Emergency Decree on Digital Asset Business B.E. 2561 (2018)
デジタルプラットフォームサービス勅令	Royal Decree on Operation of Digital Platform Services Which Require Notification B.E. 2565 (2022)
電子取引法	Electronic Transactions Act,B.E. 2544 (2001)
投資奨励法	Investment Promotion Act, B.E. 2520 (1977)
土地法	Land Code, B.E. 2497 (1954)
特許法	Patent Act, B.E. 2522 (1979)
取引競争法	Trade Competition Act B.E. 2560 (2017)
破産法	Bankruptcy Act, B.E.2483 (1940)
反汚職法	Organic Act on Counter Corruption, B.E. 2542 (1999)
非安全商品責任法	Liability for Damages Arising from Unsafe Products Act, B.E. 2551 (2008)
非上場化規則	Regulations of the Stock Exchange of Thailand Re:Delisting of Securities B.E. 2542 (1999)
非上場化告示（証券の非上場化に関するタイ証券取引委員会の告示）	Notification of the Board of Governors of the Stock Exchange of Thailand Re：Procedures for Voluntary Delisting B.E. 2564 (2021)
不公正契約法	Unfair Contract Terms Act B.E. 2540 (1997)
IP&IT法（知的財産権および国際貿易裁判所設置法）	Act for the Establishment of and Procedure for Intellectual Property and International Trade Court, B.E.2539 (1996)
民事訴訟法	Civil Procedure Code, B.E. 2477 (1934)
民商法	Civil and Commercial Code, B.E. 2535 (1992)
輸出入法	Export and Import Act, B.E. 2522 (1979)
予算手続法	Budgetary Procedure Act, B.E. 2502 (1959)

労働安全衛生環境法	Occupational Safety, Health and Environment, Act, B.E. 2554（2011）
労働関係法	Labour Relations Act, B.E.2518（1975）
労働裁判所法	Act Establishing Labour Courts and Labour Procedures, B.E. 2522（1979）
労働者災害補償法	Workmen's Compensation Act B.E. 2537（1994）
労働者保護法	Labour Protection Act, B.E. 2541（1998）
GDPR	General Data Protection Regulation（EU）2016/679
PPP法（または「第三次PPP法」）	Joint Investment between the State and Private Sector Act B.E. 2562（2019）
Peer-to-Peer貸付プラットフォーム事業に関するタイ中央銀行告知	Notification of the Bank of Thailand No. SorNorSor.4/2562 Re: Rules, Procedures and Conditions for Undertaking Peer to Peer Lending Platform Businesses

目　次

第3版はじめに　　i
第2版はじめに　　iii
はじめに　　v
凡　例　　vii

序　章　タイの法制度　　1

1　タイ法の歴史 …………………………………………………………… *2*
2　タイ法の法源 …………………………………………………………… *2*
　　(1)　憲　　法／*3*
　　　　①　現行憲法・*3*
　　　　②　現行憲法の制定・*3*
　　(2)　法　　律／*4*
　　(3)　緊急勅令（**Emergency Royal Decree**）／*5*
　　(4)　勅令（**Royal Decree**）／*5*
　　(5)　省令（**Ministerial Regulation**）／*5*
　　(6)　条例（**Ordinance**）／*6*
　　(7)　革命政府による布告／*6*

第1章　新規進出・外資規制　　7

1　進出形態 ……………………………………………………………… *8*
　　(1)　現地法人／*8*
　　　　①　パートナーシップ・*8*
　　　　②　会　　社・*9*
　　(2)　外国法人（支店・駐在員事務所）／*10*
　　　　①　支　　店・*10*

xiii

②　駐在員事務所・10

2　新会社設立による進出 ………………………………………………………………… 11

　(1)　**発起人・資本金**／11
　　　①　発　起　人・11
　　　②　資　本　金・12
　(2)　**非公開会社の設立手続**／13
　　　①　概　　　要・13
　　　②　個別手続・13
　　　③　小括（タイムライン）・17

3　外資規制 ……………………………………………………………………………………… 18

　(1)　概　　　要／18
　(2)　**外国人事業法**／18
　　　①　規制対象となる「外国人」の定義・18
　　　②　規制対象となる事業・20
　　　③　日タイ経済連携協定による例外・24
　(3)　**個別事業法による規制**／25
　　　①　保　　　険・26
　　　②　銀行その他の金融機関・27
　(4)　**土地保有に関する外資規制**／29
　(5)　**外資規制の対応策**／29
　　　①　外国人事業許可の取得・29
　　　②　BOI 投資奨励の取得・30
　　　③　対象事業・31
　(6)　**外資規制の回避スキーム**／31
　　　①　友好的な非「外国人」株主を利用するスキーム・32
　　　②　1 株当たりの議決権数の異なる種類株式を利用するスキーム・33
　　　③　ダウンストリームインベストメント・34
　(7)　**外資規制の回避スキームが問題となった実際の事例**／34
　　　①　シン・コーポレーション事件・35
　　　②　DTAC 事件・36
　(8)　**外資規制の緩和以外の投資奨励・恩典の制度**／36
　　　①　BOI 投資奨励における恩典・36

② 国際ビジネスセンター(IBC)導入後の国際調達事務所（IPO）の復活・*41*

Column1　法人税の算定方法に関する最高裁判決／*44*

第**2**章　会　社　法　45

1　株　　式 ……………………………………………………………… *46*

 (1)　**非公開会社**／*46*

  ① 株式の種類・*46*

  ② 株　　券・*47*

  ③ 株主名簿・*47*

  ④ 株式の引受け・払込み・*48*

  ⑤ 株式の譲渡・*48*

  ⑥ 新株発行・*49*

  ⑦ 減　　資・*50*

 (2)　**公開会社**／*52*

  ① 株式の種類・*52*

  ② 株　　券・*53*

  ③ 株主名簿・*54*

  ④ 株式の引受け・払込み・*54*

  ⑤ 株式の譲渡・*54*

  ⑥ 新株発行・*56*

  ⑦ 減　　資・*56*

2　機関・運営（ガバナンス） ……………………………………… *58*

 (1)　**非公開会社のガバナンス**／*58*

  ① 株主総会・*61*

  ② 取締役会・*62*

  ③ 署名権限を有する取締役・*62*

  ④ 会計監査人・*62*

 (2)　**公開会社のガバナンス**／*63*

  ① 株主総会・*63*

  ② 取締役会・*66*

　　　　③　署名権限を有する取締役・67
　　　　④　監査委員会（上場会社の場合）・67
　　　　⑤　会計監査人・67

3　会社の計算 ……………………………………………………………… 68
　　(1)　非公開会社の計算／68
　　　　①　会計帳簿・68
　　　　②　会計監査人・68
　　　　③　計算書類・68
　　　　④　利益配当・69
　　　　⑤　違法配当返還義務・69
　　(2)　公開会社の計算／69
　　　　①　会計帳簿・69
　　　　②　会計監査人・70
　　　　③　計算書類・70
　　　　④　利益配当・70
　　　　⑤　違法配当返還義務・71

4　解散・清算 ……………………………………………………………… 71
　　(1)　非公開会社の解散・清算／71
　　　　①　任意の解散・72
　　　　②　裁判所による解散・72
　　(2)　公開会社の解散・清算／72
　　　　①　任意の解散・72
　　　　②　裁判所による解散・73

第3章　M&Aの手法および関連する法令・ルールの概観　75

1　M&Aを規制する主要な法令・ルール ………………………………… 76

2　会社買収の手法 ………………………………………………………… 76

3　既発行株式の取得 ……………………………………………………… 77

(1)　非公開会社の既発行株式の取得／77
　　(2)　非上場の公開会社の既発行株式の取得／78
　　(3)　上場会社の既発行株式の取得／78
　　　①　強制的公開買付けの対象となる取引・78
　　　②　任意的公開買付け・79
　　　③　通常の公開買付手続の概要・79
　　　④　非上場化を前提とした公開買付け・82
　　　⑤　公開買付けの対価の種類・価格・83
　　　⑥　共同保有者とみなされる場合（Acting in Concert Rule）・84
　　　⑦　直接保有者の支配権の変動により間接的にトリガーポイントに達する場合（Chain Principle Rule）・84
　　　⑧　外資規制が及ぶ業種における支配権取得の方法・85

4　新株の取得（第三者割当増資） 87
　　(1)　非公開会社における第三者割当増資手続／87
　　(2)　公開会社における第三者割当増資手続／88
　　(3)　公開買付規制の適用と株主総会決議による適用免除／88

5　事業譲渡 90

6　新設合併 91

7　吸収合併 93

第4章　取引競争法　　97

1　総　　論 98
　　(1)　旧取引競争法の状況と改正法施行までの経緯／98
　　(2)　取引競争法の概要とポイント／99
　　　①　取引競争委員会の独立性・権限の強化・99
　　　②　規制対象者・99
　　　③　規制対象行為・100
　　　④　企業結合規制（「事後」届出制の採用）・100

⑤　取引競争法違反に対する制裁・*101*

2　各　　　論 ……………………………………………………………… *102*

　　(1)　市場支配力の濫用（取引競争法 50 条）／*103*
　　(2)　企業結合規制（取引競争法 51 条）／*104*
　　　①　規制の対象となる企業結合・*105*
　　　②　事後届出・事前届出の必要となる企業結合・*107*
　　(3)　競争制限的行為（ハードコア・カルテル、非ハードコア・カルテル）／*108*
　　　①　ハードコア・カルテル・*108*
　　　②　非ハードコア・カルテル・*109*
　　(4)　不公正な取引（取引競争法 57 条）／*110*
　　(5)　その他／*111*

3　現在の執行状況および今後の動向 ………………………………… *112*

第 5 章　キャピタル・マーケッツ　　113

1　関係法令および規制機関 ……………………………………………… *114*

　　(1)　証券取引委員会／*114*
　　(2)　タイ証券取引所／*115*
　　Column1　流通市場としてのタイの株式市場と外国人保有規制／*115*

2　有価証券の発行および募集 …………………………………………… *116*

　　(1)　エクイティ性証券／*117*
　　　①　新規株式公開および公募・*117*
　　　②　私　　　募・*118*
　　　③　株主割当・*119*
　　　④　ＥＳＯＰ・*119*
　　　⑤　外国企業による株式の募集・*119*
　　(2)　デット性証券／*120*
　　　①　社債の発行・*121*
　　　②　発行計画に基づく社債発行・*121*

3 上場後のコンプライアンス ·· *122*

    （1）継続開示および適時開示／*122*
        ① 継続開示・*123*
        ② 適時開示・*123*
    （2）資産の取得または処分に関する取引／*124*
    （3）関連当事者取引（接続取引）／*125*
    （4）上場維持資格／*126*
    （5）上場廃止／*128*
    （6）公開会社法の遵守／*129*

4 大量保有報告書 ··· *129*

5 インサイダー取引 ·· *130*

    Column2　タイにおけるクラウドファンディングおよび仮想通貨／*131*

第6章　資金調達　　133

1 借入れによる資金調達 ·· *134*

    （1）金融機関の分類／*134*
    Column1　金融機関対象の信用供与規制／*135*
    （2）消費貸借契約に関する民商法上のルール／*137*
    Column2　遅延損害金の算定方法に関する民商法改正／*139*

2 担保制度 ··· *140*

    （1）保証（**Suretyship**）／*140*
        ① 保証制度の概要・*140*
        ② 保証制度についての2015年改正・*141*
    （2）抵当権（**Mortgage**）／*143*
        ① 抵当権の設定および登記・*143*
        ② 抵当権の実行・*144*
    （3）質権（**Pledge**）／*146*
        ① 質権の設定等・*146*

② 質権の実行・*147*
　(4) **事業担保法**／*147*
　　① 事業担保法に基づく担保権の設定・*148*
　　② 事業担保権の実行・*150*
　(5) **その他担保目的で用いられている手法**／*152*

第7章　不動産法制　　　153

1 **不動産に対する権利** ……………………………………………………… *154*
　(1) **土地の利用権と所有権**／*154*
　(2) **不動産登記制度と土地に対する権利に関する証書**／*155*
　　① 権原証書（title deed）・*156*
　　② 利用権証書（certificate of utilization）・*157*
　(3) **建物の所有権**／*157*
　(4) **不動産の取得に対する外資規制**／*162*

2 **不動産の取引** …………………………………………………………… *164*
　(1) **不動産の譲渡**／*164*
　　① 土地取得手続の概要および土地デュー・ディリジェンス・*164*
　　② 土地売買契約・売買契約証書の締結、不動産譲渡の登記・登録手続・*165*
　　③ 不動産の売買契約の効力と登記の関係・*166*
　(2) **不動産の賃貸借**／*167*
　Column 1　新たな不動産用益権の創設／*169*

3 **不動産事業** ……………………………………………………………… *170*
　(1) **不動産開発事業の一般的なスキーム**／*170*
　　① 土地の所有権を取得する場合・*170*
　　② 土地の賃借権を取得する場合・*171*
　(2) **借地上の開発案件に関する実務上の留意点**／*172*
　　① 建物建設期間の扱い・*172*
　　② 転貸借スキームに関する一般的な留意点・*172*
　　③ 相続に関する留意点・*173*

第8章 インフラ・エネルギー開発　175

1 インフラ・エネルギー開発関連法制 ……………………………………… 176
　(1) PPP法／176
　　　① 制定の背景および所管当局・177
　　　② PPP法の適用対象事業・177
　　　③ 個別プロジェクトの提案・承認プロセス・178
　　　④ 民間事業者の選定プロセス・179
　　Column1　アジアにおけるインフラ案件への取組み方と法律事務所の
　　　　　　　役割／181
　(2) 石油・ガス開発関連規制／184
　　　① 民間事業者が取得する権益の概要・184
　　　② コンセッション・185
　　　③ 2017年第7次石油法・石油所得税法改正後の新方式（生産物
　　　　 分与契約・サービス契約）・185
　(3) 電力開発関連規制／187
　　　① 電力規制当局と電力公社・188
　　　② 民間事業者による発電事業に関する規制概要・189
　　Column2　タイにおける太陽光発電事業の合弁／190
2 プロジェクトファイナンス ……………………………………………… 191
　(1) 典型的な進行例／192
　(2) 許認可等／193
　(3) 契約の構成／193
　　　① プロジェクト関連契約・193
　　Column3　インフラ／発電事業開発プロジェクトにおけるリスク評
　　　　　　　価／196
　　　② スポンサー関連契約・196
　　　③ ローン関連契約・197

第9章　REIT・インフラファンド　201

1　REIT ··· 202
　（1）　**Thai REIT の歴史と市場の概況** ／202
　（2）　**Thai REIT のストラクチャー** ／205
　（3）　**Thai REIT に関する主要な規制** ／208
　　①　投資に関する規制・208
　　②　利害関係人取引に関する規制・209
　　③　その他の規制——LTV 規制・配当規制・210
　（4）　**Thai REIT に関して近時導入された新たな制度** ／210
　　①　買戻し条件の付された資産のみを有する REIT・210
　　②　私募 REIT・211
　（5）　**外国投資家による Thai REIT 事業への投資形態** ／211
　　①　REIT の受益権の保有——土地法上の外資規制・212
　　②　REIT マネジャーへの出資——外国人事業法上の外資規制・212

2　インフラファンド ··· 213
　（1）　**インフラファンドの概要** ／213
　（2）　**インフラファンドのストラクチャー** ／214
　（3）　**インフラファンドの主要な規制** ／216
　　①　投資に関する規制・216
　　②　グリーンフィールドプロジェクト／ブラウンフィールドプロジェクト・217
　　③　その他の規制——資本比率規制・配当規制等・218
　（4）　**外国投資家によるインフラファンドへの投資** ／219

第10章　知的財産法　221

1　知的財産制度の現状 ·· 223
　（1）　**法制度の制定状況** ／223
　（2）　**知的財産権の出願の状況** ／226

2 主要な知的財産法の概要 ……………………………………………… 228
 (1) 商 標 法／228
  ① 根 拠 法・228
  ② 保護の客体・228
  ③ 商標要件・229
  ④ 出願、審査・230
  ⑤ 商標異議・231
  ⑥ 存続期間・232
  ⑦ 効　　力・232
  ⑧ ライセンス・233
  ⑨ 刑 事 罰・233
  ⑩ 商標権の無効、取消し・234
 (2) 特　　許／236
  ① 根 拠 法・236
  ② 保護の客体・237
  ③ 特許要件・237
  ④ 特許を受ける権利の帰属、発明者人格権・239
  ⑤ 職務発明・239
  ⑥ 出願・審査・241
  ⑦ 特許異議・242
  ⑧ 特許権の効力、制限・242
  ⑨ ライセンス・244
  ⑩ 特許の無効・247
  ⑪ 特許侵害訴訟における抗弁・248
 (3) 実用新案権（小特許）（特許法）／248
  ① 根 拠 法・248
  ② 保護の客体・249
  ③ 実用新案要件・249
  ④ 特許を受ける権利の帰属、発明者人格権・249
  ⑤ 職務実用新案・249
  ⑥ 出願・審査・249
  ⑦ 実体審査請求・249
  ⑧ 実用新案権の効力、制限・250
  ⑨ ライセンス・250

　　　　⑩　実用新案権の無効・250
　　　　⑪　実用新案権侵害訴訟における抗弁・250
　　(4)　意匠権（特許法）／251
　　　　①　根　拠　法・251
　　　　②　保護の客体・251
　　　　③　意匠要件・251
　　　　④　特許を受ける権利の帰属、発明者人格権・251
　　　　⑤　職務意匠・252
　　　　⑥　出願・審査・252
　　　　⑦　意匠異議・252
　　　　⑧　意匠権の効力、制限・252
　　　　⑨　ライセンス・252
　　　　⑩　意匠権の無効・252
　　　　⑪　意匠権侵害訴訟における抗弁・252
　　(5)　著作権法／253
　　　　①　根　拠　法・253
　　　　②　保護の客体・254
　　　　③　権利の発生、取得・254
　　　　④　効　　力・255
　　　　⑤　著作者人格権・255
　　　　⑥　保護期間・256
　　　　⑦　権利侵害行為・256
　　　　⑧　民事的救済・256
　　　　⑨　刑　事　罰・257
　　　　⑩　著作権登録制度・259
　　(6)　営業秘密保護法／259
　　　　①　根　拠　法・259
　　　　②　保護の客体・260
　　　　③　保護の要件・261
　　　　④　営業秘密の侵害行為・261
　　　　⑤　民事的救済・262
　　　　⑥　刑　事　罰・262
　3　知的財産権のエンフォースメント ……………………………… 262
　　(1)　CIPITCの概要／262

(2) 刑事手続／263
　　　(3) 民事手続／266
　　　(4) 税関における水際取締り／266
4　実務上の重要論点 ……………………………………………………………… 266
　　　(1) 冒認登録された第三者の権利の無効および取消しの可否／266
　　　(2) 職務発明の取扱い／268
　　　(3) ライセンス契約、技術支援契約締結上の留意点／270
　　　　① ライセンス契約の登録に関する条項・270
　　　　② 改良技術に関する条項・270
　　　　③ ライセンサーによるライセンス技術の実施可能性の保証の要否・271
　　　　④ ライセンサーによる特許保証の要否・272
　　　　⑤ ライセンス契約期間満了後におけるライセンシーによるライセンス技術継続使用について、制限することの可否・272
　　　　⑥ ライセンス契約により、ライセンシーが、ライセンス技術と類似した技術または競合する技術をほかの供給元から取得することを制限することの可否・272
　　　　⑦ 紛争解決条項における注意点・273

第11章　労働法　275

1　概　　要 ………………………………………………………………………… 276
　　　(1) 主要法令／276
　　　(2) 監督官庁／277
　　　(3) 労働裁判所／277
2　雇　　用 ………………………………………………………………………… 278
　　　(1) 定　　義／278
　　　　① 雇用契約・278
　　　　② 使 用 者・278
　　　　③ 労 働 者・279
　　　(2) 雇用契約の種類／279

　　　　　① 期間の定めのない雇用・279
　　　　　② 有期雇用・279
　　　　　③ 特定有期雇用・279
　　　　　④ 試用期間・280
　　　　　⑤ 派遣労働者・280
　　　(3) 障がい者雇用／281

3　解　雇 ··· 282
　　　(1) 解雇の意義／282
　　　(2) 解雇の要件／282
　　　(3) 解雇予告／282
　　　(4) 解雇補償金の支払い／284
　　　　　① 解雇補償金支払いの要否・284
　　　　　② 解雇補償金の計算・285
　　　　　③ 事業所移転による労働者による雇用契約解約の場合の補償金・286
　　　　　④ 機械化・技術革新移転に伴う解雇の場合の補償金・286
　　　(5) 明文規定による個別の解雇禁止事由／287
　　　(6) 不公正解雇の労働裁判所による制限／288
　　　　　① 概　　要・288
　　　　　② 不公正解雇とされた事例・288
　　　　　③ 不公正解雇ではないとされた事例・289
　　　(7) 人員整理の方法／290
　　　　　① 退職勧奨・290
　　　　　② 希望退職制度・291
　　　　　③ 整理解雇・291

4　事業再編に伴う労働者の承継 ································ 291
　　　(1) 事業譲渡の場合／291
　　　(2) 合併の場合／292

5　労働者団体 ··· 292
　　　(1) 労働組合／292
　　　(2) 労働者委員会／293
　　　(3) 福祉委員会／293

目　次

- 6　労使紛争の手続 …………………………………………………………… *294*
    - (1)　要求書の提出／*294*
    - (2)　交　　渉／*295*
    - (3)　調　　停／*295*
- 7　賃金および手当て ………………………………………………………… *296*
    - (1)　概　　要／*296*
    - (2)　支払方法／*296*
    - (3)　控除の制限／*297*
    - (4)　最低賃金／*298*
- 8　労働時間、休憩および休日 ……………………………………………… *299*
    - (1)　労働時間／*299*
    - (2)　休　　憩／*299*
    - (3)　休　　日／*300*
    - (4)　時間外労働および休日労働／*301*
    - (5)　時間外手当て、休日労働手当ておよび休日時間外手当て／*301*
    - (6)　在宅勤務／*304*
- 9　休　　暇 …………………………………………………………………… *304*
    - (1)　年次有給休暇／*304*
    - (2)　疾病休暇／*305*
    - (3)　不妊手術休暇／*305*
    - (4)　用事休暇／*305*
    - (5)　兵役休暇／*306*
    - (6)　研修休暇／*306*
    - (7)　出産休暇／*307*
    - (8)　労働組合の委員の活動のための休暇／*307*
- 10　就業規則および労働条件協約 …………………………………………… *307*
    - (1)　就業規則／*307*
    - (2)　雇用契約／*308*

xxvii

11 外国人就労 ·· *309*

 (1) 外国人就労禁止職種／*309*
 (2) 就労ビザおよび外国人就労許可の概要／*311*
 (3) 「就労」の意味／*312*
 (4) 緊急業務届出／*313*

第12章　現地事業運営　315

1 契約法制 ·· *316*

 (1) 契約の成立／*316*
 (2) 契約の有効性／*316*
  ①　要式行為・*316*
  ②　公序良俗・*316*
  ③　行為能力・*317*
  ④　意思表示の瑕疵・*317*
 (3) 債務不履行／*319*
 Column1　新型コロナウイルス（COVID-19）の感染拡大と「不可抗力」／*320*
 (4) 解　　除／*321*
 (5) 瑕疵担保責任／*322*
 (6) 契約言語／*323*
 Column2　電子契約および電子署名／*323*

2 消費者保護法制 ··· *324*

 (1) 消費者保護法制の概要／*324*
 (2) 消費者保護法／*324*
  ①　広　　告・*324*
  ②　表示（ラベル）・*326*
  ③　契　　約・*326*
  ④　商品および役務の安全性・*327*
 (3) 消費者事件手続法／*328*
  ①　訴訟提起に関する特則・*328*

　　　　② 審理に関する特則・329
　　　　③ 裁判所の判断に関する特則・330
　3　製造物責任 …………………………………………………………………… 331
　　(1) 責任主体／331
　　(2) 対象商品／331
　　(3) 損害賠償の範囲／332
　　(4) 免　　責／332
　　(5) 最近の事例／332
　4　債権回収 ……………………………………………………………………… 334
　　(1) 任意の債権回収または裁判外の手続による債権回収／334
　　(2) 債権回収のための強制執行および保全手続／335
　　　　① 総　　論・335
　　　　② 強制執行・336
　　　　③ 民事保全・336

第13章　個人情報保護法　　339

1　個人情報保護法の効力発生について ………………………………………… 340

2　個人情報とは …………………………………………………………………… 341

3　規制の適用対象 ………………………………………………………………… 341

4　地理的適用範囲 ………………………………………………………………… 341

5　通知と法的根拠 ………………………………………………………………… 342

6　本人の権利 ……………………………………………………………………… 344

7　情報管理者・情報処理者の義務 ……………………………………………… 345

8 第三国への移転 ……………………………………………………… *347*

 (1) 原則的なルール（個人情報保護法 28 条）/*347*
 (2) 海外グループ会社間等での移転・共有の場合（個人情報保護法 29 条）/*347*
 (3) 上記のいずれにも該当しない場合の例外（個人情報保護法 29 条 3 項）/*348*

9 責任と罰則 …………………………………………………………… *348*

 (1) 民事責任（懲罰的損害賠償請求権を含む）（個人情報保護法 77 条・78 条）/*348*
 (2) 刑事責任（個人情報保護法 79 条〜81 条）/*349*
 (3) 行政罰（個人情報保護法 82 条〜90 条）/*349*

10 日系企業の対応策 …………………………………………………… *350*

第 14 章 汚職防止法制   353

1 汚職防止法制の近時の動向 ……………………………………… *354*

2 公務員贈賄規制の概要 …………………………………………… *355*

 (1) 公務員贈賄罪の要件/*355*
 (2) 公務員贈賄罪の適用が除外される場合/*356*
 (3) 外国の法人または個人による贈賄行為・外国公務員に対する贈賄行為・外国における贈賄行為/*357*
 (4) 民間企業の役職員に対する賄賂・リベート供与/*358*

3 公務員贈賄罪の罰則その他の制裁 ……………………………… *358*

 (1) 罰則・制裁の内容/*358*
  ① 個人に対する罰則・*358*
  ② 法人に対する制裁・*359*
  ③ 海外の親会社に対する制裁・*361*
 (2) 第三者を通じた贈賄行為が処罰される場合/*361*

4 執行手続 ·· *362*

 (1) 執行の手続／*362*
 (2) 自主申告制度／*362*
 Column1　タイ独特の慣習「バスケット」／*363*
 Column2　「ファシリテーションペイメント」の取扱い／*363*

第 15 章　紛争解決制度　　365

1 紛争解決制度の概要 ·· *366*

 (1) **紛争解決方法の選択肢**／*366*
  ① 国内における裁判・*366*
  ② 外国における裁判・*367*
  ③ 国内における仲裁・*367*
  ④ 外国における仲裁・*367*
 (2) **紛争解決方法を検討する視点**／*368*

2 民事裁判制度 ·· *369*

 (1) **民事訴訟法の法源と裁判制度の概要**／*369*
  ① 民事裁判制度の特徴と法源・*369*
  ② 審級制度および裁判所の構成・*369*
 (2) **第一審手続の流れ**／*370*
  ① 訴え提起および送達・*370*
  ② 管　　轄・*371*
  ③ 訴訟費用の納付・*371*
  ④ 答弁書の提出および争点整理手続期日の指定・*371*
  ⑤ 和解のための手続・*372*
  ⑥ 争点整理のための手続・*372*
  ⑦ 証拠調べ・*372*
  ⑧ 手続の終結・*373*
  ⑨ 判　　決・*373*
 (3) **上訴審手続および執行手続**／*374*
  ① 控訴審手続・*374*

　　　　② 上告審手続・374
　　　　③ 執行手続・374
　　　　④ 外国判決の承認・執行・375
　　(4) クラスアクション制度／375

3 仲裁制度 ··· 376

　　(1) 仲裁の法源／376
　　(2) 国内仲裁と外国仲裁／377
　　(3) 仲裁機関／377
　　(4) 仲裁判断の承認・執行の手続／378

第16章　倒　産　　　　379

1 総　論 ·· 380

2 破産手続 ··· 380

　　(1) 破産宣告の申立て／380
　　(2) 財産保全命令／381
　　(3) 和　議／382
　　(4) 債権者集会／382
　　(5) 破産宣告／383
　　(6) 債権者集会が和議を可決した場合／383
　　(7) 管財人による財産管理／383
　　(8) 弁済請求手続／384
　　(9) 無担保債権者／384
　　⑽ 有担保債権者／385
　　⑾ 破産手続の廃止および免責／386

3 事業更生手続 ·· 387

　　(1) 申立て要件等／387
　　(2) 申立ての受理と自動停止／389
　　(3) 事業更生手続開始決定／389

4 更生計画作成者の選任 ………………………………………………… *389*
　(1) 事業更生手続開始決定において更生計画作成者も選任される場合／*390*
　(2) 事業更生手続開始決定において更生計画作成者が選任されない場合／*390*
5 事業更生における弁済請求手続 ……………………………………… *391*
6 更生計画の策定 ………………………………………………………… *391*
7 更生計画の承認 ………………………………………………………… *393*
8 事業更生手続の終了 …………………………………………………… *394*
9 SMEの事業更生手続 …………………………………………………… *394*

第17章　テクノロジー・フィンテック関連法　397

1 フィンテック関連規制 ………………………………………………… *398*
　(1) 概　　要／*398*
　(2) 決済システム法／*399*
　(3) 最近の動向／*399*
　　① デジタル・レンディング・*400*
　　② Peer-to-Peer貸付プラットフォーム・*400*
2 デジタルプラットフォームサービス関連規制 ……………………… *401*
　(1) 概　　要／*401*
　(2) デジタルプラットフォームサービス勅令／*401*
　　① 定　　義・*401*
　　② 規制対象・*401*
　　③ 域外適用・*402*
　　④ デジタルプラットフォームサービス事業者の義務・*403*

⑤　罰　　則／*404*

　3　デジタル資産関連法制 ………………………………………………… *404*

　　⑴　概　　要／*404*
　　⑵　デジタル資産の分類／*404*
　　⑶　事業者の分類／*405*
　　⑷　新規コイン公開（**Initial Coin Offering：ICO**）／*406*
　　⑸　ＮＦＴ／*407*
　　⑹　決済手段としての利用の禁止／*408*
　　⑺　今後の動向／*409*

事項索引・*411*
執筆者紹介・*419*

Introduction
タイの法制度

序　章

序　章　タイの法制度

1　タイ法の歴史

　タイ法の近代化は、ラーマ5世（チュラーロンコーン大王、在位1868年～1910年）の時代に始まったとされている。その背景には、日本と同様、タイ[1]は19世紀に欧米諸国との間で領事裁判権の承認および関税自主権の放棄等の内容を含むいわゆる不平等条約を締結しており、かかる不平等条約撤廃のため、法制度の近代化・西洋化が求められたという事情がある[2]。また、タイの法制度の特徴の1つとして、アジアにおいて数少ない欧米諸国による植民地支配を免れた国であったことから、他の東南アジア諸国のように、法制度について旧宗主国の影響を強く受けたといった事情がない点も挙げられる[3]。法制度の近代化に当たっては、西洋の法律家（フランス、イギリス、ベルギー等）[4]が法律顧問として招聘されており、これらの専門家が民商法典、刑法典等の基本法の制定に大きな役割を果たしている[5]。このような経緯から、タイ法は、コモンローの特徴も一定程度有しつつも、大陸法系の国の影響を強く受けており、基本的には大陸法系に属すると整理されている。

2　タイ法の法源

　タイの法体系は、憲法を頂点とし、憲法の下位規範として、法律、緊急勅令、勅令、省令および条例が続いている。また、これらの通常の法体系とは

---

[1]　当時の国名はシャム（Siam）であった。
[2]　西澤希久男「第8章タイ」鮎京正訓編『アジア法ガイドブック』（名古屋大学出版会、2009）215頁。
[3]　西澤・前掲注2）215頁。
[4]　日本の法学者である政尾藤吉も法律顧問として招聘され、刑法典や民商法典の起草に関与した。
[5]　西澤・前掲注2）219頁～220頁。

別に、クーデター後の暫定政権により制定される革命政府による布告も存在する。それぞれの概要は、図表のとおりである6)。

(1) 憲　　法

① 現行憲法

タイの最初の憲法は1932年に公布され、それ以降現在に至るまで、合計20の憲法が制定されている。現在の憲法（以下「現行憲法」という）は、2017年4月6日に公布および施行されたものである。このように憲法の制定が繰り返されている背景には、頻繁に起こるクーデターによる政権交代のたびに暫定憲法（クーデターにより既存の憲法が廃止された後に制定される暫定的な憲法）および恒久憲法（暫定憲法制定後に制定される憲法）の制定が繰り返されてきたという事情がある。

② 現行憲法の制定

2014年のクーデターの際に制定された暫定憲法の定めに基づき、2016年

【図表】タイの法体系

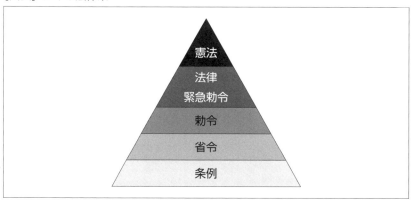

---
6) 西澤・前掲注2) 222頁〜225頁。

8月7日、現行憲法の草案（恒久憲法案）の是非を問う国民投票が実施され、賛成多数で承認された。新憲法の公布・施行には国王による署名が必要であるところ、現国王であるワチラーロンコーン大王（ラーマ10世）が現行憲法の草案の一部の規定（国王の権力および権限）について修正を求めて、草案を政府に差し戻した。その後、内容が一部修正された草案について、2017年4月6日、国王が署名を行い、同日に現行憲法を裁可および公布もしくは施行する旨の勅令が発付された。

(2) 法　　律

法律は、立法機関である国会（National Legislative Assembly）により制定される。2014年のクーデター後の暫定憲法下では、一院制の暫定的な立法議会が置かれていたが、現行憲法のもとでは、2014年のクーデター以前と同様、上院・下院の二院制が採用されている[7]。現行憲法下における法令制定手続の概要は以下のとおりである。官報による告示から一定期間経過後に、施行されることになる。

① 法案提出権者[8]からの法案提出
② 内閣での検討・承認
③ 法令委員会での検討・承認
④ 上院および下院における第一読会、法案検討のために組織される特別委員会、第二読会および第三読会の検討・承認
⑤ 国王の承認
⑥ 官報による告示

---

[7] 2014年のクーデターの暫定憲法下では、暫定国会における第一読会、第二読会および第三読会での検討・承認が必要とされており、法律制定手続が簡易化されていた。

[8] 現行憲法のもとでは、憲法に基づく法律（Organic Act）については、①最高裁判所、憲法裁判所または関連する独立機関の提案と助言による内閣および②下院議員の10分の1以上が法案提出権者とされ（現行憲法131条）、その他の法律については、①内閣、②20人以上の下院議員および③憲法第3章に基づき法案提出のための請願を行うことができる選挙権を有する1万人以上の者が法案提出権者とされている（同法133条1項）。

(3) 緊急勅令（Emergency Royal Decree）

緊急勅令は、国家、公共もしくは国家経済の安全の維持、公共災害の防止のために緊急の必要がある場合、または、課税もしくは通貨に関して迅速かつ内密な検討を要する法令を制定する緊急の必要がある場合に、政府が国王の名のもとで制定する命令であり、法律と同様の効果を有するものとされている（現行憲法172条1項）。緊急勅令の具体例としては、2015年に制定された、民間航空局（Civil Aviation Authority of Thailand）の設立およびその権限等を規定した民間航空局に関する緊急勅令（Emergency Decree on Civil Aviation of Thailand, B.E. 2558（2015））等がある。

(4) 勅令（Royal Decree）

勅令は、憲法、法律、緊急勅令の規定を実施するために、政府が国王の名のもとで制定する命令であり、法律に反しない範囲で制定することが可能とされている（現行憲法175条）。勅令の具体例としては、1979年に制定された、外国人の就労が禁止されている39業種を規定した外国人の就労が禁止される職種を定める勅令（Royal Decree Prescribing Works Relating to Occupation and Profession in Which an Alien Is Prohibited to Engage, B.E. 2522（1979））等がある。

(5) 省令（Ministerial Regulation）

省令は、法律または緊急勅令の規定を実施するために、法律または緊急勅令の授権に基づき、各省庁の大臣が制定する命令である。省令の公布には担当大臣の署名が必要とされている。省令の具体例としては、2013年3月および2016年7月に制定された、外国人事業法別表3の「その他サービス業」から除外される事業を規定した外国人事業許可証を要しないサービス業を定める商務省令（Ministerial Regulations Specified Service Businesses Not Requiring Foreign Business License）等がある。

(6) 条例（Ordinance）

　タイの各地方自治体には、法律に基づき、条例の制定権が与えられている。タイの地方自治制度は複雑であるが、主な地方自治体としては県（Province）、郡（Amphur）、村（Tambol）等があり、それぞれの自治体について、当該自治体のみに適用される議会が制定する条例が存在している9)。

(7) 革命政府による布告

　革命政府による布告は、クーデターが成功した後、憲法が廃止され立法機関が存在しない状況において、統治のために発せられる法形式である。その内容は、憲法の改廃、各種法律の改正・廃止等多岐にわたる。2014年5月のクーデターによって成立した国家平和秩序評議会もこの布告を数多く制定しており、450を超える布告を制定した。具体例としては、東部経済回廊（Eastern Economic Corridor Development）の開発について規定した国家平和秩序評議会布告第2/2560号（Order of the National Council for Peace and Order No. 2/2560)、国家平和秩序評議会が定める規則に違反した放送事業者の放送を停止させる権限をタイ国家放送通信委員会（National Broadcasting and Telecommunications Commission）に与える国家平和秩序評議会布告第41/2559号（Order of the National Council for Peace and Order No. 41/2559）等がある。

---

9) なお、バンコク都の場合には、区（Khet）、地区（Kweng）。

Chapter 1
新規進出・外資規制

第1章

第1章では、日本企業を念頭に置いたタイへの新規進出および外資規制について解説する。まず下記1において、タイへの進出方法としてどのような選択肢があるかを整理したうえで、2において会社設立として最も一般的な非公開会社の会社設立の方法について説明する。そして3において、日本の企業がタイへの進出を検討する際にまず検討が必要となる外資規制について説明する。

1 進出形態

タイへの進出を検討するに当たり、まずその前提として、タイではそもそもどのような進出形態が存在しているのかについて、以下において概観しておくこととしたい。大きな分類としては、現地法人を設立する方法と、外国法人のまま一定の活動を行う方法が考えられるので、それぞれ以下で説明する。

(1) **現地法人**

まず、タイの現地法人（パートナーシップまたは会社）を設立する方法が考えられる。

タイにおける法人の設立について規定する法令（日本の会社法に相当するもの）として、まず、民商法第22編がパートナーシップおよび非公開会社について規定している。また、これとは別に公開会社法が公開会社について規定している。これらを合わせたものがいわばタイの会社法ということになる。これらの法律のもとで、以下のようなパートナーシップおよび会社の設立が認められている。

① **パートナーシップ**

民商法上のパートナーシップには、普通パートナーシップ（ordinary partnership）と有限パートナーシップ（limited partnership）とがある。普通パー

トナーシップにおいては、構成員であるパートナー全員がパートナーシップの全債務について連帯して直接無限責任を負うことになる（民商法1025条）。有限パートナーシップにおいては、出資金額の範囲内で間接有限責任を負う有限責任パートナーと、パートナーシップの全債務について連帯して直接無限責任を負う無限責任パートナーとが存在する（同法1077条）。

普通パートナーシップ、有限パートナーシップのいずれも、登記された場合には法人格を取得する（民商法1013条、1015条）。ただ、普通パートナーシップの登記は任意であるのに対し（同法1064条1項）、有限パートナーシップの場合には登記は義務とされている（同法1078条1項）。

② 会　　社

前記のとおり、民商法が非公開会社について規定し、公開会社法が公開会社について規定している。いずれの会社も、間接有限責任を負う株主のみから構成される。

非公開会社は、附属定款で定めることにより株式に譲渡制限を付すことが可能である一方で（民商法1129条）、株式の第三者割当てが不可能である（同法1222条1項、1229条）など、閉鎖企業を予定した形態である。なお、民商法上は非公開会社は社債を発行することができない旨の規定が存在する（同法1229条）が、証券取引法上、非公開会社も公開会社と同様の条件（詳細は**第5章**を参照されたい）で社債の発行が可能である。

これに対し、公開会社は、株式の公募を目的として、公開会社法に基づき設立される会社である（公開会社法4条、15条）。公開会社は、法律上特に認められる場合およびタイ人と外国人との株式保有比率を維持する目的である場合[1]を除き、株式譲渡に制限を設けることができない（同法57条）。また、株式の第三者割当てや社債の発行も可能である（同法137条、145条）。なお、上場会社となるためには、その前提として公開会社であることが必要である。

---

1) 主に外資規制に違反しないようにすることを想定していると思われる。

日本企業がタイに新規進出する場合には、非公開会社の形態によることが多いが、公開会社の形態によることもある。他方、パートナーシップの形態を採ることは稀である。

(2) **外国法人**（支店・駐在員事務所）

次に、外国法人の形態でタイにおいて一定の活動を行う方法として、以下の手法が考えられる。

① **支　　店**

外国会社は、タイ国内に支店を設立することができる。支店は外国会社（たとえば日本本社）と同一の法人格という法的位置付けであり、タイ国内で支店が締結する契約や不法行為の責任等は、すべて本社である外国会社に帰属することとなる。また、支店は原則として外国会社の事業目的の範囲内の活動のみを行うことができる。

支店の設立や登録については、商業登記法、外国人事業法および歳入法などの各法令に従った届出、報告、登録およびライセンスの取得が必要となる場合がある。特に外国会社の支店は外国人事業法上「外国人」として取り扱われるため、タイ国内で行う予定の事業内容により、後に詳述する外国人事業法の適用を受け、外国人事業許可の取得が求められる場合があることに注意を要する。

また、税務に関して、歳入法により、支店は国内会社と同様に納税者番号の取得と付加価値税オペレーター（VAT Operator）の登録が必要である。

② **駐在員事務所**

また、外国法人は、本社への現地情報・支援の提供を主な機能とする駐在員事務所（Representative Offices）を設立することができる。その活動範囲は以下に列挙する支援活動を海外の本社へ提供することに限定されているとともに、収益を上げる活動はできない点に留意を要する。

- 本社がタイ現地から商品やサービスを購入する調達先候補の捜索
- 本社がタイ現地から調達する商品の性能・分量のチェックおよびコントロール
- 本社がタイ現地の卸売業者・消費者に販売する商品に関するさまざまなアドバイスの提供
- 本社の新商品・サービス情報の普及活動
- 本社へのタイの市況に関する情報の報告

　外国人事業法において駐在員事務所に関する規定は置かれていない。この点、かつては駐在員事務所は外国会社の出資が制限される「その他サービス業」に分類され、その設立には外国人事業許可を取得する必要があったが、2017年6月発効の告示により、現在は外国人事業法の規制事業リストの適用除外（例外）として、外国人事業法の規制を受けずに設立が可能となっている（詳細は後記3(2)②(iv)参照）。

2　新会社設立による進出

　ここでは、タイへの進出を検討するに際して最も一般的な新会社の設立による進出について解説する[2]。

(1) 発起人・資本金

① 発起人

　会社設立に際しては、まずは商務省への会社設立手続を行う発起人の選定が必要である。

　非公開会社・公開会社それぞれの発起人に関する主な要件は**図表1-1**のとおりである。

---

[2] なお、新会社の設立による進出のほかに、既存の会社を買収するいわゆるM&Aによる進出も選択肢として存在する。M&Aによる進出については第3章を参照されたい。

【図表1－1】非公開会社・公開会社の発起人に関する主な要件

	非公開会社	公開会社
最低必要人数	最低2人（民商法1097条）	最低15人（公開会社法16条）
発起人が設立株主になる必要性	会社設立時に株主として最低1株を保有する必要あり（ただしその後の譲渡は原則として自由）。	・会社設立時に株主として払込資本の最低5％を構成する株式を保有する必要あり。 ・また当該保有株式は原則として会社設立登録時から2年間は譲渡不可（株主総会の承諾により譲渡可能）。
タイ居住の必要性	なし。	発起人の半数はタイ居住者である必要あり。

　なお、発起人は法人ではなく自然人である必要がある。国籍については、民商法上制限はないが、発起人は設立株主となる必要があることから、外国人事業法等による外資制限に別途の留意が必要である。

② 資　本　金

　最低資本金について特に具体的な金額の規定はないが、外国人事業法の「外国人」に該当する場合、登録資本金（Registered Capital）は以下の最低登録資本金要件を満たす必要がある（外国人事業法14条）。

・外国人事業法の規制事業を行う場合には、今後3年間平均の想定年間事業運転費用の25％相当額超（かつ300万バーツ以上）
・規制事業を行わない場合には、200万バーツ

(2) 非公開会社の設立手続

① 概　　要

　外国企業がタイ国内の拠点として会社設立を行う場合、会社法に沿った設立手続を履践する必要がある。概要、以下の(i)～(vii)の手順で進められる。なお、日本企業によるタイへの進出としては非公開会社の設立が一般的であるため、ここでは非公開会社の設立手続について説明することとする。

　(i)　商号の予約
　(ii)　発起人の選定
　(iii)　基本定款・附属定款の作成、基本定款の登録
　(iv)　株式引受け
　(v)　設立株主総会の開催
　(vi)　資本金の払込み
　(vii)　会社設立の登記

② 個別手続

　以下、各手続について説明する[3]。

　(i)　商号の予約

　会社設立に際してまず行われる手続が、会社名の予約である。具体的な方法としては、商務省の事業開発局のオンラインで予約フォームを提出するか、署名済み予約フォームを同局に提出して申請する。商務省は、類似の名前がすでに使用・予約されていないか、ルールに沿って作成されているかを審査する。

　なお、申請に際しては他の2つの候補名と合わせて全3候補を提出する必要があるとされている。申請が認められた場合、予約は30日間有効である。

---

[3] ここで述べる一連の手続について、BOIウェブサイト（https://www.boi.go.th/index.php?page=setting_up_a_business）参照。

厳密には予約の延長は認められていないものの、商号の予約から実際の登録手続まで日数を要する場合には、実務上(vii)の設立登記まで30日おきに再申請を繰り返して予約を保持することとなる。

(ii) 発起人の選定

前述のとおり、非公開会社においては2人以上の自然人の発起人が必要であり（民商法1097条）、基本定款（Memorandum of Association）への発起人全員の署名が必要となる（同法1099条）。

(iii) 基本定款・附属定款の作成、基本定款の登録

会社の定款には法定の必要事項を規定する基本定款と、その他の会社に関する附属的事項を規定する附属定款（Articles of Association）の2種類が存在する。

非公開会社の基本定款には、主に、以下の事項を定める必要がある（民商法1098条）。

・商号（予約しているものと同一のもの）
・会社の所在する県所在地
・事業目的
・登録資本金（発行株式数および1株当たり額面金額（1株最低5バーツ））
・発起人の情報（氏名、住所、年齢、職業、引受け予定の株式数）

前記(i)の商号の予約が認められた後、会社は基本定款を商務省に提出し登録する。登録承認には通常1から2営業日程度を要する。

(iv) 株式引受け

発起人は1人最低1株の引受けが必要とされている（民商法1100条）。したがって、発起人は必ず会社設立時の株主になることとなる。

(v) 設立株主総会の開催

株式引受けが完了したのち、会社は設立株主総会を開催する（民商法1108条）。決議事項は通常下記の事項となる。

・附属定款の適用
・会社設立に際して発起人が締結した契約および負担した費用の追認

- 発起人に対する報酬額の決定（支払いのある場合）
- 現物出資で発行される普通株式・優先株式の数の決定（もしあれば）、および現物出資による払込済とみなす払込済資本額の決定
- 設立時取締役・監査役の選任および各取締役の権限の決定

設立株主総会の開催後、発起人は設立会社に関するすべての事業を取締役に移管する（民商法1110条1項）。

(vi) 資本金の払込み

設立株主総会の開催後ただちに、取締役は発起人・株式引受人に対し必要払込金額（各払込金額の最低25％相当額）を支払うように手当てしなければならない（民商法1110条2項）。当該支払いの完了後、取締役は(vii)の会社の設立登記手続を実施する（同法1111条）。

なお、資本金に関連する2015年4月施行の公告によるルール変更により、登録資本金が500万バーツを超える会社の設立登記申請を行う場合、原則として以下の書類を追加で提出するよう求められる[4]。ただし、当該告示に関するガイドラインが発表され、(a)現金による払込みの場合について、以下のとおり一定の例外が定められている。

(a) 現金による払込みの場合

設立登記申請時：

設立される会社の署名権者が登録資本金に相当する金銭の払込みを受領したことを証する銀行発行の証拠書類（ただし、ガイドラインにより、署名権者が外国人のみである場合またはBOI・工業団地公社から投資奨励許可を得ている場合には提出不要とされている。）

設立登記申請が受理されてから15日以内：

設立された会社が登録資本金に相当する金銭の払込みを受領したことを証する銀行発行の証拠書類

---

4) なお、同ルールはパートナーシップにも同様に適用されるとともに、会社設立の場合のみならず、既存の会社が登録資本金の変更により500万バーツを超えることとなる場合にも適用され、変更登記申請時に同様の書類の追加提出が求められる。

(b) 現物出資による払込みの場合

設立登記申請時：

出資される財産について、その所有権が設立される会社に譲渡されることを確認する当該財産の所有者による確認書

設立登記申請が受理されてから 90 日以内：以下の各書類

(ア) 不動産または登録を要する財産の場合、会社が所有者であることを証する証拠書類

(イ) (ア)以外の財産の場合、出資される財産の明細および金額が記載された一覧

この告示の趣旨は、会社に多額の出資が行われるような場合に、適切かつ正確な登記申請が行われることを確保する点にあるものとされている。もっとも、設立時にこの告示を遵守しようとすると、設立時に払込みを証する書類の提出が必要となるため、設立登記完了後に会社の銀行口座を開設したうえで設立時の出資の払込みをするという当該ルール変更前までの従来の実務が採用できなくなる場合が生じている。

この従来の実務は、①設立前に署名権者等の個人口座に多額の資金を払い込むことによるリスクを回避する、②署名権者等が非タイ人のみの場合には会社設立前に銀行口座を開設することができないという銀行手続上の問題点を回避するために採られていた。しかし、この告示により、ガイドラインによる例外の下でも、①については、設立時にタイ人署名権者がおり、かつ設立前に BOI・工業団地公社から投資奨励許可を得ていない場合、これらの問題を回避できないという不都合が生じてしまうので、留意が必要である。

(vii) **会社設立の登記（民商法 1111 条）**

前記(v)設立株主総会の開催日から 3 か月以内に、取締役は会社設立の登録申請を行う必要がある（この期間を過ぎた場合、(v)設立株主総会は無効となる）。登録のためには基本定款や設立株主総会議事録のタイ語の書類その他の書類を提出する必要がある。登記局が書類を確認し適切に揃っていると確認された後に、2 回目の登録料の支払いを行うこととされている（会社設立

【図表1－2】非公開会社の設立の手続（モデル）

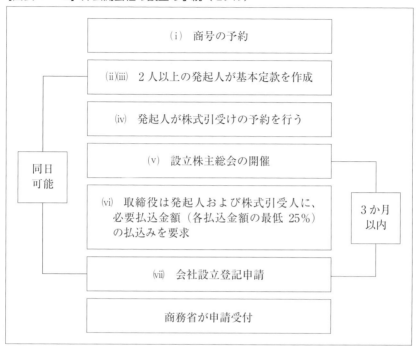

の登録料は、以前は登録資本金額に応じた金額であったが、現在は一律5,000バーツとされている）。

③ 小括（タイムライン）

以上の会社設立の手続をまとめると上記**図表1－2**のようになる（商務省ウェブサイト参照）。なお、上記では法令に則り順を追って記載しているが、実務上は提出書類をすべて揃えたうえで、前記②(iii)の基本定款の登録から(vii)の会社設立の登記までの手続を同時に行うことが可能であり、そのような形で手続することが多い。そのため、(iii)の基本定款の登録料と(vii)の設立登記の登録料についても、実務上は1度に合わせて支払うのが一般的である。

手続全体のスケジュールとしては、一部タイ語の書類の準備も必要となるなどするため、書類準備の開始から登記完了までは一般的には少なくとも3週間程度を要することが一般的である。

3 外資規制

(1) 概　　要

タイにおいて、「外国人」が一定の規制業種を行うには、原則として許可が必要とされている。したがって、タイにおける新規進出を検討するに際しては、外資規制の概要を理解しておく必要がある[5]。

(2) 外国人事業法

① 規制対象となる「外国人」の定義

タイにおける外国直接投資を規制する主要な法律は、外国人事業法である。外国人事業法による規制は、「外国人」を対象としている。ここにいう「外国人」とは、以下のいずれかに当てはまる者をいう（外国人事業法4条）。

(i) タイ国籍を有しない個人

(ii) タイで登記されていない法人

(iii) タイで登記された、資本を構成する株式の50％以上を(i)または(ii)が保有している法人

(iv) タイで登記された、マネージングパートナーまたはマネージャーが(i)である有限パートナーシップ（limited partnership）または普通パートナーシップ（registered ordinary partnership）[6]

---

[5] なお、タイにおける外資規制は、新規進出に限らず既存会社の買収に対しても同様に適用されるため、M&Aによる進出を検討する際にも同様の分析が必要となる。

[6] 前記のとおり、いずれも民商法に基づき設立され登記されたパートナーシップを指すことになる。

3 外資規制

【図表1-3】「外国人」の定義(v)の例

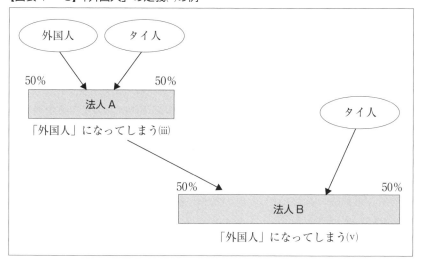

(v) タイで登記された、資本の50％以上を(i)ないし(iv)のいずれかが保有する法人

このうち、外国企業がタイに進出・投資を行うに当たって、通常重要となるのは(iii)と(v)である。

(iii)については、外資の割合が、議決権ではなく資本比率でカウントされること、また、株式の過半数ではなく「50％以上」が基準となっていることに留意する必要がある。

(v)については、たとえば、外国企業対タイ企業の株式保有割合が50％：50％の法人である合弁会社を組成すると、当該合弁会社は「外国人」となるので、当該合弁会社が別の法人に出資する場合、当該合弁会社にはタイ資本が50％入っているにもかかわらず、当該合弁会社による出資のすべての部分が「外国人」による出資となってしまう点に留意が必要である（図表1-3参照）。

他方で、外国企業対タイ企業の株式保有割合が49％：51％であれば、外国人事業法においては、株主であるタイ企業の資本構成にかかわらず、「外

国人」に該当することはない。すなわち、外国人事業法上の「外国人」か否かは、間接保有者まで遡って検討するのではなく、直接の株式保有者が「外国人」に該当するかどうかのみにより判断されることになる。

② 規制対象となる事業

　外国人は、外国人事業法の別表1～3のリストに掲げられた事業を原則として行うことができない（外国人事業法8条）。規制対象となる事業の一覧は図表1－4のとおりである。
　(i) 別表1の事業
　外国人事業法の別表1には、外国人が営むことができない事業が9業種挙げられている。特に土地取引が含まれている点に注意を要する。
　(ii) 別表2の事業
　別表2には、国家の安全、伝統芸術の保護育成および天然資源・環境の保護のために、外国人が原則として営むことができない事業が13業種挙げられている。特に国内輸送（国内陸上・海上・航空運輸および国内航空事業）が含まれている点に注意を要する。
　ただし、別表2の事業の場合、内閣の承認に基づく商務大臣（Minister of Commerce）の外国人事業許可を受けた場合には、例外的に「外国人」でも営むことができる。その場合、原則としてその「外国人」の株式の40％以上をタイ人（非「外国人」）が保有していなければならず、また取締役の5分の2以上がタイ国籍保有者でなければならない（ただし、商務大臣は、内閣の承認に基づき、株式については25％まで引き下げることが可能である）（外国人事業法15条）。
　(iii) 別表3の事業
　別表3には、タイの国内産業の競争力が不十分であるために、外国人が原則として営むことができない事業が21業種挙げられている。サービス業を中心にさまざまな業種が挙げられており、特に注意すべき点は、21項に「その他サービス業」というキャッチオール規定が設けられている点である。

【図表1-4】規制対象となる外国人事業

分　　類	規制対象業種
【別表1】 外国人が営むことができない事業	1．新聞発行・ラジオ・テレビ放送事業 2．農業・果樹園 3．畜産 4．林業・木材加工（天然） 5．漁業（タイ海域・経済水域内） 6．タイ薬草の抽出 7．骨董品（売買・競売） 8．仏像および僧鉢の製造・鋳造 9．土地取引
【別表2】 国家の安全、伝統芸術の保護育成および天然資源・環境の保護のために、外国人が原則として営むことができない事業	1．武器等の製造・販売・補修 2．国内陸上・海上・航空運輸および国内航空事業 3．骨董品・民芸品販売 4．木彫品製造 5．養蚕・絹糸・絹織布・絹織物捺染 6．タイ楽器製造 7．金銀製品・ニエロ細工・黒金象眼・漆器製造 8．タイ文化・美術に属する食器製造 9．サトウキビからの精糖 10．塩田・塩土での製塩 11．岩塩からの製塩 12．爆破・砕石を含む鉱業 13．家具および調度品の木材加工
【別表3】 タイの国内産業の競争力が不十分であるために、外国人が原則として営むことができない事業	1．精米・製粉 2．漁業（養殖） 3．植林 4．ベニア板・チップボード・ハードボード製造 5．石灰製造 6．会計サービス 7．法律サービス 8．建築設計サービス 9．エンジニアリングサービス 10．建設業（外国人投資が5億バーツ以上で特殊な技能を要する建設を除く）

11. 代理・仲介業（証券・農産物の先物取引、金融商品売買に関するサービス、同一グループ内の生産に必要な財取引、外国人資本 1 億バーツ以上の国際貿易仲介、その他省令で規定された代理・仲介業を除く）
12. 競売（骨董品・美術品以外の国際間競売、その他省令で定める競売）
13. 伝統的な国内農産物または法令で禁止されていない農産物の国内取引（ただし、農産物の先物取引を除く）
14. 最低資本金 1 億バーツ未満または 1 店舗当たり最低資本金 2,000 万バーツ未満の小売業
15. 1 店舗当たり最低資本金 1 億バーツ未満の卸売業
16. 広告業
17. ホテル業（ただし、マネージメントを除く）
18. 観光業
19. 飲食物販売
20. 植物の繁殖・品種改良
21. その他サービス業（省令で定めるものを除く）

　ただし、別表 3 の事業の場合、外国人事業委員会（Foreign Business Committee）の承認に基づく商務省事業開発局長（Director-General, Department of the Business Development）の外国人事業許可を受けた場合には、例外的に「外国人」でも営むことができる。

(iv) 別表 3 の「その他サービス業」

　「その他サービス業」については、省令で定める業種を除くとされており、2013 年 3 月および 2016 年 2 月にこの除外に関する省令が公布・施行され、以下の業種が除外されている。

・証券取引法に基づく証券業務
・デリバティブ法に基づくデリバティブ業務
・資本市場取引信託法に基づく受託業務
・銀行業および外国銀行の駐在員事務所
・生命保険業

・損害保険業

また、2017年6月発効の商務省令により、以下の業種が追加で除外されている。

(a) グループ①
- 商業銀行業務に必要な一定の業務（銀行代理選任、不動産リース、債権回収代理等）
- アセットマネジメント法に基づくアセットマネジメント業務

(b) グループ②
- 駐在員事務所
- 地域統括本部
- 政府機関と契約を締結しサービス提供を行う業務
- 国有企業と契約を締結しサービス提供を行う業務

ただし、規制対象となる業種の別表から除外されたとしても、個別の事業に関する法令により別途の外資規制が定められている場合があるので留意を要する。

さらに、これまで、当該外資規制は、子会社やグループ関連会社へのサービス提供や管理事業にも及ぶため、たとえばグループ会社間でローンを提供する場合やバックオフィスサービスを行う場合であっても、外国人事業許可を取得することが必要になりうるという解釈が一般的であった。しかし、2019年6月25日施行の商務省令により、「その他サービス業」の範囲に関し、以下の3事業については、規制対象である「その他サービス業」から除外することが確認された。

(ｱ) タイ国内の一定のグループ会社への貸付け

(ｲ) 一定のグループ会社への事業所スペースの賃貸や公共設備（電気・水道・ガスなどの設備）の提供

(ｳ) 一定のグループ会社への、以下の分野についての相談・助言の提供
　ア　経営管理
　イ　マーケティング

ウ　人事
　　　エ　情報テクノロジー
また、上記「一定のグループ会社」の範囲は以下のように定められている。

　　(a)　ある法人（法人A）において全株主・パートナーの過半数（頭数）を構成する者が、他の法人（法人B）において全株主・パートナーの過半数を構成する場合の、法人Aと法人B

　　(b)　ある法人（法人A）の全資本価値（登録資本金）の25％以上を所有する株主・パートナーが、他の法人（法人B）の全資本価値の25％以上を所有する株主・パートナーである場合の、法人Aと法人B

　　(c)　ある法人（法人A）が他の法人（法人B）の全資本価値（登録資本金）の25％以上を所有する株主・パートナーである場合の、法人Aと法人B

　　(d)　ある法人（法人A）の取締役または経営権限を有するパートナー（無限責任構成員）の過半数が、他の法人（法人B）の取締役・経営権限を有するパートナー（無限責任構成員）の過半数である場合の、法人Aと法人B

　これらにより、これまで日本の親会社がタイ関連会社に対して実施することに法律上の疑義があった一定のサービス提供が明確に許容されたことになり、関連会社の管理が一定程度容易になるため、日系企業にとっても重要な動きであると考えられる。もっとも、たとえば、今回の適用除外には関連会社への保証・担保提供等の除外は含まれていないため、外国人がタイ国内において保証・担保提供等を行う場合には、外国人事業許可の取得が必要であるという解釈が継続して適用される可能性が高いといった点には留意が必要である。

③　日タイ経済連携協定による例外

　2007年11月1日に発効した日タイ経済連携協定に基づき、タイにおける一

3　外資規制

【図表１−５】日タイ経済連携協定による規制緩和の概要

業　種	日本人・日本企業への優遇（規制緩和）の内容
総合経営コンサルティング業（法律・監査コンサルティングを除く）	100％まで保有可能
ロジスティクスコンサルティング業（すべての運送業を除く）	51％まで保有可能
家電機器の保守・修繕サービス業（同一ブランドで、当該タイ法人もしくはタイの関連会社が自社製品として卸売りし、または、日本の関連会社が製造したもの）	60％まで保有可能（資本金１億バーツ以上等の条件あり）
卸売業・小売業（同一ブランドで、日本の自社製品もしくはタイの関連会社の製品（いずれも蒸留酒を除く）または日本の関連会社が製造した自動車）	75％まで保有可能
ホテル・レストラン業（ケータリング業を含む）	60％まで保有可能（払込済資本金８億バーツ以上等の条件あり）
レストラン業	60％まで保有可能（払込済資本金５千万バーツ以上等の条件あり）

部の事業について外資規制割合が日本企業にとって有利な形に緩和されている。同協定に基づく規制緩和は外国人事業法上の規制に優先して適用される。同協定の附属書５による当該緩和の概要をまとめると**図表１−５**のようになる。

(3)　**個別事業法による規制**

　ここまで、外国人事業法に基づく外資規制について説明したが、外国人事業法に加えて、個別の事業法においても直接的または間接的な外資規制が存在することがあるので、注意する必要がある。直接的な外資規制としては、外国人保有比率の上限を、外国人事業法上の50％未満よりも引き下げている場合がある。また、間接的な外資規制としては、たとえば、取締役の一定

割合についてタイ国籍保持者またはタイ居住者であることが要件とされている場合がある。

　その代表的な例として、保険・銀行その他の金融機関に関する個別事業法による規制がある。タイでは従前、銀行業および保険業についても外国人事業法の規制対象である「その他サービス業」というキャッチオール規定により（**図表１－４**の別表3項目21項）、特別法上の外資規制に加えて外国人事業法の規制を受けていた。しかし、規制の重複およびこの業種でタイ人が外国人と競争できるようになったということを理由に、前述のとおり、銀行業および外国銀行の駐在員事務所、生命保険業、ならびに損害保険業の3事業について、「その他サービス業」から除外する旨を定める省令が2016年2月19日に公布された。これにより、従来の制度のもとでは、「外国人」に該当する外資企業が上記3事業を行うに当たり、金融・保険規制当局からの特別許可に加え、外国人事業法に基づく外国人事業許可も別途取得する必要があったが、今回の省令の施行により、金融・保険規制当局からの特別許可のみで事業を開始することが可能となった。

① 保　　険

　外国人がタイにおいて生命保険および損害保険事業を行うには、生命保険法および損害保険法（生命保険法と併せて以下「タイ保険法」という）による規制に従う必要がある。その内容は**図表１－６**のとおりである。

（i）例外1

　保険委員会が「適切な理由」[7]が認められると判断した場合には、保険委員会の許可により、外国人による出資比率の上限を49％以下まで引き上げ、タイ国籍取締役の人数割合の下限を過半数まで引き下げることが可能である

---

7)　外資規制を緩和させる当該「適切な理由」が認められる場合として、2016年2月5日施行の保険委員会告示により、①保険委員会告示により定められた自己資本比率（capital adequacy ratio）（現在の告示では100％と定められている）を下回るかまたは下回る可能性がある場合、および②事業競争力向上のための経営改善計画が定められた場合の2つの場合とされた。

3 外資規制

【図表1－6】タイ保険法による外国人事業への規制

	外国人保有比率	取締役のタイ国籍保持要件※
原　則	25％以下（2015年法改正前は25％未満とされていた）	取締役の「4分の3以上」はタイ国籍保持者
例外1	保険委員会の特別許可により、49％以下まで引上げが可能	保険委員会の特別許可により、「過半数」まで引下げが可能
例外2	一定の場合に、財務大臣によるさらなる引上げが可能	一定の場合に、財務大臣によるさらなる引下げが可能

※取締役の国籍要件について、改正前の厳格な「タイ国籍者」の基準を満たせる保険会社は少なかったが、2015年法改正により、当該「タイ国籍者」の定義は撤廃され、「外国人」の定義を外国人事業法に合わせる改正がなされた。

とされている。

(ii) 例外2

さらに、以下の例外的な場合には、財務大臣は外国人保有比率の例外1を超える引上げ、またはタイ国籍保持要件についても例外1を超える引下げを認めることが可能である（2015年改正により、下記(b)と(c)が追加され、特別許可の範囲が拡大している）。

(a) 会社が被保険者または公衆に損害を与えるような状況に置かれ、またはそのような操業を行っている場合
(b) 保険会社の安定強化のため必要な場合
(c) 保険業界の安定強化のため必要な場合

② 銀行その他の金融機関

銀行等の金融機関についても、金融機関事業法が適用され、生命保険法や損害保険法と同様の外国人保有比率の上限および取締役の人数比率の下限に関する規制がある（金融機関事業法16条）。その概要は図表1－7のとおりであり、一定の例外が定められているが、実際にタイ中央銀行および財務大臣による規制緩和の許可を得ることができる場面は限定的である。

【図表1-7】金融機関事業法による外国人企業への規制

	外国人保有比率	取締役のタイ国籍保持要件
原則	25％以下	取締役の「4分の3以上」はタイ国籍保持者
例外1	タイ中央銀行の特別許可により、49％以下まで引上げが可能	タイ中央銀行の特別許可により、「過半数」まで引下げが可能
例外2	一定の場合に、財務大臣によるさらなる引上げが可能	一定の場合に、財務大臣によるさらなる引下げが可能

(i) 例外1

タイ中央銀行は、対象者の申請に基づき、外国人保有比率規制の引上げ、または取締役のタイ国籍保持要件の引下げを認めることが可能である。

(ii) 例外2

さらに、以下の例外的な場合には、財務大臣は外国人保有比率規制の例外1を超える引上げ、または取締役のタイ国籍保持要件についても例外1を超えるさらなる引下げを認めることが可能である。

(a) 金融機関の業務ポジションの改善が必要な場合
(b) 金融機関の堅固性創造のため必要な場合
(c) 金融機関システムの堅固性のため必要な場合

(iii) その他の金融事業への参入に関連する規制

商業銀行事業・ファイナンス事業等は、タイ中央銀行の推奨により財務大臣から免許を取得した公開会社のみ行うことができると規定されている（金融機関事業法9条）。また、金融機関の本店・支店の開設・移転または支店の閉鎖においてはタイ中央銀行の許可を得る必要があり（同法13条）、取締役は他の金融機関の取締役・支配人・従業員または経営権限者との兼業が原則として禁止されるなど（同法24条）、法人形態や役員について一定の制約が規定されている。

さらに金融機関事業法においては、これ以外にも、1つの銀行等の株式を5％以上保有する者の監督官庁への報告義務や（金融機関事業法17条）、1つ

の銀行等の株式を10％超保有する場合には監督官庁の許可を受けなければならない旨が規定されている（同法18条）。そして、かかる報告義務や許可の要否の判断においては、外国人事業法とは異なり間接保有者（究極の保有者）の保有する株式の数も考慮することとされている点に注意を要する（同法17条、18条）。

(4) **土地保有に関する外資規制**

また、ここまで述べた外資規制に加えて、土地法の規制により、「外国人」は、BOIまたは工業団地公社（Industrial Estate Authority of Thailand）から許可を取得しない限り、原則として土地を所有することができない。

そして、土地法における外国人の定義は、外国人事業法のそれと類似しているが、株式の（50％以上ではなく）49％超を外資が保有し、または株主の人数の過半数が外国人であるタイ法人は「外国人」に該当するとされている点が異なる。すなわち、たとえば、株式の49.5％を外国企業が保有するタイ法人は、外国人事業法上は非「外国人」であるが、土地法上は「外国人」に該当し、一定の許可を得ない限り原則として土地を所有できないことになる。また、近年の土地局の運用として、新たな土地所有権取得の登記に際し、特に新所有者が非公開会社である場合、いわゆる名義貸しによる上記規制の潜脱が行われていないかをチェックするため、間接株主を含む究極株主までの株主情報の提供が求められる場合があり、特に留意が必要である。土地所有を含む不動産法制に関しては、**第７章**において解説している。

(5) **外資規制の対応策**

① **外国人事業許可の取得**

検討している事業が外国人事業法の規制を受ける場合、まず考えられる方法は外国人事業許可を取得することである。

ただし、外国人事業許可の付与は当局の広範な裁量に委ねられており、業種にもよるが、一般に取得の難度は高いといわれている。そのため、難度が

高い一般的なサービス業の場合（特に飲食業、流通・運送業、広告業等）には、外国人事業許可の取得は当初から検討せず、株式の過半数を持たせるタイ側合弁パートナーを探すのが一般的である。なお、本来の事業と密接に関連する付随的事業（たとえば自社製品のメンテナンス業）、実質的に事業性の低い場合（親会社への担保・保証の提供）およびもっぱら関連会社のみへのサービス提供の場合など、一定の限定された場合には比較的取得しやすいといわれている。

　外国人事業許可の取得に当たっては、想定事業内容、収支見込み、雇用、技術移転等の詳細をタイ語で記載した申請書等を提出する必要があることに加え、担当官から求められた場合には追加での情報提供が必要となる。申請に対する審査期間は原則として60日以内とされているが、さらに60日の延長がなされる可能性があり（外国人事業法17条）、外国人事業許可の取得まで相当の時間を要するケースがある。

②　BOI投資奨励の取得

　次に、BOIによる投資奨励により、外国人事業法による外資規制が解除される場合もある（外国人事業法12条）。BOIは投資奨励機関であり、投資奨励法に基づき、国内外の企業に恩典を与えることにより投資奨励を行っている。基本的に要件を充足すれば一定の恩典が認められるが、原則として新規の投資が必要である。具体的には、下記の奨励対象事業について、BOIから付与される奨励の恩典として、外国人が外国人事業法の規制を超えて株式の全部または一部を保有することが許容される。また、土地の所有が例外的に認められる場合もある（その他の法人税免税等の税務面・その他非税務面の恩典については後記(8)①を参照）。

　この点BOIは、2022年11月に、新投資奨励戦略（以下「新戦略」という）の詳細を公表した。この新戦略の実施期間は2023年から2027年までの5年間とされており、2023年1月3日以降に投資申請書が受理された案件から適用されている。他方で従前から奨励を受けていた案件や、2023年1月3

日以前に受理された案件については、基本的には従前の投資恩典制度（「旧制度」）の適用を受ける。

③ 対象事業

この戦略における投資奨励の対象事業は、10類の事業区分で、409業種（2023年1月末時点）となっている（BOI布告第9/2565）。この政策において近年追加される業種の多くは、先端技術を用いた事業、デジタルに関するもの、中小企業やスタートアップの強化などであり、タイにおける産業の発展に伴い、先端的な技術を用いる産業や社会的なニーズの高い産業をより奨励していくという意図が読みとれる。

(6) 外資規制の回避スキーム

ここまで、外資規制の対応策として、外国人事業許可の取得およびBOI投資奨励の取得という、いわば正攻法での対応について説明した。他方で、特に外国人事業許可・BOI投資奨励のいずれも取得が困難であることが見込まれる場合に、前記のような外資規制の適用を回避すべく、実務上はさまざまな工夫が試みられている。その中でも、以下に記載する各スキームは、実務において比較的頻繁に検討される代表的なスキーム例である。

なお、下記各スキームを検討するに際しては、Anti-Nominee規制への留意が必要である。すなわち、タイ人（すなわち非「外国人」）の名義だけを借りて外国人事業法上の規制事業を無許可で行うことは、罰則付きで禁止されている（外国人事業法36条、37条、41条)[8]。当然ながら、タイ人の名義株主としてのノミニー（nominee）を通じて、外国人事業法上「外国人」による営業が禁止されている事業を営む会社の株式の50％以上を取得・保有することも禁止される。ただし、どのような場合にノミニーであると判断されるかについては明確な基準がなく、裁判例や商務省の公表された判断例も見当たらないが、ノミニーであると容易に判断されているわけではない。

第1章 新規進出・外資規制

【図表1-8】友好的株主を利用するスキームの例※

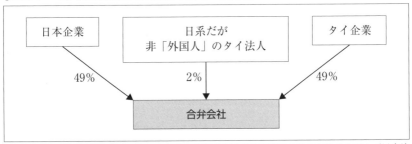

※以下の各スキーム図においては、少なくとも形式上は非公開会社の場合には2人以上（民商法1237条1項4号）、公開会社の場合には15人以上（公開会社法155条1項2号）の株主が必要であるという点は省略している。

① 友好的な非「外国人」株主を利用するスキーム

　外国人事業法上の「外国人」ではない（すなわちタイ資本が過半数を占める）友好的な株主から第三の株主として若干の出資を受けるという方法である。典型的な例として、日本企業とタイ企業が49％ずつ出資し、残り2％について、別の日本企業の関連会社でタイ資本が過半数を保有するコンサルティング会社や投資会社からの出資を受けるという方法である（図表1-8）。この場合、当該コンサルティング会社や投資会社が、日本企業と同様の議決権等の権利行使をすることにより、結果的に日本企業による経営支配が事実上可能となる9)。

---

8) 罰則の内容としては、名義貸しをした非外国人であるタイ国籍保持者またはタイ法人、および名義借りをした外国人の双方に対して、3年以下の禁錮もしくは10万バーツ以上100万バーツ以下の罰金を科し、またはそれらを併科するものとされている。また、裁判所は、当該非外国人については名義貸しの終了または株式保有の終了、当該外国人については対象事業の終了または株式保有の終了を命令するものとしている。この裁判所命令に違反した場合には、違反1日当たり1万バーツ以上5万バーツ以下の罰金を科すものとしている。さらに、法人が違反行為を行った場合には、その取締役、パートナー、または当該法人から授権されて当該法人のために当該違反行為を行った者にも、3年以下の禁錮もしくは10万バーツ以上100万バーツ以下の罰金を科し、またはそれらを併科するものとされている。

【図表1－9】議決権数の異なる種類株式を利用するスキームの例

② 1株当たりの議決権数の異なる種類株式を利用するスキーム

　外国企業がたとえば、株式数を基準として49％の株式を保有し、タイ企業が51％の株式を保有することで、合弁会社を「タイ人」としつつ、1株当たりの議決権数が多い種類株式を外国企業に発行することで、外国企業が議決権の過半数を取得する方法である（図表1－9）。これは、前述のとおり、外国人事業法で規制の基準となるのは資本比率であり、議決権比率は問われていないことに着目したものである。

　ただし、種類株式に関する民商法の規定は具体的でなく、たとえば1株当たりの議決権数にどの程度まで差を付けてよいかなどといった点は明らかではない。また、このようなスキームによる外国企業の実質支配を防ぐべく、外国人事業法の規制を資本ベースから議決権ベースに変えるという改正論議もこれまでに生じていること（2006年のクーデター後のスラユット暫定政権時には、かかる外国人事業法の改正案が同暫定政権下における国家立法評議会に提出されたものの、2007年8月に反対多数で否決されている10)。また、2014年5月22日のクーデターの後、2014年10月にも議決権ベースを判断基準とする外国人事業法改正の動きがあったが、プラユット首相が外国人事業法は当面改正しない

---

9) 前記のAnti-Nominee規制に違反しないように特に注意する必要がある。前記のようにノミニーに該当するか否かの基準は明らかでないが、たとえば、株主間契約において同様の議決権等の権利行使をすることを契約上の義務として強制することは避けるべきであるように思われる。
10) 盤谷日本人商工会議所編『タイ国経済概況（2014／2015年版）』（盤谷日本人商工会議所、2015）187頁。

と表明したため、改正の動きはいったん収まった11))に留意が必要である。

③　ダウンストリームインベストメント

　これは、議決権の過半数を取得して会社経営権を支配しようとするものではないが、**図表1−10**のように合弁会社を二層（以上）にして、日本企業がそれぞれに対して外資規制の枠内でマイノリティ出資をすることにより、実質的に配当等の経済的利益を多く得る方法である。

【図表1−10】ダウンストリームインベストメントの例

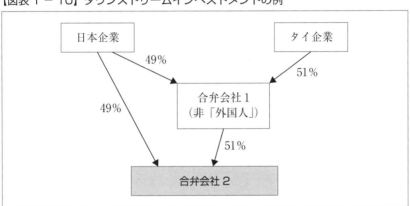

(7)　外資規制の回避スキームが問題となった実際の事例

　上記の外資規制回避スキームについては、実際に罰せられた実例はあまり見当たらないが、近年は商務省が積極的に調査・告発していると見受けられ、また、起訴に至った有名事件も存在する。ここで、外資規制の回避スキームが実際に問題となった近年の事例を紹介したい。

---

11) ジェトロウェブサイト「首相、外国人事業法改正を当面見送る方針示す」（2014年12月5日）（https://www.jetro.go.jp/biznews/2014/12/547fe5d22bf20.html）。

① シン・コーポレーション事件

　2006年1月、タクシン首相の一族が支配していたタイ通信大手のシン・コーポレーションの株式（以下「シン株」という）が、同一族からシンガポールの政府系投資会社テマセクHDに733億バーツで売却された。この際、テマセクHDはシン株をシーダーHDなどタイ人が過半数を保有する他社名義で保有し、さらにその後、TOB（株式公開買付け）で、マレーシア在住のタイ人実業家、スリン氏を筆頭株主とするクラーブケオ社が、シン株の買増しを実施した。

　クラーブケオ社はシーダーHDに大口出資をしていることなどから、クラーブケオ社がテマセクHDに名義貸しをしているのではないかという憶測が流れ、外国人事業法の持株比率制限に抵触するとの疑いが浮上した。

　タイ商務省事業開発局は、クラーブケオ社とテマセクHDとの関係の調査を行い、その結果、シン株購入資金の流れでクラーブケオ社とテマセクHDとの間に深い関係のあることを突き止めるに至った。そこで同局は、テマセクHDが外資出資比率の上限規定を回避するため、クラーブケオ社に株式を保有させたと判断し、2006年9月、起訴に踏み切った（2006年9月19日、軍事クーデターにより、タクシン政権崩壊）。

　しかし、起訴はしたものの、前首相一族、シンガポール政府系企業がかかわるだけに捜査はなかなか進展せず、この混乱の中、外国人事業法改正要求が高まった。

　外国人事業法改正案が閣議決定された後の記者会見で、プリディヤトン副首相兼財務相は、クラーブケオ社の名を挙げ、「改正法案が国民議会で可決した場合は、クラーブケオ社は外国企業とみなされるため、株主、議決権の見直しが必要となる」との見方を示した。しかし、この改正案は、結局法律としては成立するに至らなかった（以上、現地新聞報道ベース）。

　このように、現地株主利用スキームや種類株式スキームについては、特に政治的に注目されるM&A取引がきっかけとなって、法改正の機運が高まる等の今後の法改正のリスクが潜在的にある点に留意が必要である。

② DTAC 事件

　2011 年、携帯電話通信大手の 2 社（当時 2 位の True と 3 位の DTAC）の熾烈なライバル関係から、DTAC のダウンストリーム・インベストメントによる株式保有が外資規制に反しないかが問題とされた。True（CP 財閥グループ）と国営企業との合弁に対して、DTAC（ノルウェー通信大手テレノールが実質支配）が仮差止申立てをするがこれは却下された。True はその後、DTAC の 3 重以上にわたるダウンストリーム・インベストメントによる株式保有形態によって、実質的に外資規制の上限 49％を超えて外国株主が株式を保有しているとして警察庁に告発するなどの報復的な対応を行った。結果的には商務省は明確に外資規制違反を証明できる材料はないとの見解を示した。

　このように、業界ライバルからの攻撃材料に使われたり、民族主義的な動きが政治的に高まった際には規制違反とされるといったリスクもある。

(8) 外資規制の緩和以外の投資奨励・恩典の制度

① BOI 投資奨励における恩典

　上記で挙げた戦略における投資奨励の対象事業（10 類の事業区分、409 業種（2023 年 1 月末時点））については、その恩典として、前記の外資規制の緩和・土地保有の許可以外にも、基本恩典とその他の恩典の 2 種類の恩典がその分類に応じて与えられる[12]。なお、この戦略では原則として立地に関係なく、事業ごとに付与される恩典が定められている。

（i）基本恩典

　基本恩典は、業種に基づく恩典と技術に基づく恩典により構成されている。そして、これらの恩典は、法人税の免除その他の税務面のものと、前述した外資規制の緩和・土地所有の許可などの税務以外のものに分けられる。分類としては、対象事業の重要度に応じて、大きく①法人税の免除を受ける

12）恩典の具体的な内容については、BOI のウェブサイトが詳しく説明しており、本書も基本的に BOI ウェブサイト（http://www.boi.go.th/index.php?page=index）の内容を参照している。

ことができるグループA（その中で業種に応じてA1+〜A4と分類）と、②法人税の免除を受けることができないグループBに分類されている。今回の新戦略で、従来最上位の恩典だったA1の上に、A1+（10〜13年間の上限のない法人税免除をはじめ、その他の税務・非税務恩典を伴う）という分類の恩典が設けられ、また、既存のグループB1およびB2が廃止され、グループBに統一された。

BOI布告第8/2565に基づく基本恩典の概要・分類は**図表１－11**のとおりである[13]。

(ii) その他の恩典

タイの競争力の強化、地方分散（decentralization）、または産業地区開発に資する投資を促進するために、上記の基本恩典に加えて追加で与えられる恩典として、以下のものが定められている。

(a) 競争力強化のための恩典

BOI布告第10/2565に基づき、法人税免除について、**図表１－12**に列挙するいずれかの事業のために要した費用または投資額の最初の３年間の売上高に占める比率もしくはその金額に応じて、最大５年間法人税免除期間を延長すること等が可能とされている（**図表１－12**、**図表１－13**参照）[14]。

---

[13] BOIウェブサイト参照。なお、個別の業種ごとに具体的に定められている基本恩典の具体的内容についても同ウェブサイトを参照されたい。
[14] BOIウェブサイト参照。

【図表1-11】基本恩典の概要・分類

	基本恩典	
	税務面の恩典	税務以外の恩典
A1+	・法人税：上限なしの免税（10～13年間） ・機械輸入税の免税 ・製造輸出製品に使用される原材料および必要資材の輸入税の免税（1年間、延長あり）	・外資規制の緩和 ・土地保有の許可 ・外国人就労許可条件の緩和（ビザ・就労許可の優遇）
A1	・法人税：上限なしの免税（8年間） ・機械輸入税の免税 ・製造輸出製品に使用される原材料および必要資材の輸入税の免税（1年間、延長あり）	同上
A2	・法人税：投資額の100％を上限とする免税（8年間）（投資額は土地費用・運転資本を除く） ・機械輸入税の免税 ・製造輸出製品に使用される原材料および必要資材の輸入税の免税（1年間、延長あり）	同上
A3	・法人税：投資額の100％を上限とする免税（5年間）（投資額は土地費用・運転資本を除く） ※上限不適用の対象として列挙された活動に該当する場合は上限なし ・機械輸入税の免税 ・製造輸出製品に使用される原材料および必要資材の輸入税の免税（1年間、延長あり）	同上

A4	・法人税：投資額の100％を上限とする免税（3年間） ・機械輸入税の免税 ・製造輸出製品に使用される原材料および必要資材の輸入税の免税（1年間、延長あり）	同上
B	・（法人税の免税なし） ・機械輸入税の免税 ・製造輸出製品に使用される原材料および必要資材の輸入税の免税（1年間、延長あり）	同上

(b) 地方分散（decentralization）のための恩典

一般的なゾーン制の恩典は廃止されたが、一定の低所得地域（20県）[15]に立地した場合に、以下の追加の恩典が認められている。

- 法人税の免税期間の3年間の追加（ただし、すでに8年間の法人税免税期間が付与されているA1・A2分類の場合は、当該8年間の経過後の5年間における純利益について法人税50％免除が適用される）
- 奨励事業による最初の収入が生じた日から10年間における、輸送・電気・水道費の2倍額までの控除
- 設備導入・建設費の25％額を、通常の減価償却に加えて控除（奨励事業による最初の収入が生じた日から10年間における1年または複数年の純利益から控除する形で実施できる）

(c) 産業地区開発に関する恩典

法人税免税の期間が1年追加される。ただし、もともと対象事業が工業団地で行うことが条件とされている場合には付与されない。

---

[15] Kalasin, Chaiyaphum, Nakhon Phanom, Nan, Bueng Kan, Buri Ram, Phatthalung, Phrae, Maha Sarakham, Mukdahan, Mae Hong Son, Yasothon, Roi Et, Si Sa Ket, Sakhon Nakhon, Sa Kaew, Surin, Nong Bua Lamphu, Ubon Ratchatani および Amnatcharoen（ただしタイ南部の国境地域および別途の奨励パッケージが与えられている特別経済開発地域を除く）。

【図表1－12】競争力強化のための恩典の対象事業

技術・イノベーション
①　研究開発（社内、タイ国内の外注および海外機関との共同研究開発）
②　タイ国内で開発されたテクノロジーの商業化における知的財産権の取得・ライセンスフィー
③　商品およびパッケージデザインの設計の委託（BOIの承認に基づく社内・タイ国内の外注いずれも含む）
④　BOIの承認に基づく、技術・人材開発ファンド、教育機関、専門訓練センター、タイ国内の科学技術（S&T）分野の研究開発機関・政府機関への支援
人材育成
⑤　高度な技術トレーニング
⑥　科学技術分野での教育課程において職業訓練、スキル開発およびイノベーションを目的とした研修の実施（BOIの承認に基づく、職業統合的学習（Work-integrated Learning）、協同教育）
事業者の能力開発
⑦　高度な技術トレーニングおよび技術支援におけるローカルサプライヤー（少なくともタイ資本51％を有する企業）の開発

【図表1－13】法人税免除期間の延長

対象事業のために要した費用または投資額の最初の3年間の売上高に占める比率またはその金額	法人税免税の追加年数
1％または2億バーツ以上のいずれか少ないほう	1年
2％または4億バーツ以上のいずれか少ないほう	2年
3％または6億バーツ以上のいずれか少ないほう	3年
4％または8億バーツ以上のいずれか少ないほう	4年
5％または10億バーツ以上のいずれか少ないほう	5年

(ⅲ) 恩典取得のための手続

投資奨励の申請手続およびタイムラインについては、BOIがウェブサイトで詳しい情報提供を行っている[16]。

② 国際ビジネスセンター(IBC)導入後の国際調達事務所(IPO)の復活

BOIによるその他の恩恵の制度のうち、近年制度変更のあった恩典制度について簡単に述べたい。

2018年12月11日、国際ビジネスセンター(International Business Centers：IBC)制度が導入された。これは、従前存在していた制度である、(ⅰ)タイの経済競争力の強化とアジアの経済ハブとなることを目標にした国際統括本部(International Headquarter：IHQ)および(ⅱ)国際的な輸入商社のタイ国内への勧誘を目的とした、国際貿易センター(International Trading Centers：ITC)に代わるものであり、両制度の業務内容をほぼ引き継ぐものとなっていた。

しかし、以下に説明するとおり、国際ビジネスセンター(IBC)は、国際貿易事業のみでは投資奨励が得られないほか、一定数の従業員を雇用しなければならないという条件などがあることにより、従前の制度に比べ条件充足の難易度が上がり、恩典の発給数が減少していた。そこで、BOIは、2021年1月13日、国際貿易センター(ITC)が導入されるよりさらに前に運用されていた、国際調達事務所（International Procurement Office：IPO）を再度導入することとした。

(ⅰ) 国際ビジネスセンター(IBC)

国際ビジネスセンターにおいて認められる業務は、**図表1－14**のとおりである。

国際ビジネスセンターにおいては、それぞれ**図表1－14**に記載の要件を満たし投資奨励が認められた場合、以下の恩典を受けることができる。

---

[16] 日本語版（http://www.boi.go.th/index.php?page=procedures&language=ja）。

(a) BOIによる恩典
　・奨励事業に従事する外国人技術者・専門家の入国に関する優遇措置
　・土地保有の許可
　・機械輸入税の免税
　・輸出用製品のための原材料および必要資材の輸入税の免税

(b) 歳入局（Revenue Department）による恩典
　・一定の条件の下、①法人所得税（プロジェクト事業に関する支出経費額に応じて、8％、5％および3％の法人所得税率の引下げ）、②配当受取りに関する法人所得税（関連会社から受領する配当金について法人所得税の免除）、③利子支払いに関する源泉徴収税（財務センターとして関連会社から借入金について支払う利子に課される源泉徴収税の免除）、④配当支払に関する源泉徴収税（タイ非居住者に対して支払う配当金に課される源泉徴収税の免除）、⑤特別事業税（財務センターとして受領する所得に課される特別事業税の免除）、⑥個人所得税（プロジェクト事業に従事する外国人の個人所得税率を15％に減税）等とされている。

(ii) 国際調達事務所（IPO）

　国際調達事務所において認められる業務を国際ビジネスセンターと比較すると、**図表１－14**のとおりである。完成品の卸売はできないものの、原材料、部品および半製品の卸売が可能である。

　国際調達事務所においては、それぞれ**図表１－14**に記載の要件を満たし投資奨励が認められた場合、以下の恩典を受けることができる。

・奨励事業に従事する外国人技術者・専門家の入国に関する優遇措置
・土地保有の許可
・機械輸入税の免税
・輸出用製品のための原材料および必要資材の輸入税の免税

【図表1－14】国際ビジネスセンター／国際調達事務所

	国際ビジネスセンター(IBC)	国際調達事務所（IPO）
要件	・払込済資本金 1,000 万バーツ以上 ・知識および技能を有するフルタイムの従業員を 10 人以上雇用すること なお、財務センター(Treasury Center) のみを行う場合、知識および技能を有するフルタイムの従業員を 5 人以上雇用すれば足りる。	・払込済資本金 1,000 万バーツ以上 ・倉庫を所有する、または、賃貸する。また、倉庫管理に特化した IT システムにより、在庫を管理すること ・商品の調達や管理など適切な業務を行うこと ・タイ国内を含む複数の調達先を有すること（少なくとも 1 か所のタイ国内調達先を含む）
業務	①一般総務、事業立案、ビジネスコーディネーション ②原材料、部品の調達 ③製品の研究開発 ④技術サポート ⑤マーケティングおよび販売促進 ⑥人事管理、トレーニング ⑦財務アドバイス ⑧経済・投資分析 ⑨貸出管理・コントロール ⑩財務センター(Treasury Center) ⑪国際貿易事業 ⑫歳入局から通知されたその他のサポートサービス ※国際貿易事業を行う場合には、別途①～⑩の事業のいずれかの業務も併せて行わなければならない。	国内の卸売または輸出のみ。原材料・部品・半製品に限り、完成品は不可。

Column1

法人税の算定方法に関する最高裁判決

　BOI投資奨励を受けた事業を営む企業の法人所得税の計算方法（損益通算）についてBOIと歳入局の見解に齟齬が生じていたところ、2016年5月に最高裁判所が歳入局（国税当局）の見解を支持する判決を行い、これにより、BOIの指導に沿って納税を行ってきた日系企業を含む外国企業が追加納税の必要を迫られる事態が生じた。

　その背景と経緯を簡単に説明すると、BOIによる恩典は法人単位ではなく事業・プロジェクト単位で付与されるため、1つの法人においてBOI奨励を受けた事業（「BOI事業」）とBOI奨励を受けていない事業（「非BOI事業」）の双方を複数行っている場合がある。そして、特定のBOI事業で赤字が生じた場合の当該企業の損益の算定方法について、BOIの従来の見解は①恩典による免税期間については、黒字の非BOI事業の利益との相殺を認め、②相殺後も損失が残る場合は、免税期間後に繰り越したうえで免税期間後の利益と相殺できるというものであった。これは投資を奨励するため、基本的に企業にとって有利なものであった。

　他方で歳入局は、2009年の委員会決定No.38/2552により、その見解として①免税期間については、他のBOI事業との損益を合算し（非BOI事業を含まない）、損失であれば免税期間後に繰り越す形とし、②繰り越した場合、免税期間後の50％減税を受けるBOI事業の利益とまず相殺する必要があり、それでもまだ繰越損失がある場合にのみ、50％減税を受けない非BOI事業の利益と相殺ができる、というものであった。

　多くの日系企業がBOIの当該見解に基づく指導に従って納税を行ってきたが、タイ国税当局は上記の方針に従った更正命令を発し、日系企業を当事者とする裁判において最高裁判所が最終的に上記の（企業にとって有利ではない計算となる）歳入局の計算方法に基づく更正命令を支持する判断を下すに至ったのである。

Chapter 2
会 社 法

第2章

第2章　会社法

前記**第1章1**に記載のとおり、タイの会社に関する法律として、まず、民商法第22編が非公開会社について規定している。また、これとは別に公開会社法が公開会社について規定しており、これらの規定を合わせたものが、日本の会社法に相当するものといえる。

第2章では、民商法第22編（非公開会社法）および公開会社法の概要を紹介する。

1　株　式

(1)　非公開会社

①　株式の種類

民商法上、非公開会社について種類株式（Preference Shares/Preferred Shares）の発行を前提とした規定が存在していることから（民商法1108条4号・5号、1142条）、権利の内容が異なる株式（いわゆる「種類株式」）の発行は法律上可能であり、実務上も、配当および残余財産の分配に関する優先（劣後）株式、1株当たりの議決権数の異なる種類株式（かかる種類株式の留意点については前記**第1章3(6)参照**）等が発行されている。もっとも、民商法の種類株式に関する規定は具体的ではなく、どのような内容の種類株式であれば法律上許容されるのかが明確ではないため、実際の利用に当たっては留意が必要である。

種類株式に関して実務上比較的問題となる点としては、種類株式の内容変更が挙げられる。民商法上、1度発行された種類株式の内容を変更することは許容されていないため（民商法1142条）、種類株式の内容を変更するためには、減資をして当該種類株式を消却し、新たに種類株式を発行する必要があり、手続に一定の期間（おおむね1.5か月〜2か月程度）を要することになる。

② 株　券

　日本法と異なり、非公開会社は必ず株券を発行しなければならない（民商法1127条1項）。民商法上、株券はいわゆる有価証券ではなく、株主・株式数等を証明する一種の証拠証券（権利自体が証券と一体となっているわけではなく、あくまでも証券は一定の事実を証明する書類にすぎない）とされており、したがって、株式譲渡は株券の引渡しによって有効となるものではなく、また、株券を紛失した場合であっても第三者に善意取得されることはない。株券の必要的記載事項は以下のとおりである（同法1128条）。

- 会社名
- 株券が表章する株式の番号
- 1株当たりの額面金額（株式の額面金額は5バーツ以上でなければならない（民商法1117条））
- 全額払い込まれていない場合、払込済金額
- 株主の氏名・名称、または無記名株券である旨
- 1人以上の取締役の署名
- （社印を商務省に登録している会社の場合）社印の押印

③　株主名簿

　非公開会社は、以下の事項を記載した株主名簿を作成・保管しなければならない（民商法1138条）。

- 各株主の氏名・名称、住所、職業
- 各株主が保有する株式の内容、株式数、および払込済資本金額
- 各株主が株主となった日
- 各株主が株主ではなくなった日
- 各株券の番号および日付、ならびに各株券に記載された株式番号
- 各株券が破棄された日付

　株主名簿は、会社において保管され、営業時間中無料で株主の閲覧に供するものとされている（民商法1139条1項）。また、取締役は、毎年少なくと

も 1 回、定時株主総会の開催日から 14 日以内に、商務省の登記官に対して、定時株主総会時に株主である者、および前回の定時株主総会の日以降株主でなくなった者の名簿の写しを送付しなければならない（同条 2 項）。

株主名簿への記載は株式譲渡の効力発生要件ではないが、会社および第三者に対する対抗要件とされている（民商法 1129 条 3 項）。

④ 株式の引受け・払込み

民商法上、日本法と異なり、会社の発起人および株主は、引受け時にその引受株式の額面金額の全額を払い込むことは義務付けられておらず、最低額面金額の 25％に相当する金銭のみを払い込むことで株式を取得することが可能である（民商法 1105 条 3 項）。額面金額の全額が払い込まれていない場合、別途株主総会の決議があった場合を除き、取締役会は、支払期限の少なくとも 21 日前に前もって書留郵便で通知することで（同法 1121 条）、いつでも残額の支払いを請求することができる（同法 1120 条）。

⑤ 株式の譲渡

(i) 株式譲渡の方法

株式の譲渡が有効に成立するためには、譲渡当事者間で株式譲渡証書（Share Transfer Instrument）を作成し、各署名者について少なくとも 1 人の証人（Witness）による署名が必要である（民商法 1129 条 2 項）。この株式譲渡証書は、商務省に届け出されるものではないため、必ずしもタイ語により作成される必要はないものの、株式譲渡の当事者の氏名、株式数および株式番号を記載することが必要である。

株式の譲渡を会社および第三者に対抗するためには、譲渡の事実ならびに譲受人の氏名および住所を会社の株主名簿に記載する必要がある（民商法 1129 条 3 項）。

(ii) 株式の譲渡制限

民商法上、原則として株式の譲渡は制限されておらず、自由な株式譲渡が

認められるものの、民商法は、附属定款で定めることを条件として、すべての株式について株式の譲渡を制限することができる旨を規定している（民商法1129条1項）。これは、一般的に民商法に基づいて設立される会社を利用する場合は株主が少数であることが多く（特に合弁会社の場合）、株主の個性が重要視されるためである。

譲渡制限の態様について法律上特段の制限はなく、自由に設計できると解されているものの、取締役会の過半数または全会一致による承認を必要とすることが一般的である。また、合弁会社等の株主間契約が締結されている会社については、株主間契約において合意された株式譲渡制限の態様を、附属定款に反映させることが一般的である。附属定款に定められた制限に違反して株式が譲渡された場合の株式譲渡の効力は、民商法上明文の規定は存在しないものの、一般的には、譲渡当事者間においても有効ではないと解されている。

(iii) 自己株式の取得

日本法とは異なり、民商法上、非公開会社が自己株式を保有すること、または自己株式の質権者になることは禁止されている（民商法1143条）。

⑥ 新株発行

民商法は、日本の会社法と異なり、発行可能株式総数（授権資本）に至るまで定款変更をせずに株式を発行することができるという授権資本制度を採用しておらず、新株の発行に当たっては常に定款変更が必要となる。

非公開会社の新株発行には、株主総会の特別決議（出席株主が有する議決権の4分の3以上の賛成による決議）が必要であり（民商法1220条）、その特別決議の日から14日以内に増資に係る特別決議の登記をしなければならない（同法1228条）。

非公開会社の場合には、既存の株主が引受権を有しているため（民商法1222条1項）、増資をする場合は、まず、既存の株主に対して所有する株式数に比例する割当てを申し出なければならない。既存の株主が引き受けな

かった新株がある場合に限り、当該新株を、他の株主または取締役が引き受けることができる（同条3項）。

したがって、非公開会社の新株発行は、原則として既存株主に対してその出資比率に基づいてのみ行うことができ、第三者割当増資をすることができないことになる。もっとも、既存の株主が新株を引き受ける意思を持たず、第三者への新株の割当てに賛同している場合であれば、既存株主が事前に株式の一部（1株でもよい）を第三者に譲渡するというステップを挟むことにより、事実上、当該第三者に新株の割当てを受けさせることは可能である。このような手法を採る場合には、増資の手続よりも前に株式譲渡（会社および第三者に対する対抗要件の具備を含む）が有効に完了するよう注意して手続を進める必要がある。

また、日本法と異なり、タイでは株式に額面の概念が存続しており（民商法1117条）、額面未満の金額で株式を発行することができない（同法1105条1項）。なお、額面金額を超える金額で株式を発行することは自由である。新株発行手続をまとめると**図表2－1**のようになる。なお、非公開会社は、公開会社と異なり、原則として社債を発行することはできない（同法1229条）。

⑦ 減　資

非公開会社は、発行済株式の額面金額を引き下げる方法、または発行済株式数を減少させる方法により減資を行うことができる（民商法1224条）。減資には、株主総会の特別決議が必要であり（同条）、その特別決議の日から14日以内に減資に係る特別決議の登記をしなければならない（同法1228条）。また、会社の資本金の総額の4分の1を下回るような減資を行うことはできない（同法1225条）。

非公開会社が減資を行う場合、減資計画についての通知を少なくとも1回、地方紙に公告するとともに、会社が把握している全債権者に対して文書で通知を行い、通知の日から30日以内に、減資に対して異議がある場合は、

1 株　式

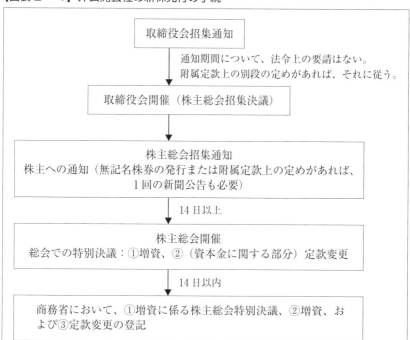

【図表２−１】非公開会社の新株発行の手続

申立てをするよう要求しなければならない（民商法1226条1項）。30日以内に債権者から異議が申し立てられなかった場合、債権者からの異議はなかったものとみなされる（同条2項）。債権者から異議が申し立てられた場合、会社は弁済を行うか、または債権者に対して保証を提供しない限り、減資することができない（同条3項）。

債権者が通知された減資を知らなかったために異議を申し立てず、かつ、異議申立てを行わなかった点について債権者の責めに帰すべき事由が存在しない場合、減資によって持株の一部を償還された株主は、減資登記の日から2年間、当該債権者に対して、償還された金額を上限として責任を負うとされている（民商法1227条）。

減資手続をまとめると下記図表２−２のようになる。

第2章　会　社　法

【図表２－２】非公開会社の減資の手続

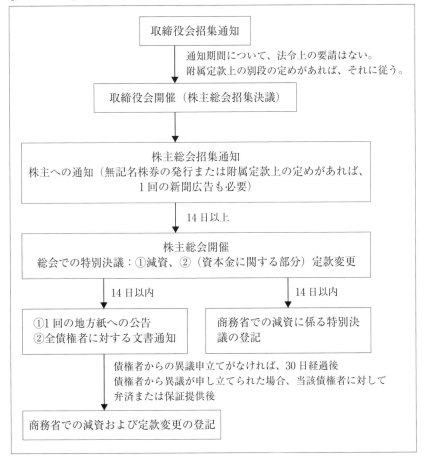

(2)　公開会社

① 株式の種類

　非公開会社の場合と同様、公開会社法上、公開会社について種類株式（Preference Shares/Preferred Shares）の発行を前提とした規定が存在していることから（公開会社法30条5号・6号、35条4号・5号、39条1項2号、65条、

102条2項、115条2項、172条）、種類株式の発行は法律上可能であり、実務上も、配当および残余財産の分配に関する優先（劣後）株式、1株当たりの議決権数の異なる種類株式（かかる種類株式の留意点については前記**第1章3⑹**参照）等が発行されている。なお、公開会社法には、議決権（同法102条2項）、配当権（同法115条2項）および残余財産分配権（同法172条）について、その内容の異なる株式が発行可能であることを前提とした規定が存在しているものの、どのような内容の種類株式であれば法律上許容されるのかは必ずしも明確ではないため、実際の利用に当たっては留意が必要である。

また、非公開会社と同様、公開会社においても種類株式の内容変更が実務上問題となる場合がある。公開会社法上、1度発行された種類株式の内容を変更することは許容されていないため（公開会社法65条1項）、種類株式の内容を変更するためには、減資をして当該種類株式を消却し、新たに種類株式を発行する必要があるため、手続に一定の期間（おおむね2.5か月～3か月程度）を要することになる。

ただ、非公開会社と異なり、公開会社は、附属定款上に規定を設けることによって、種類株式から普通株式への転換権を株主に与えることは可能である（公開会社法65条2項）。

② 株　　券

公開会社は、設立登記完了後、または未売却株式の売却もしくは増資の場合、株式代金を受領した後2か月以内に、株券を交付しなければならない（公開会社法55条1項）。

株券の必要的記載事項は以下のとおりである（公開会社法56条）。

・会社名
・会社登記番号および会社登記受付日
・株式の種類、1株当たりの額面金額、株券が表章する株式の番号および株式数
・株主の氏名・名称

・1人以上の取締役の署名（印刷でも可）。ただし、取締役が証券取引法上の株式登記官に署名・記名の権限を授権することが可能
・株券の発行年月日

③ 株主名簿

公開会社は、株主名簿およびこれに関する証拠を会社の本店に保管しなければならない（公開会社法62条1項本文）。

ただし、株主および商務省の登記官に通知することを条件に、第三者により他の場所に保管することも可能である（公開会社法62条1項ただし書）。株主名簿は、営業時間中無料で株主の閲覧に供するものとされている（同法63条1項）。また、会社は、毎年少なくとも1回、定時株主総会の開催日から1か月以内に、商務省の登記官に対して、定時株主総会時に株主である者のリストの写しを送付しなければならない（同法64条）。

株主名簿への記載は株式譲渡の効力発生要件または会社に対する対抗要件ではないが、第三者に対する対抗要件とされている（公開会社法58条1項）。

④ 株式の引受け・払込み

公開会社は、非公開会社と異なり、引受け時にその引受株式の額面金額の全額が払い込まれなければならない（公開会社法37条2項）。

⑤ 株式の譲渡

(i) 株式譲渡の方法

株式の譲渡が有効に成立するためには、株券裏面への譲受人の氏名・名称の記載、株券裏面への譲渡人および譲受人の署名、ならびに譲渡人から譲受人へ株券を引き渡す必要がある（公開会社法58条1項）。株式の譲渡を会社に対抗するためには、会社が名簿書換えの請求を受領している必要があり、第三者に対抗するためには、かかる譲渡を会社の株主名簿に記載する必要がある（同項）。なお、株式譲渡が適法であると会社が判断した場合、公開会

社が名簿書換請求を受領してから、14日以内にかかる譲渡を名簿に記載しなければならない（同項）。

(ii) 株式の譲渡制限

公開会社法上、附属定款の定めによって株式の譲渡を制限することは、原則として禁止されている（公開会社法57条1項）。ただし、会社が適法に有する権利や利益を擁護するため、または、法令上の外国人株式保有割合の上限を遵守するために、例外的に附属定款に株式の譲渡制限規定を盛り込むことは可能とされている（同項）。

附属定款上の譲渡制限規定は禁止されているものの、実務上、株主間契約によって株式譲渡制限を盛り込む例は比較的多く見受けられる。

(iii) 自己株式の取得

公開会社法上、原則として、公開会社が自己株式を保有すること、または自己株式の質権者になることは禁止されている（公開会社法66条）。例外的に、株主の権利に関する附属定款の変更に関し、かかる定款変更に反対した株主からの株式買取り、または剰余金の運用目的による自社株買取りが認められている（同法66/1条1項1号・2号）。なお、自己株式は、総会の定足数の計算から除外され、かつ議決権および配当を受ける権利がないとされている（同条2項）。

また、適法に自己株式を取得した場合であっても、取得から3年以内に売却しなければならない（公開会社法66/1条3項・4項、Ministerial Regulation On Rules and Procedures for Share Repurchase, Sale of Repurchased Shares and Elimination of the Company's Repurchased Shares B.E. 2544（2001）12条）。3年以内に売却しなかった場合、未売却分相当の払込資本金を減資する必要がある（同法66/1条3項・4項、Ministerial Regulation On Rules and Procedures for Share Repurchase, Sale of Repurchased Shares and Elimination of the Company's Repurchased Shares B.E. 2544（2001）14条）。

⑥ 新株発行

民商法と異なり、公開会社法は発行可能株式総数（授権資本）に至るまで定款変更をせずに株式を発行することができるという制度を採っている。

公開会社の新株発行の場合は、公募、第三者割当て、株主割当てのいずれの方法によっても行うことが可能である（公開会社法 137 条）。また、非公開会社と異なり、公開会社の額面の金額について金額の制限がないが、すべての株式で同一の金額でなければならないとされている（同法 50 条）。なお、公開会社の場合には、1 年以上損失を計上している場合、額面未満の金額でも株式を発行することができる（同法 52 条）。

また、公開会社は、非公開会社と異なり、株主総会の特別決議により社債を発行することができる（公開会社法 145 条）。

新株発行手続をまとめると図表 2 − 3 のようになる。

⑦ 減　資

公開会社は、発行済株式の額面金額を引き下げる方法、発行済株式数を減少させる方法（公開会社法 139 条 1 項）、または未売却株式を消却する方法（同法 140 条）により減資を行うことができる。

発行済株式の額面金額を引き下げる方法または発行済株式数を減少させる方法による減資の場合には、株主総会の特別決議が必要であり（公開会社法 139 条 3 項）、その特別決議の日から 14 日以内にかかる特別決議の登記をしなければならない（同項）。また、累積赤字を補填するための減資の場合を除き（同条 2 項）、会社の資本金の総額の 4 分の 1 を下回るような減資を行うことはできない（同条 1 項ただし書）。

公開会社が発行済株式の額面金額を引き下げる方法または発行済株式数を減少させる方法による減資を行う場合、特別決議の日から 14 日以内にかかる特別決議についての通知を少なくとも 1 回、地方紙に公告するとともに、会社が把握している全債権者に対して文書で通知を行い、減資に対して異議がある場合は、通知の日から 2 か月以内に、申立てをするよう要求しなけれ

【図表2-3】公開会社の新株発行の手続

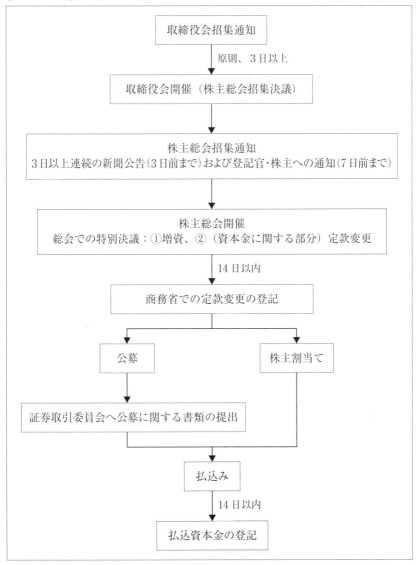

注：2022年5月施行の改正公開会社法により、一定の要件を満たせば、通知を電子的方法で送付することも可能となり（公開会社法7/1条）、新聞公告ではなく電子公告によることも可能となった（同法6条3項）。

ばならない（公開会社法141条1項）。債権者から異議が申し立てられた場合、会社は弁済を行うか、債権者に対して保証を提供しない限り、減資を行うことができない（同条2項）。

債権者からの異議申立てがない場合であれば、上記通知の日から2か月経過した期限後14日以内、債権者から異議が申し立てられた場合であれば、会社が弁済を行い、または債権者に対して保証を提供してから14日以内に、減資の登記をしなければならない（公開会社法142条）。

債権者が通知された減資を知らなかったために異議を申し立てず、かつ、異議申立てを行わなかった点について債権者の責めに帰すべき事由が存在しない場合、当該債権者が、減資によって持株の一部を償還された株主に対して、償還された金額について責任を負わせようとするときは、減資登記の日から1年以内に、訴訟を提起しなければならないとされている（公開会社法144条）。

未売却株式を消却する方法による減資の場合には、株主総会の普通決議が必要であり、その普通決議の日から14日以内に減資の登記をしなければならない（公開会社法140条）。

減資手続をまとめると図表2－4のようになる。

2　機関・運営（ガバナンス）

(1) 非公開会社のガバナンス

以下ではまず、非公開会社のガバナンスの概要を説明する。

非公開会社に設置される法定の機関としては、株主総会、取締役会（取締役が複数の場合）、署名権限を有する取締役および会計監査人があり、それぞれの組織の概要は、図表2－5のとおりである。

【図表2−4】公開会社の減資の手続

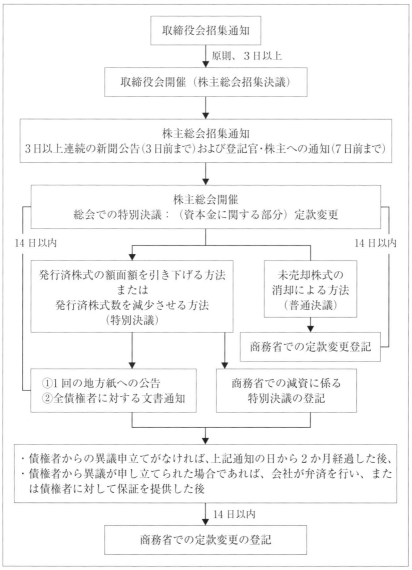

注：2022年5月施行の改正公開会社法により、一定の要件を満たせば、通知を電子的方法で送付することも可能となり（公開会社法7/1条）、新聞公告ではなく電子公告によることも可能となった（同法6条3項）。

【図表2-5】非公開会社のガバナンスの概要

株主総会	
普通決議事項	・取締役の報酬（1150条※） ・取締役の選任および解任（1151条） ・計算書類の承認（1197条） ・配当（1201条） ・会計監査人の選任（解任も含むと解される）（1209条） ・会計監査人の報酬（1210条）
特別決議事項	・基本定款および附属定款の変更（1145条） ・新株発行による資本増加（1220条） ・現物払込みによる新株発行（1221条） ・減資（1224条） ・解散（1236条4号） ・合併（1238条）
決議方法	・原則は出席株主または代理人の挙手による1人1票であるが、2人以上の株主の請求または附属定款の定めがあれば株式数に応じた投票による（1182条、1190条） ・特別利害関係株主は議決権を有しない（1185条）
定足数	・発行済株式数の資本の4分の1以上を有する少なくとも2名以上の株主または代理人の出席（1178条）
決議要件	・普通決議：出席株主の有する議決権の過半数の賛成。賛否同数の場合には株主総会の議長が決定権を有する（1193条） ・特別決議：出席株主の有する議決権の4分の3以上の賛成（1194条）
取締役会	
取締役の人数および資格	・1人以上 ・国籍要件や居住要件はなし
取締役の任期	・毎年の最初の株主総会において、3分の1（端数が生じる場合には3分の1に最も近い人数）が退任する（1152条） ・再任は可能（1153条2項）
定足数	・附属定款の定めによる。3人超の取締役会で、かつ附属定款に定めがない場合は3人の出席（1160条）

2　機関・運営（ガバナンス）

決議要件	・出席取締役の過半数の賛成（1161条） ・賛否同数の場合は、取締役会の議長が決定権を有する（同条）
業務執行を行う者	
署名権者	・取締役のうち、会社のために署名する権限を有する者を登記する必要がある（1111条2項6号）
取締役会の受任者	・取締役会は支配人または委員会にその権限を委任することができる（1164条）
会計監査人	
資　格	・当該会社の役職員であってはならない（1208条） ・タイの公認会計士でなければならない（公認会計士法37条参照）
任　期	・次の定時総会まで。再任は可能（1209条）

※上記図表内の条文番号で法令名の記載のないものは、すべて民商法のそれを指す。

① 株主総会

　非公開会社の株主総会の法定の決議事項、定足数および決議要件については、図表2−5を参照されたい。附属定款による決議事項の追加、定足数および決議要件の引上げならびに議長決定権の排除は可能である。

　また、株主総会招集通知については、これまで新聞公告を要していたが、2023年2月に施行された改正民商法から、原則として新聞公告は不要となった（無記名株券を発行する会社の場合は、なお1回の新聞または電子メディアによる公告が必要である）。具体的には、普通決議に関する議題のみの株主総会招集通知は、株主総会の日より7日前までに株主への書留郵便による通知が必要とされ、また、特別決議に関する議題のある株主総会招集通知は株主総会の日より14日前までに株主への通知が必要とされている（民商法1175条1項）。現在の実務では、附属定款によって上記各通知期間を短縮することは法律上認められていないと解されている。

　なお、株主の最低人数についても、2023年2月施行の改正民商法により

変更され、これまで 3 人だったのが 2 人となり、会社の解散事由も、株主数が 3 人未満とされていたのが、株主数が 1 人となった場合に変更されている（民商法 1237 条 1 項 4 号）。

② 取締役会

取締役会は、株主総会および附属定款に従い、会社を経営する権限と責任を有する（民商法 1144 条）。非公開会社の取締役会の法定の定足数および決議要件ならびに取締役の人数および資格などについては、**図表 2 − 5** を参照されたい。附属定款による決議事項の明確化、定足数および決議要件の引上げならびに議長決定権の排除は可能である。なお、商務省事業開発局の告示によれば、取締役会への代理出席および取締役会を開催せずに決議すること（書面決議）は認められていない点に留意する必要がある。

一方、これまで関係省庁の告示等に基づき、一定の要件の下で、電子的方法による取締役会を開催することが認められていたが、2023 年 2 月施行の改正民商法により、附属定款で禁止されていない限り、会社は、電子的方法により取締役会を開催できることが明記された。そして、この場合、電子的方法により参加した取締役は出席したものとみなされ、定足数に算入されるとともに、議決権も行使できる（民商法 1162/1 条 1 項・3 項）。

③ 署名権限を有する取締役

取締役のうち、会社のために署名する権限を有する者を登記する必要がある（民商法 1111 条 2 項 6 号）。この署名権者は、日本の代表取締役のような包括的代表権を有する者とは異なる概念であるが、契約締結等の場面において類似の機能を果たすことになる。署名権者を複数置いて共同署名を要すると定めることも単独で署名することができると定めることも可能である。

④ 会計監査人

非公開会社においては、日本のような業務監査を行う監査役は存在しな

い。他方で、外部の会計監査人を必ず選任しなければならない（民商法1208条、1209条）。

(2) **公開会社のガバナンス**

次に、公開会社のガバナンスの概要を説明する。

公開会社に設置される法定の機関としては、株主総会、取締役会、署名権限を有する取締役および会計監査人があり、また、上場会社の場合には独立取締役の選任や監査委員会の設置も必要となる。それぞれの組織の概要は、**図表２－６**のとおりである。なお、2022年5月に施行された改正公開会社法により、会社の附属定款において明示的に禁止されていない限り、株主総会および取締役会は、電子的方法によって開催できることが明確にされた（公開会社法79条2項、98条3項）。

① **株主総会**

公開会社の株主総会の法定の決議事項、定足数および決議要件については、**図表２－６**を参照されたい。附属定款による決議事項の付加、定足数および決議要件の引上げは可能である。

これまで、株主総会招集通知は、株主総会の日より7日前までに登記官および株主への通知および3日前までに1回の新聞公告が必要とされていた（公開会社法101条1項）。しかし、2022年5月施行の改正公開会社法により、株主が同意し、登記官の定める要件を充足する場合には、株主総会招集通知を電子的方法で株主に送付することも可能となり（同法7/1条）、また、登記官の定める要件を充足した場合には、新聞公告ではなく電子公告によることも可能となった（同法6条3項）。なお、現時点の実務では、附属定款による通知期間の短縮は不可能である。

なお、株主の最低人数は15人とされており、株主数が15人未満となった場合、会社の解散事由に該当するとされている（公開会社法155条1項2号）。

【図表2-6】公開会社のガバナンスの概要

株主総会	
普通決議事項	・登記された額面金額未満での株式の発行（52条1号※） ・会社登記後2年以内の発起人の株式譲渡の承認（57条2項） ・取締役の選任（70条1項）（附属定款に別段の定めがない限り累積投票による） ・貸借対照表および損益計算書の承認（112条1項） ・配当の承認（115条2項） ・株式配当の承認（117条） ・準備金の使用による累積損失の補填の承認（119条1項） ・会計監査人の選任および報酬の決定（120条） ・未発行の登録株式の消却による減資（140条） ・清算人および清算中の会計監査人の選任および解任ならびに報酬の決定（156条、163条1項3号） ・清算貸借対照表および清算損益計算書の承認（165条） ・清算結果報告書の承認（176条1項）
取締役報酬	取締役の報酬の決定には、出席株主の有する議決権の3分の2以上の賛成による決議が必要（90条2項）
取締役解任	取締役の解任には、出席株主の4分の3以上かつ出席株主の有する議決権の半数以上による賛成による決議が必要（76条）
特別決議事項	・基本定款または附属定款の変更（31条1項） ・株式価額の払込みと会社に対する債権の相殺の承認（54/1条1項） ・全部もしくは重要部分の事業譲渡または売却（107条2号(a)） ・他社の事業の買収または譲受（107条2号(b)） ・事業の全部もしくは重要部分の賃貸借契約、経営委託、および損益分配目的の事業の統合の締結、変更または終了（107条2号(c)） ・増資（136条2項2号） ・額面金額または株式数の減少による減資（139条3項） ・社債の発行（145条2項） ・合併（146条1項） ・解散（154条1号）
決議方法	・株主総会における投票による（107条）

2 機関・運営（ガバナンス）

定足数	・25人以上の議決権を有する株主または株主の半数以上の出席、かつ発行済株式数の3分の1以上を有する株主の出席（103条1項）
決議要件	・普通決議：出席株主の行使した議決権の過半数の賛成。賛否同数の場合には株主総会の議長が決定権を有する（107条1号） ・特別決議：出席株主の有する議決権の4分の3以上の賛成（107条2号等） （ただし、取締役の選任、解任および報酬の決定については、上記参照）
取締役会	
取締役の人数および資格	・5人以上、うち半数以上はタイ国内居住者（67条） ・上場会社の場合、取締役総数の3分の1以上かつ3人以上の独立取締役の選任が求められる（資本市場監視委員会告示）
取締役の任期	・原則として次の定時株主総会まで（71条1項） ・70条に定める累積投票と異なる方法で取締役の選任が行われる旨が附属定款に規定されている場合には、毎年の定時総会において3分の1（端数が生じる場合には3分の1に最も近い人数）ずつ退任する（71条2項） ・再任は可能（71条4項）
定足数	・全取締役の半数以上の出席（80条1項）
決議要件	・出席取締役の過半数の賛成（80条2項） ・賛否同数の場合は、取締役会の議長が決定権を有する（80条3項）
業務執行を行う者	
署名権者	・取締役のうち、会社のために署名する権限を有する者（附属定款により権限の範囲が限定されている場合には、その範囲を含む）を登記する必要がある（39条1項4号）
取締役会の受任者	・取締役会から委任を受けた1人もしくは複数の取締役またはその他の者は、取締役会に代わって会社のために行為することができる（77条2項）

監査委員会（上場会社の場合）	
委員の人数および資格	・3人以上 ・独立取締役であること等の資格要件あり（資本市場監視委員会告示）
会計監査人	
資　　格	・当該会社の役職員であってはならない（121条） ・タイの公認会計士でなければならない（公認会計士法37条参照）
任　　期	・次の定時総会まで。再任は可能（120条）

※上記図表内の条文番号で法令名の記載のないものは、すべて公開会社法のそれを指す。

② 取締役会

　取締役会は、会社の目的、附属定款および株主総会決議に従い、会社を経営する権限と責任を有する（公開会社法77条1項）。

　公開会社の取締役会の法定の定足数および決議要件ならびに取締役の人数および資格などについては、**図表2-6**を参照されたい。附属定款による決議事項の明確化、定足数および決議要件の引上げは可能である。なお、非公開会社と同様、取締役会を開催せずに決議すること（書面決議）が認められていないと解釈されていることに留意する必要がある。

　また、2022年5月施行の改正公開会社法により、取締役会招集通知は、書面だけでなく電子的方法によることも可能であることが明確化され、招集通知期限も7日前から3日前に短縮された（公開会社法7/1条、82条）。

　上場会社の場合には、一定の独立取締役を有することが求められ、人数が不足する場合には新株の発行勧誘について証券取引委員会[1]の承認が得られないこととなる（新規証券発行勧誘の承認申請および承認付与に関する資本市場監視委員会の告示（Notification of the Capital Market Supervisory Board No. TorChor.

---

1) 証券取引委員会は、1992年に証券取引法に基づき設立された、タイの資本市場を監視しかつ発展を担う独立の政府機関である。

28/2551 Re: Application for Approval and Granting of Approval for Offering of Newly Issued Shares）4条、17条1号）2）。

③　署名権限を有する取締役

取締役のうち、会社のために署名する権限を有する者（附属定款の定めにより権限の範囲が限定されている場合には、その権限の範囲についても）を登記する必要がある（公開会社法39条1項4号）。

④　監査委員会（上場会社の場合）

上場会社の場合、一定の独立取締役3人以上を委員として構成される監査委員会の設置が必要である（新規証券発行勧誘の承認申請および承認付与に関する資本市場監視委員会の告示17条3号）。

監査委員会は、タイ証券取引所の規則に従い財務書類、法令遵守、関係者間取引、内部統制等につき監査を行う。

委員の人数が不足した場合、一定期間内に必要人数を揃えないと、株式の取引停止理由および上場廃止理由となる（上場会社の監査委員会の設置要件に関するタイ証券取引所の指針（The Stock Exchange of Thailand's Policy Re：Listed companies required to appoint audit committee）3条）。

⑤　会計監査人

公開会社においても、会計監査を行う会計監査人を必ず選任しなければならない（公開会社法120条、公認会計士法37条参照）。

2）独立取締役の条件として、当該会社または関連会社の株式を議決権の1％以上保有しないこと、当該会社または当該会社の関連会社の役職員、親族関係者、取引先、会計監査人、一定の専門家アドバイザー等ではないこと、2年以内にそのような役職員、取引先、会計監査人、一定の専門家アドバイザー等でなかったことなど、一定の資格要件が課されている（新規証券発行勧誘の承認申請および承認付与に関する資本市場監視委員会の告示17条2号）。

3 会社の計算

(1) 非公開会社の計算

民商法は、非公開会社の計算について以下の規定を設けている。

① 会計帳簿

非公開会社の取締役は、下記の事項について正確な会計帳簿を作成しなければならない（民商法1206条）。
・会社の収入および支出（収入または支出の事由も含む）
・会社の資産および負債

② 会計監査人

会計監査人はいつでも会社の帳簿を閲覧できるとされている（民商法1213条）。会計監査人は定時株主総会に貸借対照表および損益計算書に関する報告書を提出しなければならず（同法1214条1項）、かつ、かかる報告書において、報告書が会社の事業の実態を表しているか否かの意見を述べる必要があるとされている（同条2項）。

③ 計算書類

非公開会社は、会計監査人による監査済の貸借対照表（損益計算書を含む（民商法1196条2項））について、かかる貸借対照表の基準日後4か月以内に株主総会で承認を受けなければならない（同法1197条1項）。監査済の貸借対照表については、株主総会日3日前までに、株主名簿に氏名が記載されている株主にその写しを送付しなければならない（同条2項）。

④ 利益配当

(i) 配当決定に関する規定

　原則として、配当の決定は株主総会での承認が必要とされているものの（民商法1201条1項）、取締役が臨時配当を実施するに足りる利益があると判断した場合、取締役の判断で臨時配当を行うことも可能である（同条2項）。

(ii) 配当可能額

　利益配当の原資は会社の利益のみとされており、かつ、累積赤字がある場合、かかる累積赤字がなくなるまで、配当をしてはならないとされている（民商法1201条3項）。

　また、配当を実施する度に、法定の利益準備金が資本金の10分の1以上になるまで、事業から生じた利益の20分の1以上を法定の利益準備金に充当しなければならないとされている（民商法1202条1項）。

(iii) 配当金の支払い

　配当金は、株主総会または取締役会の決議の日から1か月以内に支払う必要があることとされている（民商法1201条4項）。

⑤ 違法配当返還義務

　前記④(i)および(ii)に違反した配当が行われた場合、会社の債権者は、株主に対して配当金の返還を求めることができる（民商法1203条本文）。ただし、株主が善意であった場合、かかる株主に返還を強制できない（同条ただし書）。

(2) 公開会社の計算

　公開会社法は、公開会社の計算について以下の規定を設けている。

① 会計帳簿

　公開会社は、会計帳簿を作成および保持しなければならない（公開会社法109条）。

② 会計監査人

会計監査人は会社の営業時間内にいつでも会社の帳簿、書類その他損益および資産負債に関する証拠を閲覧できるとされている。かかる書類等の閲覧に関し、会計監査人は、会社の取締役、従業員、何らかの役職または任務を有する者および代理人を尋問することができ、これらの者に対して関連する書類等およびその証拠の提示を求めることもできる（公開会社法122条）。また、会計監査人は、定時株主総会に法律の定めに従って作成した報告書を提出しなければならならず（同法123条）、かつ、計算書類を承認する定時株主総会に出席しなければならない（同法125条）。

③ 計算書類

公開会社の取締役会は、会計監査人による監査済の計算書類について、定時株主総会（年度末日後4か月以内に開催する必要がある（公開会社法98条1項））で承認をしなければならない（同法112条1項）。なお、非公開会社と異なり、株主総会の招集通知を発信した時に、監査済の計算書類および会計監査人の報告書の写しを送付しなければならない（同法113条1号）。

④ 利益配当

(i) 配当決定に関する規定

非公開会社と同様、原則として、配当の決定は株主総会での承認が必要とされているものの（公開会社法115条2項）、附属定款に定めることによって、取締役会が臨時配当を実施するに足りる利益があると判断した場合に、取締役会の判断で臨時配当を行うことも可能である（同条3項）。

(ii) 配当可能額

非公開会社と同様、利益配当の原資は会社の利益のみとされており、かつ、累積赤字がある場合、かかる累積赤字がなくなるまで、配当をしてはならないとされている（公開会社法115条1項）。

また、配当を実施する度に、法定の利益準備金が資本金の10分の1以上

になるまで、当該事業年度に生じた利益（累積赤字がある場合には控除後の利益）の20分の1以上を法定の利益準備金に充当しなければならないとされている（公開会社法116条）。

(iii) 配当金の支払い

配当金は、株主総会または取締役会の決議の日から1か月以内に支払う必要があり、かつ、配当金を支払う旨を地方紙に公告するとともに、株主に対してその旨を通知する必要がある（公開会社法115条4項）。しかし、前述のとおり、2022年5月施行の改正公開会社法により、いずれも電子的方法によることも可能となった（同法6条3項、7/1条）。

⑤ 違法配当返還義務

非公開会社と同様、前記④(i)および(ii)に違反した配当がされたことに起因して会社債権者に不利益が生じた場合、債権者は、株主に対して配当金の返還を求めることができるが、株主総会が配当を承認する決議をした日から1年以内に訴訟を提起しなければならない（公開会社法118条本文）。ただし、株主が善意であった場合、かかる株主に配当金の返還を強制することはできない（同条ただし書）。

4　解散・清算

(1) 非公開会社の解散・清算

会社の法人格を終了させる過程の出発点となるのは解散である。解散には、会社の株主総会決議に基づく任意の解散と、裁判所の命令による解散がある。任意の解散は、前記図表2-5のとおり、株主総会の特別決議事項とされている。任意の解散の場合、株主総会で解散を決議してから14日以内に、商務省での解散登記の申請が必要とされている。商務省での解散登記後、会社の債権・債務を整理する過程である清算手続に移行する。

① 任意の解散

任意の解散は、株主総会での特別決議が必要とされている。会社の解散を決議した後14日以内に、清算人は、知れたる債権者へ通知を発し、解散する旨の新聞公告を掲載し、かつ、商務省で解散登記の申請を行う必要がある（民商法1253条、1254条）。

② 裁判所による解散

裁判所は次の事由がある場合、会社を解散させることができる（民商法1237条1項）。

(i) 設立総会議事録提出または設立総会の開催について義務違反があった場合
(ii) 会社設立登記後1年以内に事業活動を開始しなかった場合、または1年間事業を停止した場合
(iii) 会社の事業から損失しか発生せず、業績回復の見込みがない場合
(iv) 株主が1人となった場合
(v) その他の事情により会社の事業継続が不可能となった場合

(2) 公開会社の解散・清算

非公開会社の場合と同様、解散には、会社の株主総会決議に基づく任意の解散、会社の破産による解散と、裁判所の命令による解散がある（公開会社法154条）。任意の解散は、前記図表2－6のとおり、株主総会の特別決議事項になっている（同条1号）。商務省での解散登記後、清算手続に移行する。

① 任意の解散

非公開会社の場合と同様、任意の解散は、株主総会での特別決議が必要とされている（公開会社法154条1号）。清算人が任命された日から7日以内に、清算人登記、会社解散登記、および解散する旨の新聞公告を掲載しなればな

らない（同法161条）。しかし、前述のとおり、2022年5月施行の改正公開会社法により、電子的方法によることも可能となった（同法6条3項）。また、清算人が任命されてから1か月以内に、清算人は、帳簿またはその他会社の書類上に記載されている債権者に対し、通知書を受領してから1か月以内に催促状を提出するよう要請する通知を発し、帳簿またはその他会社の書類上に記載されている債務者に対し、債務を弁済するよう要請する通知を発する必要がある（同法162条）。

② 裁判所による解散

発行済株式の10分の1以上の株式を所有する株主は、次の事由がある場合、裁判所に会社の解散を請求することができる（公開会社法155条1項）。

(i) 発起人が設立総会の開催もしくは設立総会議事録作成に関する義務に違反した場合、または取締役が株式代金の払込みもしくは現物出資に関する規定、株主名簿作成、もしくは設立登記に関する規定に違反した場合

(ii) 株主が15人未満である場合

(iii) 会社の事業から損失しか発生せず、業績回復の見込みがない場合

なお、上記(i)、(ii)の場合について、裁判所は、解散命令の代わりに6か月を超えない期限を設けて是正命令を下すことも可能とされている（公開会社法155条2項）。

Chapter 3
M&Aの手法および関連する法令・ルールの概観

第3章

第3章　M&Aの手法および関連する法令・ルールの概観

1 M&Aを規制する主要な法令・ルール

　タイにおいて、M&Aを規制する主要な法令は、外国人事業法その他の外資規制、民商法の非公開会社に関する規定、公開会社法[1][2]、証券取引法（証券取引委員会や資本市場監視委員会の告示（Notification）も重要である）、取引競争法等である。

　これらの中でも、外資規制は特に重要である。なぜなら、タイにおいては、一般的な製造業以外の業種に広範な外資規制が適用され、また土地の保有についても外資規制が存在するところ、かかる外資規制が会社の買収に対しても適用されるからである（外資規制の詳細については前記第1章3を参照されたい）。

2 会社買収の手法

　タイにおいて会社買収に用いることができる主な手法としては、まず、株式の取得による方法として、既発行株式の取得、および第三者割当増資による新株の取得が挙げられる。

　他に合併などの組織再編手続も考えられるところ、これまでタイ法上は、新設合併だけが規定されており、吸収合併の制度は存在しなかった。

　しかし、2023年2月施行の改正民商法により、新たに非公開会社の吸収合併の制度が創設されるに至った。なお、会社分割の制度は現在のところ設けられていない。これまでは株式の取得以外の方法としては、まず事業譲渡

---

[1] 前記のとおり、公開会社とは、株式の公募を目的として、公開会社法に基づき設立された会社をいい（公開会社法4条、15条）、原則として、株式譲渡に制限を設けることができない（同法57条）。公開会社の発起人は15人以上、そのうち半数以上はタイ国内居住者であることが要件とされている（同法16条、17条2号）。
[2] タイ証券取引所に上場するためには前提として公開会社である必要があるが、他方、公開会社は必ずしも上場しているとは限らない。

の手法が検討されていたが、今後は吸収分割も選択肢となる。なお、一定の要件を満たす全部事業譲渡（および清算）の場合には、後記のように、通常の事業譲渡と異なる税務上のメリットが与えられていることもあり、経済的には吸収合併に近いものになっていたということもできる。

　上場会社の既発行株式または新株の取得に際し、後記のように、一定の議決権割合を超えて株式を取得した場合には強制的に公開買付けを行わなければならない。なお、タイ法上、買収者が対象会社の一定数以上の株式を取得した場合に対象会社の少数株主の株式を強制的に取得することができる株式売渡請求権の制度（いわゆるバイアウト権）は設けられていない。

3 既発行株式の取得

(1) 非公開会社の既発行株式の取得

　非公開会社の株式を取得するための法律上の手続については、前記**第2章**1(1)⑤を参照されたい。実務上は、株式譲渡の当事者間において、諸種の詳細な条件を規定した英文の株式譲渡契約書を別途締結し、株式譲渡証書は当該英文株式譲渡契約書とは別に簡易なものを作成する場合が多い。なお、附属定款において、株式譲渡に取締役会や株主総会の承認を必要とする旨の譲渡制限を規定している場合があり、このような場合には当該規定に従う必要がある。附属定款に定められた条件に従わずに行われた株式譲渡については、有効とはならないと解される可能性があるため、注意が必要である。

　株式譲渡の効力は、株主名簿に記載されるまで会社および第三者に対抗することができない。また、株券の引渡しは、株式譲渡の効力要件・対抗要件ではないものの、会社には株券発行義務があり（民商法1127条1項）、株式譲渡の証拠の1つとなるため、譲受人は会社から新株券の発行を受けておくべきである。株主名簿書換え後、会社は法令上の義務ではないものの、速やかに株主リストの変更を商務省に届け出るのが実務上一般的である。

なお、当然ながら、外国会社がタイの現地法人の株式を取得する場合、前記第1章3(2)～(4)の外国人事業法等に基づく外資出資比率の制限に抵触しないように注意する必要がある。

(2) 非上場の公開会社の既発行株式の取得

非上場の公開会社の株式を取得するための法律上の手続については、前記第2章1(2)⑤を参照されたい。株式譲渡が有効に成立するためには、株券裏面への譲受人の氏名・名称の記載、株券裏面への譲渡人および譲受人の署名、ならびに譲渡人から譲受人への株券の引渡しが必要である（公開会社法58条1項）。株式譲渡の効力は株主名簿に記載されるまで第三者に対抗することができない（同項）。会社は株主名簿書換請求があった場合、14日以内に名義書換えを完了するか、または7日以内に請求人に対し譲渡が無効である旨を通知しなければならない（同項）。譲受人が新株券の引渡しを必要とする場合には、譲受人は会社に対し、旧株券ならびに自己および証人の各署名がなされた書面を提出して、株主名簿書換えおよび新株券発行の請求を行い、会社は7日以内に名義書換えを完了するとともに、1か月以内に新株券を発行しなければならない（同条2項）。

法令上の義務ではないものの、実務上速やかに株主リストの変更を商務省に届け出ることや、外国人事業法等に基づく外資出資比率の制限に抵触しないように注意する必要がある点は、非公開会社の場合と同様である。

(3) 上場会社の既発行株式の取得

① 強制的公開買付けの対象となる取引

上場会社の株式を取得した結果、議決権総数の25％以上、50％以上または75％以上（以下総称して「トリガーポイント」という）を保有することとなった場合は、公開買付けの手続を行わなければならない（証券取引法247条、上場会社の証券の買収に関する規則、条件および手続に関する資本市場監視委員会の告示（Notification of the Capital Market Supervisory Board No. Tor Jor.

12/2554 Re: Rules, Conditions and Procedures for the Acquisition of Securities for Business Takeovers、以下「上場会社買収規則告示」という）4 条）。

　すなわち、25％未満の上場株式を保有している者が 25％以上の議決権を表章する上場株式を取得した場合、25％以上 50％未満の上場株式を保有している者が 50％以上の議決権を表章する上場株式を取得した場合、そして、50％以上 75％未満の上場株式を保有する者が 75％以上の議決権を表章する上場株式を取得した場合に、公開買付けの手続が必要となる。

　なお、後記の Acting in Concert Rule（証券取引法 247 条）により共同保有者とみなされる者や、(i)取得者の配偶者および未成年の子、(ii)取得者（法人）の議決権を 30％超保有する大株主など、証券取引法 258 条所定の一定の者（以下「関係人」と総称する）による株式の保有も、当該取得者による株式の保有とみなされる。

② 任意的公開買付け

　任意的公開買付けも可能であり、手続は強制的公開買付けの場合と基本的に同じである（上場会社買収規則告示 2 条 2 号参照）。ただ、任意的公開買付けの場合、公開買付期間終了後に応募株式数が公開買付届出書に明記された募集株式数に満たないときは、公開買付けを撤回することもできる（同告示 46 条）。

　三菱東京 UFJ 銀行（当時）がアユタヤ銀行（Bank of Ayudhya Public Company Limited.）の株式公開買付けを行い、発行済株式の過半数を取得した事例（2013 年）は、任意的公開買付けを利用した一例である。

③ 通常の公開買付手続の概要

　公開買付者は、まず、証券取引委員会に対して、トリガーポイントに達する株式取得の翌営業日までに、保有株式報告書（Form 246-2）を提出しなければならない（上場会社買収規則告示 17 条）。既発行株式の取得の場合には、同時に、証券取引委員会およびタイ証券取引所にそれぞれ株式公開買付意向

書（Form 247-3）を提出しなければならない（同告示17条2号）。

次に、かかる保有株式報告書および株式公開買付意向書の提出から7営業日以内に、証券取引委員会に対して、証券取引委員会の承認したリストに掲げられているファイナンシャル・アドバイザーにより作成された公開買付届出書（Form 247-4）および公開買付応募申込書フォームを提出し、手数料を支払わなければならない（上場会社買収規則告示18条）。

その後ただちに、対象会社、対象会社株主およびタイ証券取引所に対し、公開買付届出書の写しおよび公開買付応募申込書フォームを交付しなければならない。また、タイ語日刊新聞2紙以上および英字日刊新聞1紙以上において公告を行わなければならない。公告期間は、公開買付届出書の冒頭において公開買付期間および公開買付条件が最終的なものである旨記載した場合には3営業日、それ以外の場合には1営業日である（上場会社買収規則告示20条）。後者の場合、公開買付期間を延長する場合および公開買付条件を変更する場合には、その旨の公告を1営業日の間行う必要があり（同告示25条3号、27条3号）、また、公開買付期間および公開買付条件が確定した段階で、その旨の公告を3営業日の間行う必要がある（同告示28条2項3号）。

公開買付届出書の提出から3営業日以内に、公開買付期間が開始する（上場会社買収規則告示23条）。公開買付期間は、25営業日から45営業日の間で設定する。公開買付期間は、当初に公開買付届出書において当該公開買付期間が延長されないかまたは最終的なものである旨記載した場合を除き、開始から最長45営業日の範囲内で延長することができる（同告示24条）。

公開買付届出書の提出後に対象会社に重大な悪影響（material adverse effect）を及ぼす事由[3]が生じた場合には、当初に公開買付届出書においてそれが最終的なものであると記載したか否かにかかわらず、公開買付期間および公開買付条件を変更することができる（上場会社買収規則告示24条、26条、29条）。

---

[3] 上場会社買収規則告示では、いかなる事由がこれに該当するかについては具体的に定められていない。

また、公開買付届出書に、対象会社に重大な悪影響を及ぼす事由が生じた場合および対象会社の行為により対象会社の株価が著しく低下した場合には、公開買付自体を撤回することができる旨を記載しておけば、当該事由が発生した場合に公開買付自体を撤回することもできる（同告示 45 条）。

当初に最終的な公開買付条件および公開買付期間を定めなかった場合には、公開買付期間終了 15 営業日前までに、それらを定めて証券取引委員会への届出、ならびに前記の公開買付届出書と同様の通知および公告を行う必要がある（上場会社買収規則告示 28 条）。

対象会社は、公開買付者より公開買付届出書の写しを受領してから 15 営業日以内に、当該公開買付けに対する意見表明書（Form 250-2）を証券取引委員会に提出し、かつ全株主およびタイ証券取引所にその写しを交付しなければならない（証券取引法 250 条、公開買付けに関する意見表明書の作成の書式および時期に関する資本市場監視委員会の告示（Notification of the Capital Market Supervisory Board No. TorChor. 40/2552 Re: Statement Form and Period for Preparing Opinion Concerning Tender Offer）2 条）。当該意見表明書の中に、証券取引委員会の承認したリストに掲げられているファイナンシャル・アドバイザーのいずれかによる、株主のアドバイザーとしての意見を含まなければならない。

公開買付期間の終了後 5 営業日以内に、公開買付者は、証券取引委員会に対して、公開買付報告書（Form 256-2）を提出して結果を報告し、またその写しをタイ証券取引所に提出しなければならない（上場会社買収規則告示 34 条）。

公開買付者は、原則として公開買付期間終了日から 1 年間は対象会社について新たな公開買付けを行うことができない（証券取引法 255 条）。また、トリガーポイントに達する株式を取得した者は、公開買付期間終了後 6 か月間は、原則として公開買付価格よりも高い価格で対象会社の既発行株式を取得することができず、さらに、公開買付期間終了後 1 年間は、対象会社の株主総会において出席株主の議決権の 4 分の 3 以上を有する株主の賛成がない限り、公開買付届出書の記載と実質的に異なる行為を行うことができない（上

場会社買収規則告示48条）。

なお、強制的公開買付けでは、先に終了した対象会社株式の取得の後に残存する株主にも平等な売却機会を与えるために、残るすべての発行済株式を対象とした公開買付けの手続が必要とされることから、基本的に取得対象株式数の上限や下限、その他条件を設定することが許されていない。

④　非上場化を前提とした公開買付け

タイにおいては公開買付けが成功した後に対象会社株式を非上場化させることも行われている。この場合には、前記②の公開買付手続を行う前に、まず対象会社の取締役会が非上場化を承認する旨の決議を行ったうえ、その旨を同日中または翌営業日のタイ証券取引所の最初の取引時間開始の1時間以上前にタイ証券取引所に通知する必要がある（証券の非上場化に関するタイ証券取引委員会の告示（Notification of the Board of Governors of the Stock Exchange of Thailand Re：Procedures for Voluntary Delisting B.E. 2564（2021）、以下「非上場化告示」という）3条1項2号）。また、株式の非上場化のためには、対象会社の株主総会において発行済株式総数の議決権の4分の3以上の株式を保有する株主の賛成を得たうえ、発行済株式総数の議決権の10％超の株式を保有する反対株主が存在しないことが必要である[4]（同告示4条1項）。

その後、対象会社は、タイ証券取引所に上場廃止申請書を提出し、タイ証券取引所が30日以内の審査を経て上場廃止を承認した後、公開買付者は、前記の公開買付手続に入ることになる（非上場化告示5条、6条）。公開買付期間終了後から5営業日以内に、公開買付者は前記のとおり証券取引委員会

---

[4] 非上場化の承認および反対にかかる株主総会決議については、後記のwhitewashの承認決議と異なり、当該取得者およびその関係人は除かれていない。また、議決権のない預託証券を保有するThai NVDR Company Limitedも例外的に議決権を持つことになる。Thai NVDR Company Limitedは、タイの外資規制のもとで外国人にタイ株投資の便宜を図るため、タイ株を原証券としてNVDR（Non-Voting Depository Receipts）という預託証券を発行する機関である。この預託証券を保有することにより、議決権以外の権利（主に配当受領権等の経済的利益）を実質的に享受することができる。

に対して公開買付報告書（Form 256-2）を提出して結果を報告し、また、その写しをタイ証券取引所に提出する（上場会社買収規則告示 34 条）。タイ証券取引所は上場廃止の決定、およびその効果発生日を公表する[5]。

⑤　公開買付けの対価の種類・価格

　公開買付けの対価の種類は、金銭のみの選択肢とするか、または金銭のみの選択肢に加えて金銭以外の有価物を選択できるようにするかが許容されており、金銭のみの選択肢も含む必要がある（上場会社買収規則告示 35 条 2 号）。すなわち、金銭以外の有価物のみを対価とする選択肢は許容されていない。

　公開買付価格については以下の規制がある。まず、公開買付届出書提出の前 90 日間において公開買付者またはその関係人が対象株式を取得している場合には、その最高値を下回ってはならない（後記の Chain Principle Rule が適用される場合には、証券取引委員会所定の計算方法に従い算出された間接的な支配権取得に要した費用も下回ってはならない）（上場会社買収規則告示 36 条 1 項）。

　また、公開買付者またはその関係人が対象会社の他の種類の株式のみを公開買付届出書提出の前 90 日間において取得している場合には、(i)公開買付者のファイナンシャル・アドバイザーの評価による公正価格を下回ってはならず、かつ、(ii)対象株式が上場株式である時には、当該他の種類株式取得（期間中に複数回取得している場合には最高値で取得した時）の前 5 営業日間の対象株式の加重平均市場価格も下回ってはならない（上場会社買収規則告示 36 条 2 項）。

　ただし、非上場化を伴う公開買付けの場合には、(i)公開買付届出書提出前の 90 日間において公開買付者またはその関係人が対象株式を取得している場合の最高値、(ii)対象会社の取締役会が非上場化の株主総会への提案を決議した日または株主総会が非上場化を決議した日のうちいずれか早いほうの前

---

[5] 非公開会社が公開会社に組織変更することが可能である（公開会社法 180 条）のと異なり、公開会社は、非上場化しても、公開会社から、会社運営がより簡素な非公開会社に組織変更することは認められていないことに留意を要する。

5営業日の加重平均市場価格、(iii)直近の資産および負債により調整後の対象会社の簿価、および(iv)公開買付者のファイナンシャル・アドバイザーの評価による公正価格、のいずれも下回ってはならない（上場会社買収規則告示56条）。

⑥　共同保有者とみなされる場合（Acting in Concert Rule）

(i)(a)故意かつ共同して（intentionally and jointly）他の者と議決権を行使する者か、または、(b)自己の議決権を対象会社を支配するために他の者に行使させる者で、(ii)当該他の者と共同して議決権を行使する旨の株主間契約を締結している等の一定の関係または共同行為関係にある者は、トリガーポイントに達する議決権の取得の有無の判断において、共同保有者とみなされて、合算してトリガーポイントに達した場合には当該他の者とともに公開買付義務を負うことになる（証券取引法247条、共同保有者を定める資本市場監視委員会の告示（Notification of the Capital Market Supervisory Board No. TorJor. 7/2552 Re：Acting in Concert as a result of the nature of a relationship or behavior and requirements under Sections 246 and 247）2条）点に留意が必要である（いわゆるActing in Concert Rule）。

⑦　直接保有者の支配権の変動により間接的にトリガーポイントに達する場合（Chain Principle Rule）

対象会社の議決権を有する株主（以下「直接保有大株主」という）の直接的または間接的な支配権（具体的には、(i)直接保有大株主から1つずつ遡った場合の議決権の50％以上の保有の連続または(ii)取締役指名権を通じた経営支配権）を取得した者には、当該者、中間者および直接保有株主ならびにそれらの関係人の有する対象会社の議決権の合計がトリガーポイントに達した場合、公開買付規制が適用される（上場会社買収規則告示6条、37条）点に留意が必要である（いわゆるChain Principle Rule）。

たとえば、シンガポール法人のKim Eng Holdings Ltd.が、Kim Eng

3 既発行株式の取得

【図表3-1】 Chain Principle Rule が適用される例

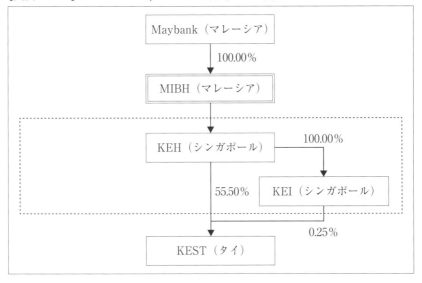

Securities（Thailand）Public Company Limited の株式の約 55％を有していたところ、2011 年に Kim Eng Holdings Ltd. の株式の 50％超をマレーシアのMaybank IB Holdings Sdn Bhd（旧名：Mayban IB Holdings Sdn Bhd）が取得した事例において、Maybank IB Holdings Sdn Bhd が、Kim Eng Securities（Thailand）Public Company Limited の株式の取得について、公開買付届出書（Form 247-4）を提出している（図表3-1）。

⑧ 外資規制が及ぶ業種における支配権取得の方法

（ⅰ）部分的公開買付け

対象会社が外資規制の及ぶ事業を行っている場合、外資規制に違反しないようにするためだけであれば、1つの方法として、部分的公開買付け（partial tender offer）（上場会社買収規則告示 49 条以下）の方法により、取得上限を総議決権の 50％未満に設定することが考えられる。部分的公開買付けの主な要件は、証券取引委員会の承認（waiver）を得ることと、対象会社の株主総会

において出席株主の議決権の過半数を有する株主の承認を得ることである（同告示50条）。

しかしながら、対象会社の支配権を得ることを目指す場合には、部分的公開買付けの方法は意味をなさない。そこで、既発行株式の取得により外資規制の及ぶ事業を行っている対象会社の支配権を取得する方法として、主に以下のものが考えられる。

(ii) 外国人事業許可等の取得

まず、もっとも直截的な方法として、外国人事業許可等を取得することが考えられる。しかし、前記**第1章3**(5)①のように、外国人事業許可は一般的なサービス業（飲食業、流通・運送業、広告業等）の場合には取得が困難であることが多い。また、BOI等による投資奨励による外資規制の解除の対象も一部の業種（たとえば技術開発事業、環境保全事業等）に限定されている。

(iii) 共同公開買付け

次に、共同で対象会社を運営するタイ側パートナーを確保したうえで、外資規制に反しない取得割合を定めて、共同で公開買付けを行う方法が考えられる。

ただ、この方法は、信頼できるタイ側パートナーを確保して、共同で対象会社を運営することができる場合に限られる。

日立物流株式会社のシンガポールにおける完全子会社であるHitachi Transport System（Asia）Pte.Ltd.と、発行済株式のうち同シンガポール子会社が約43.7％を有し、タイ資本が過半数を有すると思われるタイ関連会社であるHitachi Transport System（Thailand），Ltd.が、Eternity Global Logistics Public Company Limitedの株式の共同公開買付けを行い、それぞれ約49％および約51％の株式を取得した事例は、共同公開買付けの一例と思われる（図表3－2）。

なお、この日立物流の事例は、同社とシンガポール子会社を一体としてみると、タイ関連会社と対象会社の双方に対してマイノリティ出資を行っており、さらにタイ関連会社が対象会社に過半数出資を行っていることから、一

【図表３－２】共同公開買付けの例

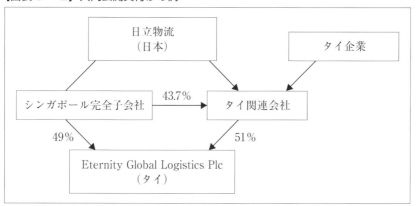

種のダウンストリームインベストメントの形にもなっている。

4 新株の取得（第三者割当増資）

(1) 非公開会社における第三者割当増資手続

　非公開会社の新株発行は、前記**第２章１(1)⑥**のとおり、原則として、既存株主に対してその出資比率に基づいてのみ行うことができ、第三者割当増資をすることができない（民商法1222条１項）。ただ、既存株主が新株発行を引き受けない場合、当該既存株主がその旨取締役会に通知すれば、取締役会は引き受けられなかった株式について他の既存株主に対して発行することができる。

　当然ながら、非公開会社においても第三者割当増資の必要が生じる場合はあるから、このような場合、実務上は、①新株発行を引き受けることを希望する第三者（新株主）が既存株主から１株以上の株式を譲り受け、既存株主となったうえで、②取締役会が新株主を含む既存株主に対して新株発行について通知し、③新株主を除く既存株主が当該新株発行を引き受けない旨を取

締役会に通知し、④新株主が当該新株発行を引き受ける、という方法により、実質的には第三者割当増資と同様のことを行っている。

(2) 公開会社における第三者割当増資手続

前記第2章1(2)⑥のように、公開会社は、非公開会社と異なり、第三者割当増資を行うことができる（公開会社法137条）。

新株発行による増資を行うためには、出席株主の議決権のうち4分の3以上を有する株主による承認決議を行い、決議の日から14日以内に増資に係る特別決議の登記を行う必要がある（公開会社法136条2項2号・3号）。

(3) 公開買付規制の適用と株主総会決議による適用免除

新株取得の場合にも、公開買付規制は原則として適用される（上場会社買収規則告示17条1号）。

ただし、株主総会決議による承認など一定の要件を満たすと、公開買付規制の適用の免除（Whitewash）を受けることができる。

公開買付規制免除の具体的な要件は、新株発行後の保有議決権割合が議決権総数の25％以上50％未満となる場合には、①取得される株式が（既発行株式ではなく）新株のみであること、②対象会社の株主総会において出席株主の議決権（当該取得者およびその関係人は除く）の4分の3以上を有する株主による承認を得たこと、③前記の株主総会の招集通知に、告示に規定される詳細が含まれていること（証券取引委員会に提出した招集通知案に対し、証券取引委員会からの指摘があれば、その指摘を反映させた内容であること）、④取得者が、対象会社の取締役会が発行決議を行った後、前記の株主総会決議まで対象会社株式を取得しないこと、である（株主総会決議による公開買付規制の適用免除の申請にかかる規則に関する証券取引委員会の告示（Notification of the Office of the Securities and Exchange Commission No. SorGor. 29/2561 Re: Rules for the Application for a Waiver from the Requirement to Make a Tender Offer for All Securities of the Business by Virtue of the Resolution of the Shareholders' Meeting of the Business、以

下「Whitewash 規則」という）5条）。

　他方、新株発行後の保有議決権割合が議決権総数の 50％以上または 75％以上となる場合には[6]、前記に加え、⑤前記②の決議において発行済株式数の議決権の 5％以上の株式を保有する反対株主が存在しないこと、⑥取得者が取得する株式は、既存株主の持株比率に応じた新株引受権（right offer）または新株予約権が行使されなかった分の株式であること、⑦前記②と同じ株主総会における決議において、既存株主に持株比率に応じた新株引受権または新株予約権を付与する旨の決議がなされた（right offer）こと、⑧前記②と同じ株主総会における決議において、取得者が取得できる上限が決定されたことも必要となる（Whitewash 規則 6 条）。

　具体的な手順としては、まず取得者は、対象会社の取締役会に対して新株取得の意向を表明し、対象会社の取締役会が承認した後、証券取引委員会に対して株主総会招集通知案および株主総会決議申請書（Form 247-4）案を提出する。証券取引委員会から指摘があれば、証券取引委員会が 15 日以内に取得者に連絡する。その後、取得者は、株主総会招集通知が各株主、証券取引委員会およびタイ証券取引所に送付されるよう手配する。証券取引委員会に対して、①公開買付規制の適用免除申請書、②公開買付規制の適用免除を適用し、取得者に新株を発行する旨の株主総会決議の通知書、③株主総会招集通知の写し、④前記②の決議にかかる株主総会議事録の部分の写しなどを提出する。

　かかる一連の適用免除申請手続が適正に行われ、証券取引委員会が承認した場合に公開買付規制の適用免除の効力が発生する（Whitewash 規則 7 条～13 条）。

---

6) もっとも、多くの場合、対象の上場会社は土地を保有しているので、前記の土地法の規制との関係から、取得後の外資割合を 49％にとどめることが多い。

5　事業譲渡

　事業譲渡は、対象会社の資産および負債を個別承継する方法である。

　この点、課税に関しては、個別承継として個々の譲渡についての課税に服する通常の事業譲渡（asset transfer）の場合と異なり、全部事業譲渡（entire business transfer）の場合には、（時価ではなく）簿価で譲渡することができ、資産の譲渡益課税、付加価値税、特別事業税が免除される。ただし、かかる免税対象となる全部事業譲渡として認められるためには、譲渡会社および譲受会社が租税を滞納していないこと等の条件のほか、譲渡と同一会計年度内に譲渡会社の清算手続を開始しなければならないものとされている（公開会社または法人の間の合併または全部事業譲渡の租税免除に関する基準、手続および条件にかかる税務長官の告示（Notification of the Director-General of Revenue Department, Re criteria, procedures and conditions related to merger or transfer of entire business to each other of public limited companies or limited companies for exemption of taxes and duties）3条）。

　なお、契約関係の承継に関しては、契約相手方の同意が必要である。また、許認可に関しては、全部事業譲渡の場合であっても、外国人事業許可等の対象会社が有する許認可については自動的には引き継がれない点に留意が必要である（外国人事業許可は承継が不可である）。

　また、全部事業譲渡の場合であっても、従業員の承継には個別の同意が必要であり、同意が得られなければ労働者保護法または就業規則等所定の解雇補償金[7]を支払うことになる点にも留意が必要である。

【図表3-3】新設合併

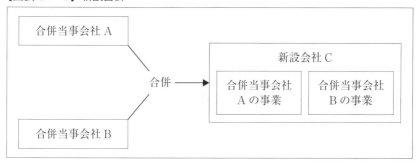

6 新設合併

　これまでタイ法上は、1つの会社が存続し、他の会社が消滅する合併（いわゆる「吸収合併」）は認められておらず、当事会社がすべて消滅して新しい会社が設立される新設合併のみが認められていたことは前記のとおりである。

　非公開会社の新設合併の手続の流れは以下のとおりである（**図表3-3**）。2023年2月施行の改正民商法により、反対株主の株式買取制度が創設されていることにも留意が必要である。

　①　株主総会決議：合併する各当事会社の株主総会で合併を決議する（民商法1238条）。

7）労働者保護法所定の解雇補償金の額は、勤続年数に応じて最終賃金を基準に以下の日数に相当する金額と規定されている。
　①　120日以上1年未満　　　30日分
　②　1年以上3年未満　　　　90日分
　③　3年以上6年未満　　　 180日分
　④　6年以上10年未満　　　240日分
　⑤　10年以上20年未満　　 300日分
　⑥　20年以上　　　　　　 400日分

② 特別決議の登記：株主総会で合併が決議された後 14 日以内に、商務省でかかる特別決議を登記する必要がある（民商法 1239 条）。
③ 反対株主の株式買取：株主総会に出席した株主が合併に反対した場合、会社は、反対株主が保有する株式の買取者を手配する必要がある。株式買取価格について当事者間で合意が得られない場合には、鑑定人が任命され、その評価額が最終的な買取価格となる。買取価格の決定後、買取の申し出から 14 日以内に株式譲渡手続が完了しない場合、合併の手続は進行し、反対株主は新会社の株主となる（民商法 1239/1 条）。
④ 債権者の異議申立て：各当事会社の株主総会で合併を決議した後、14 日以内に、当該決議時点に会社の名簿に記載された債権者に対し、書面で当該決議について通知をしなければならず、通知には異議申立期間が当該通知を受け取った日から 1 か月以内であることを定めなければならない。また、会社は当該決議について、当該決議から 14 日以内に広く普及している日刊新聞に公告しなければならない。異議を申し立てた債権者がいた場合には、当該債権者に返済し、または担保を提供するまで、合併を進めることはできない（民商法 1240 条）。
⑤ 株主総会の開催：合併する各当事会社は、いずれかの会社が合併の決議をした日から 6 か月以内に、以下の事項を共同で検討するために、株主総会を招集しなければならない（民商法 1240/1 条）。
　(i) 合併会社の名称（合併する会社の旧社名とすることもできる）
　(ii) 合併会社の目的
　(iii) 合併会社の株式資本（ただし、株式資本は、合併する会社の株式資本の合計を下回ってはならない）
　(iv) 株主に対する合併会社の株式の割当（ただし、増資する場合も、既存株主の株式保有割合に応じて新株を割り当てる必要はなく、合併する会社が協議することができる）
　(v) 合併会社の基本定款
　(vi) 合併会社の附属定款

(vii)　合併会社の取締役の選任
　(viii)　合併会社の会計監査人の選任
　(ix)　その他合併に必要な事項がある場合には、その事項
⑥　新会社への事業・資産等の引渡し：合併する会社の取締役会は、⑤の株主総会から7日以内に、事業、資産、会計、文書、帳票を新会社に引き渡す（民商法1240/3条）。
⑦　新会社設立登記：新会社の取締役会は、⑤の株主総会から14日以内に、合併登記を申請し、同時に、⑤の株主総会で承認された基本定款および附属定款を商務省の登記官に提出しなければならない（民商法1241条）。登記官は、合併した各当事会社が法人格を喪失したことを登記簿に記録する（同法1242条1号）。

　なお、合併の場合、当事会社が有する権利義務は自動的に新設会社に引き継がれる（民商法1243条）。許認可に関しても、一般的に、当事会社が有する許認可は自動的に新設会社に引き継がれると解されているが、実務上、手続の不備により許認可の引継ぎが円滑に行われていない場合（たとえば、運送事業関係許可、健康被害発生事業許可書が考えられる）がある。

　また、2019年5月の労働者保護法の改正により、新設合併に際して労働者の権利義務（雇用契約）の旧雇用主から新雇用主（新設合併会社）への承継には、労働者の個別の同意が必要であることが明示された。これにより、今後は事業譲渡の場合と同様に、新設合併においても労働者の承継には対象労働者の個別同意の取得が必要となる。

7　吸収合併

　これまでタイ法上は、新設合併だけが規定されており、吸収合併の制度は存在しなかったが、2023年2月施行の改正民商法により、非公開会社の吸収合併の制度が創設されるに至った。

　非公開会社の吸収合併の手続の流れは以下のとおりである（図表3－4）。

【図表3-4】吸収合併

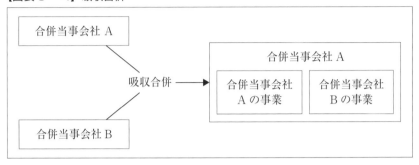

基本的に新設合併と同様の手続である。

① 株主総会決議：合併する各当事会社の株主総会で合併を決議する（民商法1238条）。

② 特別決議の登記：株主総会で合併が決議された後14日以内に、商務省でかかる特別決議を登記する必要がある（民商法1239条）。

③ 反対株主の株式買取：株主総会に出席した株主が合併に反対した場合、会社は、反対株主が保有する株式の買取者を手配する必要がある。株式買取価格について当事者間で合意が得られない場合には、鑑定人が任命され、その評価額が最終的な買取価格となる。買取価格の決定後、買取の申し出から14日以内に株式譲渡手続が完了しない場合、合併の手続は進行し、反対株主は新会社の株主となる（民商法1239/1条）。

④ 債権者の異議申立て：各当事会社の株主総会で合併を決議した後、14日以内に、当該決議時点に会社の名簿に記載された債権者に対し、書面で当該決議について通知をしなければならず、通知には異議申立期間が当該通知を受け取った日から1か月以内であることを定めなければならない。また、会社は当該決議について、当該決議から14日以内に広く普及している日刊新聞に公告しなければならない。異議を申し立てた債権者がいた場合には、当該債権者に返済し、または担保を提供するまで、合併を進めることはできない（民商法1240条）。

⑤ 株主総会の開催：合併する各当事会社は、いずれかの会社が合併の決

議をした日から6か月以内に、以下の事項を共同で検討するために、株主総会を招集しなければならない（民商法1240/1条）。

(i) 合併会社の名称（合併する会社の旧社名とすることもできる）
(ii) 合併会社の目的
(iii) 合併会社の株式資本（ただし、株式資本は、合併する会社の株式資本の合計を下回ってはならない）
(iv) 株主に対する合併会社の株式の割当（ただし、増資する場合も、既存株主の株式保有割合に応じて新株を割り当てる必要はなく、合併する会社が協議することができる）
(v) 合併会社の基本定款
(vi) 合併会社の附属定款
(vii) 合併会社の取締役の選任
(viii) 合併会社の会計監査人の選任
(ix) その他合併に必要な事項がある場合には、その事項

⑥ 新会社への事業・資産等の引渡し：合併する会社の取締役会は、⑤の株主総会から7日以内に、事業、資産、会計、文書、帳票を新会社に引き渡す（民商法1240/3条）。

⑦ 新会社設立登記：新会社の取締役会は、⑤の株主総会から14日以内に、合併登記を申請し、同時に、⑤の株主総会で承認された基本定款および附属定款を商務省の登記官に提出しなければならない（民商法1241条）。登記官は、吸収された片方の当事会社が法人格を喪失したことを登記簿に記録する（同法1242条2号）。

Chapter 4

取引競争法

第4章

第4章　取引競争法

本章では、2017年に施行された取引競争法について解説する。

1　総　　論

(1)　旧取引競争法の状況と改正法施行までの経緯

　タイにおいては、1999年に取引競争法（以下「旧競争法」という）が制定・施行されており、これにより、カルテル等の競争制限行為および事業者による市場支配力の濫用行為が禁止され、企業結合に関する事前届出制度も設けられていた。しかしながら、旧競争法の運用・執行はほとんど活発に行われてこなかった。執筆者らが認識している範囲では、旧競争法の元で、タイにおける取引競争法の規制当局である取引競争委員会が問題ありと判断し、刑事事件として捜査が行われた事件は1件のみであり、この案件も最終的に起訴されるには至らなかった。このような低調な運用の背景には、旧競争法において「下位規則で定める」と規定されている具体的手続や基準・要件が一向に定められなかったこと（これにより法律が事実上死文化していたこと）や、取引競争委員会の独立性や権限・予算が十分ではなかったといった事情があると指摘されてきた。

　他方で、ASEAN全体の流れとしては、2007年のASEANブループリントの採択により、ASEAN加盟国は2015年までに競争政策・競争法を導入する努力義務が謳われるとともに、実際に2012年にはマレーシア、2015年にはフィリピンにおいて競争法が施行されており、ASEAN加盟国として実効性のある競争法の施行という大きな潮流が生まれていたといえる。

　そのような流れを受けて、タイにおいても実効性のある取引競争法の制定・施行に向けた動きが進められ、2017年10月5日付で取引競争法が正式に施行された。

(2) 取引競争法の概要とポイント

① 取引競争委員会の独立性・権限の強化

　旧競争法の運用が低調であった背景の1つとして、規制当局である取引競争委員会の独立性・権限が不十分であった点が挙げられていた。

　この反省を踏まえて、取引競争法では、旧競争法の下では商務省国内取引局（Department of Internal Trade, Ministry of Commerce）の一部局とされていた取引競争委員会を独立した行政機関とするとともに、取引競争委員会の権限強化のための方策として、取引競争委員会に対し、一定の取引競争法違反行為に行政罰を課する権限を与える旨が規定されている（取引競争法17条1項9号）。また、同委員会が捜査を実施するに当たり、担当官は刑法に定められる執行官と同様の権限を有するとされている（同法67条）。

　これらにより、取引競争委員会は警察・検察とは独立して一定の捜査を実施し、行政罰および排除措置命令（取引競争法60条）による機動的な取締活動が可能になっている。

② 規制対象者

　取引競争法による規制対象者は「事業運営者（Business Operator）」（取引競争法5条）とされ、基本的にタイで活動するすべての個人・法人事業者が対象となる。この点、規制対象者に関する取引競争法の大きな特徴として、「国営企業（State Enterprise）」も、下記の適用除外（同法4条）に該当しない限り適用対象となった点が挙げられる。これにより、私企業にとってはよりフェアな競争環境の整備が見込まれるといえる。

【適用除外】
・中央、県、地方の行政府
・国防、公共の利益、公共施設の提供のために必要な国営企業、公共機構、その他法令等に従って設立された組織
・農民団体その他農民による農業事業の振興のために設立された組織

・個別業法により競争取引が監督されている事業（例：高速道路国営事業）

③ 規制対象行為

取引競争法では、以下の各行為類型が規制対象とされている。
・市場支配力の濫用（競争事業者の排除行為）（取引競争法50条）
・企業結合規制（原則として事後届出、例外的に事前届出）（同法51条）
・競争制限的行為（悪質性の高い、ハードコア・カルテル）（同法54条）
・競争制限的行為（悪質性の低い、非ハードコア・カルテル）（同法55条）
・不公正な取引（その他キャッチオール規定）（同法57条）

旧競争法からの主な変更点としては、(i)競争制限的行為について、行為の悪質性によるハードコア・カルテルおよび非ハードコア・カルテルの分類がなされ、悪質性の高い競合事業者同士のカルテル等は刑事罰の対象、その他のカルテル（主に垂直カルテル）は行政罰の対象という分類がされた点、および(ii)旧競争法では事前届出制が採用されていた企業結合規制について、原則として事後届出制が採用されている点（下記④）が挙げられる。

④ 企業結合規制（「事後」届出制の採用）

企業結合規制については、旧競争法では事前届出制が規定されていた。（ただし、その具体的な要件・手続を定めるとされた下位規則が制定されておらず、同制度は実際には運用されていなかった）。この点、取引競争法では、原則として事後届出制が採用されている。すなわち、

(i) 市場における「競争の著しい制限」となる可能性のある企業結合は、取引実行から7日以内の事後届出が必要

(ii) さらにこれを超えて「市場独占・市場支配」となる可能性のある企業結合は、事前の届出（許可）が必要（審査日数は90日、さらに15日の延長可）

とされている。ただし、一定のグループ間組織再編は適用除外とされている。詳細は下記で述べる。

⑤ 取引競争法違反に対する制裁

　取引競争法における制裁は、上述のとおり刑事罰と行政罰の2種類を、その行為類型の悪質性や自由競争に与える影響力により分類して適用する形とされている。またこれ以外に、取引競争委員会による排除措置命令も可能になっている（取引競争法60条）。

　取引競争法に定められた各競争法違反行為に対する刑事罰・行政罰をまとめると以下のとおりとなる。なお、行政罰は刑事罰と異なり、裁判手続を経ずに取引競争委員会の判断で制裁を課すことが可能という点に特徴があり、より機動的・柔軟な行政罰の発動による委員会による規制の執行が可能となっている。

　また、刑事罰・行政罰の対象が法人等である場合は、取締役、支配人その他その法人の運営に責任を有する者についても、(i)その者の指示または行為により違反行為が行われた場合、あるいは、(ii)その者が指示または行為を行うべきであったにもかかわらずそれを懈怠したことで違反行為が行われた場合には、刑事罰・行政罰の対象になり得ることに留意する必要がある（取引競争法77条・84条）。

行為類型	刑 事 罰	行 政 罰
市場支配力の濫用 （72条、50条※）	・2年以下の禁固刑 および / または ・違反行為が行われた年の売上高の10％以下の罰金	―
企業結合規制違反 （事後届出違反） （80条、51条1項）	―	・20万バーツ以下の制裁金 および ・届出を行うまで1日当たり1万バーツ以下の制裁金

第4章　取引競争法

企業結合規制違反 （事前届出違反） （81条、51条2項、53条）	―	・取引価値の0.5％以下の制裁金
競争制限的行為 （ハードコア・カルテル） （72条、54条）	・2年以下の禁固刑および/または ・違反行為が行われた年の売上高の10％以下の罰金	―
競争制限的行為 （非ハードコア・カルテル） （82条、55条）	―	・違反行為が行われた年の売上高の10％以下の制裁金
不公正な取引 （82条、57条）	―	

※上記図表内の条文番号は、すべて取引競争法のそれを指す。

2　各　論

　各規制行為類型について、その具体的な基準や要件・手続については、取引競争法の施行から1年以内に取引競争委員会が制定する告示によるものとされていた。その後、2018年11月2日付で一部の告示が施行されるとともに、企業結合など重要な規制類型に関する告示についても、2018年12月29日付で施行された。これらにより、2018年末の時点で、実際に告示も一通り施行され、取引競争法の具体的な執行・運用が可能な体制が整ったといえる。その後も複数の告示が施行されている。

　本章では、これらの告示のうち、特に実務上重要と思われるものについて紹介する。

2 各 論

(1) 市場支配力の濫用（取引競争法 50 条）

　市場支配力の濫用規制とは、市場支配力を有する一定の事業者による、他の事業者に対する不当な行為を禁止するものである。なお、市場支配力を有すること自体を規制するものではなく、そのような立場を利用して一定の不当な行為を行うことを規律するものである。

　まず、同規制の対象となる「市場支配力を有する事業者」とは、

① 単独である製品の市場の 50％以上の市場シェアを有し、かつ最終事業年度の売上が 10 億バーツ以上の事業者（単一型）、または

② 市場シェア上位 3 社の合計市場シェアが 75％以上で、かつ当該各社の最終事業年度の売上が 10 億バーツ以上の場合の当該上位各 3 事業者（複数型）

を指すと解される（取引競争委員会「市場支配力を有する事業者であることの基準に関する告示」(Notification of the Trade Competition Commission of Thailand re: Criteria for a Business Operator with Dominant Market Power) 3 条）。

　これに該当する事業者については、以下の行為が禁止されている（取引競争法 50 条 1 号～4 号）。

- ・1 号：不当に商品・サービスの販売・購入価格を固定・維持する行為
- ・2 号：①他の事業者が商品の提供・製造・購買を抑制せざるを得なくなる、または②商品の購買や販売、役務の提供または受領、もしくは他の事業者から信用供与を受ける機会を抑制せざるを得なくなるような、不当な取引条件を他の事業者に課すこと
- ・3 号：正当な理由なくサービス・製造・購買・配達・輸入を停止・減少・制限する行為、または市場の需要以下に供給量を減らすために商品を破壊・毀損する行為
- ・4 号：正当な理由なく他の事業者の事業活動に介入する行為

　この列挙事項について、告示でその詳細（具体例）が示された（取引競争委員会「市場支配力を有する事業者の行為の評価のためのガイドラインに関する

告示」(Notification of the Trade Competition Commission of Thailand re: Guideline for the Assessment of the Prohibited Practices by a Business Operator with Dominant Market Power))。

具体的には、主なものとして以下が挙げられている。

(i) 取引競争法50条1号の「不当に商品等の価格を固定・維持する行為」の具体例として、
  (a) 他の競合事業者を排除する目的できわめて低い価格を設定する行為（平均変動原価すなわちAverage Variable Costsより低い金額はこの目的と推定される）
  (b) 同じ商品等についてコストや品質に差がないにもかかわらず取引先ごとに価格を変える行為　等

がこれに当たるとされている。

(ii) 取引競争法50条2号の「他の事業者の事業活動等を抑制させるような不当な取引条件を課す行為」の具体例として、
  (a) 大量の商品を購入することを事実上強制させるディスカウント取引
  (b) 関連商品の購入を強制させる取引（抱合せ販売）
  (c) 再販売価格の固定行為　等

がこれに当たるとされている。

(2) 企業結合規制（取引競争法51条）

　企業結合規制とは、事業者同士の合併や株式・資産取得などのいわゆるM&A取引により、ある商品の市場における競争が大きく減少するような場合には、取引競争委員会への事後届出、または影響がより大きい場合には事前の許可を得ることとし、市場の競争力を確保することを意図する規制である。

① 規制の対象となる企業結合
原　　則
　具体的には、一定の基準に該当する下記 M&A を行う場合に、事前届出（許可）または事後届出が必要となる（取引競争法 51 条 4 項 1 号～3 号）。
　(i)　合併
　(ii)　他の事業者の政策、経営体制、指揮、経営を支配するための、他の事業者のすべてまたは一部の資産の取得
　(iii)　他の事業者の政策、経営体制、指揮、経営を支配するための、他の事業者のすべてまたは一部の株式の直接的または間接的な取得
　上記のうち、(ii)の資産の取得とは、他の事業者の事業資産価値の 50% 超の資産を取得する場合がこれに該当するとされ、また(iii)の株式の取得とは、他の事業者が一定の公開会社の場合には議決権ベースで 25% 以上の株式等を取得する場合であり、他の事業者がそれ以外の場合には議決権ベースで 50% 超の株式等の取得をする場合であるとされている（取引競争委員会「合併とみなされる経営政策、体制、指揮、経営を支配するための資産・株式の取得の評価基準に関する告示」（Notification of the Trade Competition Commission of Thailand re: Criteria for the Assessment of Acquisition of Assets or Shares to Control Business Policy, Administration, Direction or Management deemed as Merger, B.E. 2561 (2018)））。

例外 1（内部組織再編）
　また、「事業者内部の組織再編（Internal Restructuring）」すなわち一定のグループ会社間の組織再編・企業結合については、例外として企業結合規制はそもそも適用されないとされている（取引競争法 51 条 6 項）。グループ会社の間で M&A を行ったとしても、市場における競争への影響は一般的に乏しいことが根拠であると思われる。
　この事業者内部の組織再編に該当するか否かの判断は、共通政策関係または共通支配利益に基づく事業間の組織再編であることとされている（取引競

争委員会「共通政策関係または共通支配利益に基づく事業者の評価の規則に関する告示」（Notification of the Trade Competition Commission of Thailand re: Criteria for the Assessment of Business Operators with Relations on Policy or Commanding Power, B.E. 2561（2018）））。

　ここでいう共通政策関係とは、目的、政策、経営方法、指示、または体制に関して、支配利益を有する事業者の権限者から企業統制を受けることを意味する（同告示3条）。いわゆる兄弟会社間の企業結合がこれに該当することになる。

　また、共通支配利益とは、下記に該当するグループ会社同士をいう（同告示3条）。
　(ⅰ)　50%超の議決権を保有する場合
　(ⅱ)　直接・間接に株主総会の議決権の過半数をコントロールする場合
　(ⅲ)　直接・間接に取締役の半数以上の選任・解任をコントロールする場合
　(ⅳ)　孫会社以下に上記(ⅰ)・(ⅱ)の関係を有する場合の当該孫会社
　いわゆる子会社同士、または親子間の企業結合がこれに該当することとなる。

例外2（タイ国内市場の存在に関する基準）
　また、タイ市場への影響がない場合は、「事業運営者（Business Operator）」（取引競争法5条）の定義に該当せず、企業結合規制の適用対象にならないと解されている。
　具体的には、取引競争委員会において、以下の基準が公表されている。
企業の存在：一方の企業結合当事者の法人・そのグループ会社について、タイに登記・設立した子会社または支店等のタイ国内の拠点が存在しない場合、その法人・グループ会社は「事業運営者」とみなされないため、企業結合規制の対象とならない。
商業の特性：一方の企業結合当事者の法人・そのグループ会社が一定程度タイ企業との間で取引関係があるものの、そのような取引がタイ

国内の事業活動とみなされない程度にとどまれば、その法人・グループ会社は「事業運営者」とみなされないため、企業結合規制の対象とならない。具体的には、(i)従来型の販売手法（traditional channels）を通じた、タイ企業や顧客等の取引先への直接の輸出、(ii)グループ関係にない独立したローカルの販売業者を通じたタイ国内での販売、および(iii)オンラインプラットフォーム（online platform）を通じた、タイ企業や顧客等の取引先への直接の輸出が例示されている。

② 事後届出・事前届出の必要となる企業結合

さらに、上記①に記載の原則(i)～(iii)の企業結合に該当するとしても、そのすべてが事後届出・事前届出（許可）を必要とするものではない。すなわち、

(i) 当該企業結合が、「特定の市場における競争を著しく制限する可能性のある」ものである場合には事後届出の対象となり（取引競争委員会「合併取引の届出に関する規則、手続、条件に関する告示」(Notification of the Trade Competition Commission of Thailand re: Rules, Procedures, and Conditions for Notification of Merger Transaction, B.E. 2561（2018））4条）、

(ii) さらに、当該企業結合が「市場独占、市場支配となる可能性のある」ものである場合に初めて、事前届出（許可）が必要となる（取引競争委員会「合併認可の規則、手続、条件に関する告示」(Notification of the Trade Competition Commission of Thailand re: Rules, Procedures, and Conditions for Merger Approval, B.E. 2561（2018））5条）。

そして、ここでいう(i)の「競争を著しく制限」とは、具体的には「当該結合の前または後における対象事業者の一市場における売上が10億バーツ以上である場合（同じ支配下に属するグループ会社の売上を含む）」とされている（取引競争委員会「合併取引の届出に関する規則、手続、条件に関する告示」3条）。

また、(ii)「市場独占、市場支配」については、「市場独占」とは、特定の市場において、その製品またはサービスの価格および数量を独自に決定する実質的な力を持ち、売上が10億バーツ以上の唯一の事業者を意味し（取引競争委員会「合併認可の規則、手続、条件に関する告示」3条）、「市場支配」とは、前述の市場支配力の濫用で触れた、「市場支配力を有する事業者」に該当するか否か（単一型、複数型）の基準で検討することとなる。

　なお、事後届出は企業結合から7日以内に届出を要し（取引競争法51条1項）、事前届出は許可を得るまでに90日の審査期間（かつ15日の延長可能性あり）を必要とする（同法52条1項）。

(3) 競争制限的行為（ハードコア・カルテル、非ハードコア・カルテル）

　取引競争法は、競争制限的行為（いわゆるカルテル規制）について、いわゆる水平カルテルと垂直カルテルの観点から2つの類型に規制類型を分けている。

　そのうち、特に市場競争力への影響力が大きい水平カルテル行為をハードコア・カルテルとして、その行為の目的や影響の如何を問わず原則として違法な類型とし（Per se illegal）、刑事罰の対象とするなど厳格な規制の対象としている。他方で、その他の行為類型（垂直カルテル）については、当該行為が市場に与える反競争的効果の有無により個別的にその違法性が判断され、刑罰としても刑事罰に比して軽い行政罰の対象に留めている。

① ハードコア・カルテル

　ハードコア・カルテルとは、同一の市場内で競合する事業者が、下記形態で独占・競争減殺・競争制限する行為である（取引競争法54条）。

- 直接・間接に、商品・サービスの価格に影響がある形で、購買・販売価格その他の取引条件を固定する行為
- 各事業者が製造・購買・販売・提供する商品・サービスの数量を制限する合意

・いわゆる入札談合（当該事業者の中で誰かが入札を獲得する、または誰かが入札するのを妨害するための合意）
・商品・サービスの販売・購買に関する市場分割カルテルまたは取引先分割カルテル

この例外としては、同一支配下に属する会社の間での上記行為については不適用とされている。

② 非ハードコア・カルテル

他方で、非ハードコア・カルテルとは、上記ハードコア・カルテル以外の行為で、複数の事業者が、下記形態で独占・競争減殺・競争制限する行為である（取引競争法55条）。

・競争関係にない当事者間の、直接・間接に、商品・サービスの価格に影響がある形で、購買・販売価格その他の取引条件を固定する行為
・競争関係にない当事者間の、各事業者が製造・購買・販売・提供する商品・サービスの数量を制限する合意
・競争関係にない当事者間の、商品・サービスの販売・購買に関する市場分割カルテルまたは取引先分割カルテル
・商品・サービスの品質を従前製造または提供していたものより落とす行為
・同じ分類の商品・サービスについて、独占的な販売者または提供者を指名する行為
・自らへの商品・サービスの販売・購買についての取引条件・取引方法を固定すること
・その他告示で挙げられる共同契約（現時点で施行済みの告示では追加類型なし）

非ハードコア・カルテルについては、ハードコア・カルテルに比して広い適用除外事由が規定されている。具体的には下記のとおりである（取引競争法56条）。

(i) 同一支配下に属する会社間
(ii) 商品開発、商品販売、技術・経済開発のプロモーション等を目的とした事業者間の合意（いわゆる R&D）
　　◇　ただし、必要以上の制限、市場独占や消費者に悪影響を与える場合は適用される
(iii) 異なるポジションにいる事業者間の合意（一方が製品・サービス、商標、事業運営方法、事業サポート提供者やライセンサーであり、他方がこれらについて何らかの対価を支払う立場にあるサービス受領者・ライセンシーである場合）
　　◇　ただし、必要以上の制限、市場独占や消費者に悪影響を与える場合は適用される
(iv) その他告示で挙げられる行為（現時点で施行済みの告示では追加類型なし）

(4) 不公正な取引（取引競争法57条）

　取引競争法上の規制類型として、上述した市場支配力の濫用やカルテル規制に該当しない場合であっても、一定の不公正な取引（Unfair Trade Practices）について広くカバーする規制類型が定められている（いわゆるキャッチオール条項）。基準としては「不公正な形で、他の事業者の事業の妨害、または優越的な地位の利用をしているか」が基準とされており、規制行為としては以下が挙げられている。

- 他の事業者の事業活動を不公正に阻害・妨害する行為
- その「市場力（Market Power）」または「より高い交渉的立場（Superior Bargaining Power）」を不公正に利用する行為
- 不公正に他の事業者の事業活動を制限・妨害する取引条件を締結する行為
- その他告示で規定される行為

上記の「市場力（Market Power）」・「より高い交渉的立場（Superior Bargaining

Power)」について、告示において以下のとおりそれぞれ具体化されている（取引競争委員会「他の事業者に損害を与える不公正な取引の評価のためのガイドラインに関する告示」（The Trade Competition Commission Notification on Guidelines for the Assessment of Unfair Trade Practices Resulting in Damage to Other Undertakings））。

- 「市場力（Market Power）」を有するとは、特定の市場における価格、数量、取引条件を決定できる立場にあることを意味し、市場シェアの10％以上を有する事業者は原則として市場力を有すると推定される（同告示6条）。
- 「より高い交渉的立場（Superior Bargaining Power）」を有するとは、他の事業者の事業活動の方向性または取引条件について、支配、命令、決定できる立場にあることを意味し、以下の場合がこれに当たる（同告示7条）。
    ① 相手方事業者にとって、当該事業者からの取引が、収入の30％以上を占める場合
    ② 相手方事業者にとって、当該事業者からの取引が、収入の10％以上30％未満であるものの、以下のいずれかに該当する場合
      (i) 他の事業者への切り替えができない場合
      (ii) 他の事業者への切り替え自体は可能であるが、その場合コストが収益を上回る場合

　上記のほかに、卸売・小売業者による製造業者・販売業者に対する不公正取引およびフランチャイズ事業に関する不公正取引に該当する行為類型を列挙する告示等も施行されている。

(5) その他

　上述した、取引競争法において規律されている市場支配力の濫用（取引競争法50条）、企業結合（同法51条）、競業事業者間のカルテル行為（ハードコア・カルテル。同法54条）等に関連して、そもそも事業者（その取り扱う製

品)が同一の市場に属するのか否かが問題となる。この点、告示により、「同一の市場」に属すると認定するための「市場」の範囲の画定方法が規定されている（取引競争委員会「市場の定義と市場シェアの評価に関するガイドラインに関する告示」(Notification of the Trade Competition Commission of Thailand re: Guidelines for the Assessment of Market Definition and Market Shares, B.E. 2561 (2018)))。

具体的には、以下の3つの観点から検討するとされている（取引競争委員会「市場の定義と市場シェアの評価に関するガイドラインに関する告示」5条〜8条）。

① 需要代替性テスト（商品・役務の範囲（性能・価格・用途）と地理的範囲について、需要者から見て代替性があるか）

② 供給代替性テスト（製造・提供者がコスト増加や価格変更による大幅なリスクの増加なく製造・提供先を変えられるか）

③ 競業可能性テスト（相互に市場への参入条件や競争のレベルに影響を与える関係にあるか）

3　現在の執行状況および今後の動向

本執筆の近時においても、実際に取引競争委員会が、支配的地位の濫用、カルテル、不公正な取引等を認定し、法人だけでなくその責任者である個人について罰金ないし制裁金を課した事例が、取引競争委員会により公表されている。

また、企業結合規制についても、事後届出の対象となる企業結合について、法定期限内に届出を怠ったことを理由に、買収者である法人とその責任者である個人について、行政罰が課せられた事例がでてきている。

このように、旧競争法の状況とは異なり、取引競争法の規制対象となる各類型について活発な執行がなされており、今後もこの状況は継続することが予想される。そのため、取引競争法の今後の運用・執行状況について引き続きフォローアップしていく必要がある。

Chapter 5
キャピタル・マーケッツ

第5章

第5章 キャピタル・マーケッツ

1 関係法令および規制機関

(1) 証券取引委員会

　タイにおけるキャピタル・マーケッツ関連の規制を主として所管しているのは、証券取引法に基づき設立された証券取引委員会（SEC）である。同委員会は、①タイ国内におけるキャピタル・マーケッツ（発行市場および流通市場）の発展、②証券（株式、社債、投資口等）の公正、透明かつ効率的な発行および取引を可能とするようなタイ国内のキャピタル・マーケッツの形成および維持に関する政策および関係法令の策定を所管する独立官庁である。

　証券取引委員会が所管する法令は、以下のとおりである。

(i)　証券取引法

(ii)　退職積立基金法（the Provident Fund Act B.E. 2530（1987））

(iii)　証券化のための特別目的法人に関する緊急勅令（the Royal Enactment on Special Purpose Juristic Persons for Securitization B.E. 2540（1997））

(iv)　デリバティブ法（the Derivatives Act B.E. 2546（2003））

(v)　資本市場取引の信託に関する法律

(vi)　デジタル資産ビジネスに関する緊急勅令（the Emergency Decree on Digital Asset Businesses B.E. 2561（2018））

　証券取引委員会は、理事会、事務局、資本市場監視委員会から構成されている。理事会は、キャピタル・マーケッツに関する政策の策定およびキャピタル・マーケッツ全体の発展の監督を担当し、事務局は、資本市場に関する施策の実行、関係法令の執行を担当している。他方、資本市場監視委員会は、証券取引の監視に関する規則の作成を担当している。

　証券取引委員会は、上述した関係法令の違反（インサイダー取引、不適切な開示等）が発生していると判断する十分かつ合理的な根拠が存在する場合には、証券取引法に基づき、いかなる個人または法人に対しても、必要な民事

的措置、刑事的措置または行政的措置等を実行する権限を付与されている。

(2) タイ証券取引所

　タイ証券取引所（SET）は、証券取引法に基づいて設立されたタイ国内唯一の証券取引所である。証券取引委員会が発行市場における取引を規制、監督するのに対し、タイ証券取引所は、上場申請の処理、上場有価証券に関連する取引活動の監視、上場会社の適時開示の監督等、流通市場における取引を監督する機関として位置づけられる。

> *Column1*
>
> ### 流通市場としてのタイの株式市場と外国人保有規制
>
> 　タイの証券取引所における株式の上場市場としては、大企業が上場することを念頭に置いたタイ証券取引所と、タイ証券取引所よりも上場要件をやや緩和し、中小企業が上場することを念頭に置いた Market for Alternative Investment（以下「MAI」という）が存在する。他方、上場後の流通市場については、第1章において説明した外国人事業法上の外資規制を背景として、タイ独特の仕組みが構築されているので、以下に紹介する。
>
> 　タイにおいては、タイ証券取引所においても MAI においても、流通市場は、大きく分けてメインボード（Main Board）とフォーリンボード（Foreign Board）に分かれている。メインボードでは、外国人保有規制が及ばない業種の会社の株式であれば外国人投資家も国内投資家と同様に取引できるが、外国人保有規制が及ぶ業種の会社の株式については、外国人投資家は、当該株式の議決権および配当を受ける権利を享受することができない。他方、フォーリンボードでは、①外国人保有規制が及ぶ業種の会社の外国人保有可能枠内の株式と、②会社が定款で定めている外国人保有比率内の株式が取引される。たとえば、発行済総株式数が 100 で、外国人保有可能枠が 49 だとすると、51 株がメインボード、49 株がフォーリンボードで取引される。フォーリンボードでは、外国人投資家のみが取引可能であり、外国人投資家も議決権や配当を受ける権利などの株主の権利を享受することができる一方、流通量が外国人保有可能枠や定款上の外国人保有比率（以下「外国

人保有制限枠」と総称する）以内に限られているため、取引価格が割高になりがちである。ちなみに、フォーリンボードで取引される株式は「フォーリン株」と呼ばれ、メインボードで取引される株式は「ローカル株」と呼ばれる。外国人投資家がローカル株を購入した場合、外国人保有制限枠に空きがあればフォーリン株への転換を求めることができ、以後、フォーリンボードで取引されることになる。ローカル株のままでは外国人投資家は株式の議決権も配当を受ける権利も行使できないが、フォーリン株への転換がなされれば議決権も配当を受ける権利も行使できるようになる。

　さらに、このように外国人投資家の株式の取得には制約がかかることに配慮して、タイの証券取引所では、無議決権預託証券（Non-Voting Depository Receipt、以下「NVDR」という）という証券が導入されており、メインボードで取引されている。NVDR は、タイ証券取引所のほぼ 100％子会社である Thai NVDR Co., Ltd. がローカル株を市場で購入してそれを裏付けに発行する預託証券であり、NVDR の保有者には、株式の議決権は与えられないが、配当を受ける権利や株主割当による増資の際の引受権等が保証される。取引価格は、メインボードにおける当該会社のローカル株の取引価格と同一となるよう調整される。

2　有価証券の発行および募集

　タイ国内外の法人が、タイ国内において株式または負債に係る証券を発行するに際しては、一定の場合、証券取引法および関連規則に基づく規制を受ける。証券取引法の適用対象となる証券には、株式、社債、財務省短期証券、債券、投資口、ワラント、預託証券が含まれる。

　証券取引法上必要となる手続の内容は、証券の種類（新規証券、既存証券等）および募集方法（公募、私募、株主割当等）によって異なるが、主に必要となる手続としては、①証券取引委員会による承認、および②情報開示（届出書および目論見書の提出等）が挙げられる。当該手続において、証券取引委員会は、投資家が投資判断を下すのに十分な情報を得ることができるよう、

発行者の適格性を検討し、また、情報開示を監督する役割を有する。

(1) エクイティ性証券

エクイティ性証券には、株式、新株予約権、投資口が含まれるが、本節では、公開会社による株式の発行および募集について取り扱う。株式以外の証券の発行および募集に係る手続は、株式の発行および募集に係る手続と類似しているが、既存の株主への影響および投資家保護の必要性等に応じて、実際に必要となる手続の内容は異なりうる。

① 新規株式公開および公募

公開会社が、後述の私募に該当しない形で株式の発行を行う場合には、公募に該当することとなるため、未上場の会社であれば新規株式公開を行う必要がある。なお、上場するために、上場申請書を証券取引所に提出し、その承認を受ける必要がある。

新規株式公開および公募を行うに当たり、公開会社がタイ証券取引所に株式を発行するに際しては、証券取引委員会に公募申請書を提出し、その承認を受け、かつ、届出書および目論見書を提出して届出書の効力発生のための待機期間（届出書の提出から14日間）の経過を待つ等の複雑な手続を踏むことが必要となる（証券取引法65条）。かかる承認を取得するためには、発行体およびその株式について、一定の要件（株式の保有関係が明確かつ公正であること、株式譲渡に係る制限がないこと、支配権および株主利益に係る透明性、経営陣に対する監視が適切に機能していること（社外取締役、監査委員の選任等）等）を充足する必要がある（同法16/6条、32条、35条、170条等）。

また、発行体は、届出書および目論見書の提出ならびに証券取引委員会の承認取得の準備のため、証券取引委員会が作成したリストに記載されたファイナンシャル・アドバイザーを選任する必要がある。

後述のとおり、公募を行った場合には、その後、証券取引法に基づく継続開示等の規制に服することになる。さらに、上場をする場合には、タイ証券

取引所の規則に基づく適時開示規制等にも服することになる。

② 私　募

　私募とは、特定の投資家のみを対象として、新たに発行される株式を募集することであり、以下の場合に私募とみなされる。

- 過去12か月の期間内における募集額の合計が2,000万バーツ以下であること
- 過去12か月の期間内における取得勧誘の相手方が50人以下であること
- 適格機関投資家[1]に対する取得勧誘であること

　上場会社が私募の方法により新株を発行する場合、以前は、原則として、公開会社法に基づく私募に関する株主総会決議のほか、証券取引法に基づく私募の決議に係る株主総会招集通知に私募に関する必要事項の記載および証券取引所による承認が必要とされていたところ、2023年7月1日以降、証券取引委員会による承認を取得する必要がなくなり（承認が得られたものとみなされ）、私募による資金調達が簡素化され、容易になったといえる（証券取引法16/6条、32条、35条、証券取引委員会告示 No. Tor Jor. 28/2565）。なお、以下の場合には、ファイナンシャル・アドバイザーを選任する必要がある。

- 私募による募集価格が市場価格より安価である場合
- 私募により株式を取得する者がその上場会社の最高議決権数を有する株主となる場合[2]
- 私募が1株当たりの利益（Earing per share）または希薄化率について25％を超える影響を有する場合

---

1) 適格機関投資家とは、商業銀行、ファイナンス・カンパニー、証券会社（自己運用の場合、個人ファンド・マネジメントの場合等一定の場合に限る）、クレジット・フォンシエ会社、保険会社、政府機関および一定の公営企業等、タイ中央銀行、国際的金融機関、金融機関開発基金、政府年金基金、プロビデント・ファンド、ミューチュアル・ファンド、およびこれらに掲げられた投資家と同様の性質を有する海外投資家をいう（証券取引委員会告示 No. Kor Jor. 17/2551）。
2) 当該議決権数は、当該株主の関連当事者の議決権数も含まれるとされている。

③ 株主割当

株主割当とは、既存の株主に対して、株式保有比率に応じて、新規に発行する株式を割り当て発行することをいう。株主割当については、証券取引委員会の承認を得る必要はなく、また、届出書および目論見書の提出も不要である（証券取引法 33 条）。

④ ＥＳＯＰ

ESOP（Employment Stock Option Program）とは、取締役および従業員を会社の所有に参画させることによって、それぞれの業務に対するモチベーションを向上させるため、取締役または従業員に対して新規に発行する株式の取得に係る募集を行うことをいう。

ESOP については、証券取引委員会の承認を得る必要はなく、また、届出書および目論見書の提出も不要である（証券取引法 16/6 条、32 条、35 条、証券取引委員会告示 No. Kor Jor. 18/2551 第 10 条）。

⑤ 外国企業による株式の募集

上記①ないし④はタイ企業による株式の募集に係る規制であるが、外国企業（タイ法以外を設立準拠法として設立された法人）がタイ国内の投資家を対象としてその株式に係る募集を行い、タイ証券取引所に株式を上場する場合にも一定の規制[3]が存在する。

外国企業による株式募集に際しては、タイ企業と同様に、証券取引委員会の承認ならびに届出書および目論見書の提出が必要となるが、これらの開示

---

[3] 主な規制としては、（i）外国証券取引所未上場の外国企業による株式の募集に関する資本市場監視委員会の告示（Notification of the Capital Market Supervisory Board No. TorJor. 3/2558 Re: Provisions relating to Offer for Sale of Shares Issued by Foreign Company of which Shares are not Traded in Foreign Exchange）および（ii）外国証券取引所上場済みまたは上場予定の外国企業による証券の募集に関する資本市場監視委員会の告示（Notification of the Capital Market Supervisory Board No. TorJor. 14/2558 Re: Provisions relating to Offer for Sale of Securities Issued by Foreign Company Whose Shares Have Been Traded or Are Purposed to be Traded on Foreign Exchange）が挙げられる。

書類において、当該外国企業の設立準拠法国の法制度に起因するリスク等について記載することが必要となる等、より充実した情報開示を行う必要がある。

外国企業による株式の募集は、(i)外国の証券取引所に上場していない外国企業による募集と、(ii)外国の証券取引所に上場している（または上場予定の）外国企業による募集に分類することができる。(i)および(ii)のいずれの場合においても基本的な要件・手続は類似しているが、(i)の場合には募集する株式の額面価額（Par Value）は0.5バーツ以上としなければならず、また、一定の資格を有するCFO（Chief Financial Officer）の選任が必要である一方、(ii)についてはこれらのいずれの規制も存在しない等、要件面において細かい違いが存在する。

(2) デット性証券

デット性証券とは、主として社債、ワラント債（debenture warrants）、財務省短期証券を指す。これらのデット性証券の中でも、タイにおいては、社債の発行が一般的な資金調達方法であって、公開会社は社債を発行することができ、また、非公開会社も公開会社と同様の条件で社債を発行することができる（公開会社法145条、証券取引法37条）。タイにおいて発行可能な社債には、通常の社債のほかにも、転換社債、ワラント債、仕組債（structured debentures）等、多様な種類が存在する。

これらのデット性証券のすべてが上場され[4]、流通市場において取引されるわけではない。デット性証券を上場するためには、募集額が1億バーツ以上であること、当該デット性証券の発行および募集を監督する機関（証券取引委員会等）による承認を得ること等の要件を満たす必要がある。

---

[4] デット性証券を上場する場合、タイ証券取引所ではなく、その子会社であるBond Electronic Exchange（BEX）に上場することになる。

① 社債の発行

社債の募集を行う場合についても、株式の募集同様、公募および私募の区別が存在し、これによって必要となる手続が異なる。

公募の場合（私募に該当しない場合）には、原則どおり、証券取引委員会の承認を得るとともに、届出書および目論見書を提出する必要がある。

他方、私募の場合には、その具体的な内容によって、必要な手続が異なる。社債の私募には、(i)過去 4 か月間において 10 人以下の投資家に対して募集を行う場合、(ii)適格機関投資家に対して募集を行う場合、(iii)富裕層投資家5)に対して募集を行う場合等が含まれる。このうち、(i)および(ii)については証券取引委員会の承認を取得する必要はない（ただし、私募の要件を満たさなくなるような社債証券の譲渡については承認しない旨の譲渡制限を、証券取引委員会に登録する必要がある）一方で、(iii)については原則どおり証券取引委員会の承認を取得する必要がある。

私募に該当する場合であっても、原則として届出書および目論見書の証券取引委員会への提出は必要であるが、上記(i)の場合についてはこれらの書類の提出は不要となる。

② 発行計画に基づく社債発行

社債の発行については、個別の発行を行う都度必要な手続を行う方法のほか、事前に社債の発行に関する計画（プログラム）を作成し、当該発行計画について証券取引委員会の承認を得ることによって、当該計画に沿って発行を行う方法も 2018 年 1 月以降認められるようになり、近年利用が拡大している。かかる方法を利用する場合、証券取引委員会の承認を得た金額・方法の範囲内で、承認から 2 年以内の期間にわたり、社債の発行を行うことができる。

---

5) 2022 年 10 月 1 日以降、富裕層投資家として、金額要件の他、知識・経験に関する要件を満たす必要がある（証券取引委員会告示 No. Kor Jor. 39/2564 Re: Determination of Definitions of Institutional Investor, Ultra-high Net Worth Investor, and High Net Worth Investor）。

発行の都度手続を行う方法であれば、発行できる社債の内容については特段の制限はないが、発行計画に基づいて社債の発行を行う場合には、劣後社債、永久社債、転換社債、仕組債の発行を行うことはできない。

発行計画に基づく社債発行を行う場合、まずは証券取引委員会に申請書（Form 69-BASE）を提出し、その承認を得る必要がある（証券取引法69条および70条、新規発行のデッド性証券の募集のための申請および承認に関する資本市場監視委員会の告示（Notification of the Capital Market Supervisory Board No. Tor Jor. 17/2561 Re: Application and Approval for Offer for Sale of Newly Issued Debt Securities））。当該承認を取得後、実際に社債を発行する際には、プライシング等について記載したForm 69-PRICINGを提出することで足り、簡易迅速な発行が可能となる。なお、証券取引委員会が指定する一定の事由が発生した場合には、Form 69-SUPPLEMENTを提出することにより、当該事由に係る最新の情報を開示する必要がある。

3　上場後のコンプライアンス

(1) 継続開示および適時開示

タイ証券取引所に株式等を上場した場合、当該上場会社については、証券取引法に基づく継続開示およびタイ証券取引所規則に基づく適時開示に係る規制に服することになる。すなわち、証券取引法に基づいて、一定の情報を定期的に開示する必要があり、また、タイ証券取引所の規則（Regulation of the Stock Exchange of Thailand Re: Rules, Conditions and Procedures Governing the Disclosure of Information and Other Acts of a Listed Company B.E. 2560（2017）（Bor. Jor./Por. 11-00））に定める事由が発生した場合には、タイ証券取引所のポータルシステム上で当該事由に関する情報を一定期間内に開示する必要がある。継続開示および適時開示が必要となる事由には、図表５－１、図表５－２のようなものが含まれる。

3　上場後のコンプライアンス

① 継続開示

【図表5−1】継続開示書類と提出期限

開示書類	提出期限
監査済みの年次財務諸表 　―第4四半期に係る計算書類を含まないもの 　―第4四半期に係る計算書類を含むもの	 事業年度終了後2か月以内 事業年度終了後3か月以内
四半期財務諸表	四半期終了後45日以内
年次情報開示（Form 56-1）	事業年度終了後3か月以内
アニュアル・レポート（Form 56-2）	事業年度終了後4か月以内

② 適時開示

【図表5−2】適時開示事由と提出期限

事　　由	提出期限
コーポレート・アクションに関する情報または上場会社の株価、投資判断もしくは株主利益に影響を及ぼす可能性がある情報。 たとえば、以下の情報等が含まれる。 　―株主総会開催日の決定 　―株主総会に係る基準日、事業年度の決定 　―資産の取得または処分 　―関連当事者取引 　―配当 　―増資または減資 　―新規証券の発行 　―自己株式の取得 　―主要株主の異動 　―重大な法的紛争の発生 　―重要な契約の締結または終了 　―第三者に対する貸付け等 　―支払義務の不履行の発生 　―取締役または監査委員の辞任	当該事由発生後、ただちに

売買または投資判断に直接的な影響を及ぼさないが、投資家に開示すべき情報。 たとえば、以下の情報等が含まれる。 　―本店の移転 　―取締役の異動 　―監査役の異動 　―登記内容の変更	当該事由の発生後、3営業日以内
その他、タイ証券取引所が収集すべき情報。 たとえば、以下の情報等が含まれる。 　―株主総会の議事録 　―株主総会開催日／株主総会の基準日／決算日時における主要株主または上位10名の株主のリスト 　―株式の分散状況に関する報告書	当該事由*の発生後、14日以内

＊株式の分散状況に関する報告書は、会社が新株を発行した際に提出が必要となる書類であり、新株発行から14日以内の提出が必要である。

(2) 資産の取得または処分に関する取引

　上場会社またはその子会社が資産の取得または処分を行った場合、その取引金額・規模に応じて必要となる手続が異なる。したがって、資産の取得または処分に際しては、必要な手続を確認するため、取引額または取引規模を算定しなければならない。

　ここでいう「資産」は、有形資産（土地、建物、機械等）に限らず、無形資産（賃借権、営業権、ライセンス、請求権等）をも含む譲渡可能な資産をいう。また、「資産の取得または処分」とは、資産の取得もしくは処分、資産の取得・処分をする権利の設定・放棄、資産の長期保有権の取得・譲渡または投資もしくは投資の終了のための契約を締結し、またはかかる契約を締結する旨の決定を意味する。

　必要となりうる手続としては、①タイ証券取引所への通知、②株主への通知、③株主総会における承認および独立したファイナンシャル・アドバイザー(IFA)の意見取得、④新規上場申請が挙げられる。いずれの手続が必要となるかは、取引額および取引規模次第であり、取引の性質に応じて取引規

模の算定方法は異なる。

(3) **関連当事者取引（接続取引）**

　上場会社またはその子会社が上場会社の関連当事者との間で取引を行う場合には、当該取引の内容および取引金額または取引規模によって必要となる手続が異なる。

　「関連当事者」とは、上場会社の利益に相反する利害関係を有し、上場会社が当該取引の実行を決定するに際して利益相反関係が生じるような者（自然人および法人のいずれも含む）をいう。具体的には、次の者が含まれる。

① 　上場会社またはその子会社の取締役、執行役員、主要株主、支配力を有する者（コントローリング・パーソン）、経営者またはコントローリング・パーソンとして指名予定の者、ならびに以上の者の関係者および近親者

② 　上場会社またはその子会社において以下の地位にある者が主要株主またはコントローリング・パーソンである法人
　(i) 　経営者
　(ii) 　主要株主
　(iii) 　コントローリング・パーソン
　(iv) 　経営者またはコントローリング・パーソンとして指名予定の者
　(v) 　上記(i)から(iv)の者の関係者または近親者

③ 　意思決定、方針決定、経営または事業運営に際して、上記①または②の者の代理人として行動する者または上記①または②の者の主要な影響を受けて行動する者その他タイ証券取引所が同様の実態を有すると判断する者

　必要な手続の内容は、大要、**図表5-3**のとおりである。

　株主総会の承認が必要な手続については、株主総会において、出席株主（議決権を行使できる株主に限り、また特別利害関係を有する株主を除く）の4分の3以上の賛成を得る必要がある。また、独立したファイナンシャル・アド

バイザーを選任し、資産取得等の取引の公正性等について、意見を取得する必要がある。

　また、下記のような取引は、関連当事者間取引には該当しないものとされており、**図表5−3**記載の手続の履践が免除される（証券取引法89/12条）。

- 従業員福利厚生に関する社内規則に基づく従業員貸付け
- 取引の相手方または当事者の双方が次のいずれかに該当する取引
    - 上場会社が株式総数の90％以上を保有する子会社
    - 上場会社の取締役、執行役員、または関係者が、直接または間接に、資本市場監視委員会が決定する比率または基準を超えない範囲で株式または持分を保有する子会社
- 上場会社とその子会社との間で行われた取引であって、関連当事者の当該子会社の株式保有比率が総株式の10％以下であり、かつ、関連当事者が当該子会社に対する支配力を有しない場合
- 上場会社の子会社同士の間で行われた取引であって、関連当事者の当該子会社の株式保有比率が総株式の10％以下であり、かつ、関連当事者が当該子会社に対する支配力を有しない場合

　なお、上述した資産の取得または処分に関する取引および関連当事者取引については、証券取引委員会およびタイ証券取引所の間の権限配分等を含め、大規模な改正が検討されている。本書執筆時点において当該改正についての公式な決定はなされていないものの、今後の動向に注目する必要がある。

(4) 上場維持資格

　上場会社が、タイ証券取引所における上場を維持するためには、株式、株主構造、取締役および経営者、社内体制等に関する一定の要件を充足し続ける必要がある。上場維持資格のうち主要なものとしては、以下のものが挙げられる。

- 株式の額面が、1株当たり0.5バーツ以上であること

【図表5-3】関連当事者取引に係る手続

	取引規模および必要な手続		
	小規模	中規模	大規模
1. 通常の商取引			
一般的な取引条件の場合	—	—	—
一般的な取引条件ではない場合	—	・取締役会の承認 ・SETへの情報開示	・取締役会の承認 ・SETへの情報開示 ・株主総会の承認
2. 一般的な取引条件以外の条件でなされる3年以内の期間の不動産賃貸借	—	・SETへの情報開示	・取締役会の承認 ・SETへの情報開示
3. 製品・サービスに関する取引（上記1.以外の取引）	—	・取締役会の承認 ・SETへの情報開示	・取締役会の承認 ・SETへの情報開示 ・株主総会の承認
4. 資金援助を行いまたは提供を受ける取引			
上場会社以上の株式を保有している関係者・会社への資金援助	・取締役会の承認 ・SETへの情報開示 （取引規模が、1億バーツまたは総資産額の3%のいずれか低いほうよりも低額の場合）	—	・取締役会の承認 ・SETへの情報開示 ・株主総会の承認 （取引規模が、1億バーツまたは総資産額の3%のいずれか低いほう以上の場合）
関連当事者よりも多くの株式を上場会社	—	・取締役会の承認 ・SETへの情報	・取締役会の承認 ・SETへの情報

が保有している会社への資金援助	開示	開示 ・株主総会の承認

　取引規模が「小規模」な場合とは、取引金額が、100万バーツまたは総資産額の0.03％のいずれか高いほう以下である場合をいう。
　取引規模が「中規模」な場合とは、取引金額が、100万バーツまたは総資産額の0.03％のいずれか高い方よりも高額であり、かつ2,000万バーツまたは総資産額の3％のいずれか高いほうよりも低額である場合をいう。
　取引規模が「大規模」な場合とは、取引金額が、2,000万バーツまたは総資産額の3％のいずれか高いほう以上である場合をいう。
　なお、図表5－3記載の「4.資金援助を行いまたは提供を受ける取引」のうち、「上場会社以上の株式を保有している関係者・会社への資金援助」については上記取引規模の区分基準は適用されず、取引規模が、1億バーツまたは総資産額の3％のいずれか低いほうよりも低額か、それ以上かによって小規模と大規模の2つに区分される。

・取締役および経営者が、証券取引法および証券取引委員会の規則で定める資格を有していること
・コーポレート・ガバナンス体制が適切に機能していること
・証券取引委員会の承認を得た監査役を選任していること
・資本市場監視委員会の告示に基づき内部統制システムが整備されていること
・上場会社およびその子会社が、資本市場監視委員会の告示で規定されている利益相反関係を有していないこと
・少数株主による出資状況が、浮動株の要件を充足していること（150名以上の株主が、合計で払込済資本の15％以上を払い込んでいること）
・プロビデントファンドを設置していること
・タイ証券取引所またはタイ証券取引所が承認した第三者を上場証券登録機関として指定していること

(5)　上場廃止

　上場会社が上場廃止となる場合としては、①上場会社からの申請に基づいて上場廃止となる場合（任意上場廃止）、および②上場廃止理由が存在する場

合に、タイ証券取引所の判断に基づいて上場廃止となる場合（上場廃止処分）が存在する（非上場化規則3条）。

任意上場廃止とするためには、対象会社の株主総会において発行済株式総数の議決権の4分の3以上の株式を保有する株主の賛成を得たうえ、発行済株式総数の議決権の10％超の株式を保有する反対株主が存在しないことが必要である。また、任意上場廃止の場合には、非上場化のための公開買付けを行う必要がある（他方、上場廃止処分の場合にはかかる要請は存在しない）。

タイ証券取引所が、上場株式について上場廃止理由が存在すると判断した場合には、上場廃止処分が行われる可能性がある。上場廃止理由としては、たとえば、上場維持資格の不充足、証券取引委員会の告示等もしくはタイ証券取引所規則の不遵守、虚偽の情報の開示、株主の利益もしくは意思決定または株価変動に重要な影響を与えうる重大な情報の未開示、監査役が3年連続で財務諸表について意見を表明できずまたは適正意見を述べられなかったこと、事業の性質が上場会社として不適切なものとなったこと等が考えられる。

タイ証券取引所理事会は、上場廃止手続に基づき、上場廃止理由を一定期間中に是正できなかった等の事由が生じた場合に、上場廃止処分を行うこととなる。その際、タイ証券取引所理事会は、上場廃止処分の効力発生前の一定期間は当該株式の売買を継続して許可することができる。

(6) 公開会社法の遵守

以上に記載した証券取引法等による規制のほか、上場会社は公開会社であるから、株主総会の招集、増資、自己株式取得、合併等については、公開会社法に基づく規制を遵守する必要がある。その詳細については、**第2章**を参照されたい。

---

4 大量保有報告書

上場会社の株式を保有する投資家は、その保有する上場会社に対する議決

権比率が増減し、5%ごとの基準（5%、10%、15%…）を上回りまたは下回った際には、その都度、取得または処分の日から3営業日以内に、証券取引委員会に対して、大量保有報告書または変更報告書（証券の取得または処分に関する報告様式246-2）をタイ語または英語で提出する必要がある（証券取引法246条および証券の取得または処分の報告に関する資本市場監視委員会告示TorChor. 28/2554）。たとえば、従前上場会社の議決権の18%を保有していた者が、当該上場会社の株式を売却し、議決権比率が14%となった場合には、議決権比率が15%を下回ったため、報告義務が発生する。

　上記規制は、上場会社の株式を直接に取得または処分する場合に限らず、いわゆる間接取得（上場会社の既存株主である法人の支配権の重要部分を取得[6]する取引）についても対象となる点に留意が必要である。また、株式のほかに、上場会社が発行する新株引受権等の転換証券も上記の大量保有報告に関する規制の対象となる。

　一定の関係性を有する2以上の投資家（共同保有者）が存在する場合において、これらの投資家の議決権比率の合計値の増減が上記基準に抵触した場合、共同保有者全員について上記報告書の提出が必要となることもある。

5　インサイダー取引

　証券取引法上、インサイダー情報を保有した状態で、上場会社または店頭登録会社の証券（株式、ワラント、社債等）を取引することは禁止されている（証券取引法242条）。ここで、インサイダー情報とは、当該証券の市場価格または価値に重要な影響を与える一般に公開されていない情報をいう。

　インサイダー情報の保有者は、当該情報の受領者が当該情報を証券取引に利用するであろうことを知っているまたは合理的に知り得べき場合には、当該情報を相手方に共有してはならない。現在の法令上、取締役その他インサ

---

6) 具体的には、当該法人（上場会社の既存株主である法人）の議決権の50%以上を保有する場合、または当該法人の取締役の重要部分を指名することができる場合、をいう。

イダー情報を開示した者と、当該インサイダー情報を証券取引に利用した者の双方に対する罰則が存在する。

　取締役その他の内部者またはその近親者が、インサイダー情報を保有した状態で、通常の取引とは異なる証券取引を行った場合には、当該取引を行った者は、インサイダー取引規制に違反したものと推定される。

　なお、以下のような場合には、インサイダー情報を保有する者が証券取引を行っても、インサイダー取引規制違反には該当しないものとされている（証券取引法242条）。

① 法令、裁判所または法的権限を有する者の命令に従って取引を行う場合
② インサイダー情報を知りまたは保有する状態になる前に締結されたデリバティブ契約に基づいて取引を行う場合
③ インサイダー情報の保有者自身ではなく、法令の定めにより、資金管理および証券取引に係る意思決定を行う者として承認され登録された者が取引を行う場合
④ 他者を利用する性質を有しない取引、その他証券取引委員会の告示で定められた性質の取引を行う場合

Column2

タイにおけるクラウドファンディングおよび仮想通貨

　近年、タイ国内においてもクラウドファンディングや仮想通貨の新規公開（ICO：Initial Coin Offering）への注目が集まっており、証券取引委員会およびタイ中央銀行が、デジタル経済社会省（Ministry of Digital Economy and Society）とともに、これらの新しい仕組みに関するルール作りに取り組んでいる。

　スタートアップ企業または中小企業は、証券取引委員会の承認するクラウドファンディングポータル上で、自社株式を対象としたクラウドファンディングによる資金調達を行うことができる。これらの企業の資金需要に応える

ため、クラウドファンディングに対する規制は、通常の新規株式公開（IPO）に対する規制よりもシンプルなものになっている。クラウドファンディングによって機関投資家から調達する資金の額については特段の規制が置かれていない一方、個人投資家から調達する資金の額については一定の制限（企業側は、最初の12か月間において2,000万バーツ超、全期間合計で4,000万バーツ超の資金を個人投資家から調達してはならない等）が設けられている。

2018年3月、タイにおける仮想通貨取引および仮想通貨の新規公開（ICO）を規制する法令として、デジタル資産ビジネスに関する勅令が施行された。当該勅令により、ICOを行う場合には、証券取引委員会の事前承認が必要とされ、また、ICOは証券取引員会が承認したICOポータル上でのみ行うことができるものとされた。現時点までに、すでに複数の仮想通貨取引市場、仮想通貨ブローカーおよび仮想通貨取引業者が証券取引委員会の承認を取得している。一方、2022年以降、証券取引委員会はデジタル資産市場および事業の監視をより活発化し、不適切な取引に関し、違反者罰金を科し、また、証券取引委員会の命令に反したとして、海外の仮想通貨市場運営者およびそのCEOに対する刑事告発を行っている。さらに、2023年初め、証券取引委員会は投資家の保護を強化するため、即利用可能なユティリティータイプのトークン（ready-to-use utility tokens）に関する規則の提案を行っており、市場およびその規制等に関する今後の動向が注目される。

Chapter 6
資金調達

第6章

第6章　資金調達

　タイの日系企業が資金調達を行う方法としては、まず、親会社その他の株主からの増資および株主ローンが考えられる。また、外部からの資金調達方法として、タイ国内の銀行やオフショアの銀行から借入れを行う方法が考えられる[1]。これらのうち、親会社や日本の銀行等の国外からの貸付けについては、その準拠法は日本法による場合もあることを踏まえ、本書では割愛する[2]。本章では、上記の手法のうち、下記1において、タイ国内における借入れによる資金調達において、主に借手としての日系企業が直面するであろう法制度や論点のうち、主要なものを取り上げて解説する。また、借入れによる資金調達に関連し、下記2において、タイの担保制度について説明する。

　なお、増資による資金調達については、会社の種類に応じて、非公開会社は民商法、公開会社は公開会社法所定の手続を遵守する必要があるところ、コーポレート関連の規律については前記**第2章**1(1)④⑥および1(2)④⑥において解説しているので、そちらを参照されたい。また、証券取引法による株式募集規制およびそれを取り巻くタイの株式市場の環境については、前記**第5章**を参照されたい。

1　借入れによる資金調達

(1)　金融機関の分類

　タイの日系企業がタイ国内で資金調達する方法としては、金融機関からの借入れが一般的である。タイ国内の金融機関を規律する法律として最も重要

---

1) これらのほか、社債等を起債する方法も考えられる。タイでは、負債性の証券に係る資本市場も存在しており、通常の社債のほか、転換社債等の発行も可能であるが、これらに関する解説はまたの機会に譲ることとする。
2) ただし、タイにおける外国為替管理に関する規制には注意が必要である。また、オフショアの銀行がタイ所在の法人に貸付けを行う場合、その貸付行為がタイにおいて外国人事業法に抵触するかという論点が存在することにも留意が必要である。

なものが、金融機関事業法である。金融機関事業法上の金融機関は、商業銀行（さらに、地場の商業銀行、リテール銀行、外国商業銀行子会社、外国商業銀行支店に分かれる）、ファイナンス・カンパニー[3]およびクレジット・フォンシエ（不動産金融会社）[4]とされている（金融機関事業法4条）。商業銀行事業、ファイナンス・カンパニー事業およびクレジット・フォンシエ事業は、タイ中央銀行の推奨により大臣から免許を取得した公開会社のみが行うことができるとされ（同法9条）、いずれもタイ中央銀行の監督に服している[5][6]。また、このほかにも、政府系金融機関や、金融機関事業法には服さないがタイ中央銀行の監督に服しているノンバンクセクターの事業者として、リース会社、クレジットカード会社、消費者ローン会社等が存在する。また、その他の金融機関として、証券会社、先物取引事業者、保険会社、資産管理会社等も存在する。

> *Column1*
>
> ### 金融機関対象の信用供与規制
>
> 　金融機関事業法とタイ中央銀行の告示により、タイの金融機関に関してはシングル・レンディング・リミット規制やConnected Loan規制などと呼ばれる、信用供与の上限規制が存在する。これらは直接的には金融機関を対象とした規制であるが、借入人側もこれらの金融機関から融資を受ける場合に、借入金額等を決定する際に間接的な影響を受けることになる。

---

[3] ファイナンス・カンパニーとは、預金ではなく約束手形等の形式で公衆より資金を調達し、当該資金を融資または証券等の売買で運用する事業をいう（金融機関事業法4条参照）。

[4] フォンシエとはフランス語で土地や財産を意味するfoncierに由来する。クレジット・フォンシエ事業とは不動産金融業務を意味し、具体的には、金銭の預託等により調達した資金を不動産担保融資や買戻権付売買等の方法で運用する事業をいう（金融機関事業法4条参照）。

[5] 金融機関の本店・支店の開設・移転または支店の閉鎖においてはタイ中央銀行の許可を得る必要があり（金融機関事業法13条）、取締役は他の金融機関の取締役・支配人・従業員または経営権限者との兼業が原則として禁止されるなど（同法24条）、法人形態や役員について一定の制約が規定されている。

[6] 金融機関の外資規制については、**第1章3(3)②**を参照されたい。

第6章　資金調達

　まず、いわゆるシングル・レンディング・リミット規制として、金融機関が資本関係を有しない第三者に貸し付ける場合には、タイ中央銀行の告示に従い、あるプロジェクトまたは同様の目的に属する1人もしくは複数の者に対して、当該金融機関の資本の25％を超えて信用供与をしてはならないという規制が存する（金融機関事業法50条1項）。また、タイ中央銀行の告示において、リテール銀行の場合にはより厳格な信用供与規制が規定されている。

　さらに、金融機関による、その大株主または利害関係会社への信用供与については、Connected Loan規制が適用される。大枠を簡単に説明すると、金融機関の信用供与先が大株主または利害関係会社に該当する場合、当該金融機関の資本の5％を超える金額または当該大株主もしくは利害関係会社の総負債の25％のいずれか低いほうの金額が、その信用供与金額の上限額となる（金融機関事業法49条1項およびタイ中央銀行告示（BOT Notification）No. 36-2551第5.2.1条）。この場合の「大株主」とは、当該金融機関の総株式の5％を超える株式（その「関係者」が保有している株式を含む）を保有しているものをいい、また、「利害関係会社」とは、当該金融機関またはその取締役その他の「関係者」が、当該会社の発行済株式の10％を超える株式を保有している会社をいう（同法49条4項およびタイ中央銀行告示 No. 36-2551末尾定義規定）。そして、これらの定義規定に含まれる「関係者」の定義は、以下に引用するとおり広範である。一例として、ある貸付候補先が当該金融機関の関連会社から発行済株式の10％超に相当する出資を受けている場合には、当該貸付候補先に対する融資が上記の信用供与限度額に制限されることになる。したがって、たとえばタイにおける合弁相手のローカル企業が金融機関やその関係会社からも出資を受けている場合、このConnected Loan規制が及ぶ可能性があるため、留意が必要である。

※金融機関事業法4条における「関係者」（related person）の定義：当該者の「関係者」とは、以下のいずれかの方法により、当該者と関係する者をいう。

① 配偶者
② 未成年の子または養子
③ 当該者またはその者の①もしくは②に該当する者が経営権を有する会社
④ 当該者またはその者の①もしくは②に該当する者がその株主総会において多数を支配する権限を有する会社
⑤ 当該者またはその者の①もしくは②に該当する者が取締役の選・解任権

を有する会社
⑥ ③、④または⑤の会社の子会社（subsidiary）
⑦ ③、④または⑤の会社の関係会社（affiliate）
⑧ （当該者が代理人である場合の）本人または（当該者の）代理人
⑨ その他タイ中央銀行告示においてそのような特徴を有する者として規定される者

なお、ある会社の総株式数の20％以上の株式を直接または間接に保有する者がいる場合、そうでないことの証明がある場合を除き、当該会社はその者の「関係者」であると推定される。

(2) 消費貸借契約に関する民商法上のルール

借入れについては、案件ごとにローン契約書に諸条件が定められるが、その基本となるルールとして、民商法650条～656条に消費貸借契約に関する規定が設けられている。消費貸借とは、貸付人が、一定量の消費される物の所有権を借入人に移転し、借入人が同種・同量・同質の物を返還することを約する契約をいう（民商法650条）。日本民法では、伝統的に、典型契約としての消費貸借契約は要物契約[7]とされ[8]、貸付金を受け取ることによって効力を生じるとされてきたが[9]、タイでは、民商法上の典型契約としての消費貸借契約は、元々の文言上、諾成契約として規定されている。

元本が2,000バーツを超える金銭消費貸借契約は、借入人の署名のある書面による証憑がない限り、執行できない（民商法653条1項）。逆に、金銭貸付けにおける返済の事実は、貸付人の署名のある書面によるか、または当該貸付けに関する証拠書類が借入人に返還されもしくは破棄されたことが示さ

---

[7] 要物契約とは、契約成立のために目的物の授受が必要な契約をいう。それに対し、目的物の授受の必要なく、当事者の合意のみで成立する契約を諾成契約という。
[8] もちろん、日本でも諾成的消費貸借契約は従来から有効と解されており、法人間取引ではむしろ諾成的消費貸借契約としてローン契約が締結されるほうが一般的である。また、2020年に施行された改正日本民法においては、587条の2が新設され、諾成的消費貸借契約が明文化された。
[9] 日本民法587条。

れた場合に限り、立証される（同条2項）。日本の民法と同様[10]、消費貸借契約において返済期限が定められていない場合、貸付人は、借入人に対して合理的期間を記載した通知をすることにより返還を求めることができる（同法652条）。

　また、金利上限規制として、民商法には、利率が年率15％を超えてはならないとの一般ルールが設けられており、これを超える利率が契約において定められた場合には年率15％まで縮減される（民商法654条）。しかし、この金利上限規制については、金融機関貸付利率法により、管轄官庁である財務省に対して、タイ中央銀行の助言に基づき、年率15％超の上限金利を設定する権限が付与されている。実際、種々のタイ中央銀行告示により、たとえば、クレジットカードローンについては、利息、遅延損害金等を含めた上限が年率18％とされていたり、また、ナノ・ファイナンス[11]と呼ばれる個人事業者向けの無担保少額ローンについては、利息、遅延損害金、その他のフィーや違約金を含めた上限が実効年率36％とされているなど、事業者やローンの分類に応じた異なるルールが定められている。

　利率に関しては、さらに、原則として複利計算が禁止されているが（民商法655条1項）、弁済期が到来して1年以上経過した利息を元本に組み入れ、その部分を含めた元本全体について利息を生じる旨の合意は書面によりなされる限り有効である（同項）。また、当座預金や商業的性質を有する貸付け等の商業取引の場合には、かかる複利計算の禁止は適用されない（同条2項）。

---

10) 日本民法591条1項。
11) ナノ・ファイナンスとは、個人事業者が事業資金として10万バーツまでの金額を無担保で借り入れることをいい、タイ中央銀行の告示によってその規律が定められている。商業銀行等の登録された金融機関であれば、特段タイ中央銀行の許認可を受けずに取り扱うことができるとされるが、ノンバンクの場合には財務省による許認可を受けることが必要とされている。

Column2

遅延損害金の算定方法に関する民商法改正

　タイでは、法定利息および遅延損害金の算定方法に関する民商法の規定は長年改正されていなかったが、COVID-19による影響等、近年の経済情勢も踏まえ、2021年4月11日に民商法の改正法（以下「2021年改正法」という）が施行され、以下のような見直しが行われた。

① 法定利率の見直し

　従前、年7.5％とされていた法定利率が年3％に変更された。当該法定利率は、3年ごとに見直され、勅令によって変更がされるものとされている（同法7条）。

② 遅延損害金の利率の見直し

　当事者間の契約等において、遅延損害金の算定方法についての合意[12]がない場合等に適用される遅延損害金の利率についても、従前は年7.5％とされていたが、2021年改正法により、法定利率に2％を加えた率（すなわち、改正法の施行直後においては5％）に変更された（同法224条）。ただし、当事者間の合意等に基づき、より高い利率による請求ができる場合には当該利率に従う[13]。

③ 遅延損害金の対象範囲の制限

　債務者が分割払いの債務の一部のみの支払を遅滞した場合、従前債権者は（契約書に当該一部支払遅滞に基づく期限の利益喪失条項がない場合であっても）遅滞した部分以外の未払債務を含む債務全額についての遅延損害金を求めることができるとされていた。他方、2021年改正法により、このような場合、遅滞した部分についてのみ遅延損害金が発生するものとされた（同法224/1条）。

---

12) なお、タイ中央銀行の2020年10月28日付けの告示（ForKor. Ngor. wor. 245/2563）により、金融機関が債権者の場合、自然人または中小企業が借主たる金銭消費貸借契約に関する遅延損害金の利率は、当該金銭消費貸借契約において定められた約定利息の利率に3％を加えた率以下としなければならないものとされている。

13) たとえば、当事者間の契約において利息を10％と定める一方で遅延損害金の算定方法の定めがない場合には、当該利率は現在の法定利率3％に2％を加えた5％より高いため、遅延損害金の利率は10％になるものと考えられる。

> なお、2021年改正法公布後に司法裁判所が公表した解釈および国家評議会担当官のQ&Aによれば、2021年改正法は一部支払遅滞に基づく期限の利益喪失条項一般の有効性を否定するものではないとされている。したがって、契約書において期限の利益喪失条項が定められている場合には、当該条項に基づき残額全部について即時に弁済を求め、支払われない場合には遅延損害金を請求することは依然として可能と考えられる。

2 担保制度

　借入れによる資金調達にとって非常に重要なのが担保である。担保がなければ、貸付人としては貸付債権の回収を安全に確保することができない場合があり、また、その結果、資金調達をする側にとっても、借入れをするのが事実上困難になってしまう場合もある。

　タイでは、民商法上、人的担保として保証（民商法680条～701条）が、物的担保として抵当権（同法702条～746条）および質権（同法747条～769条）が、それぞれ定められている。また、2016年7月に事業担保法が施行されており、同法のもとで、新たに、担保権設定者に占有を残したままで動産等に担保権を設定することが可能になった。以下では、それぞれの担保類型について、主要なルールを概観する。

　なお、タイ管轄当局は、親会社の借入債務についてタイの子会社が保証や担保提供を行うことは、外国人事業法別表3における「その他サービス業」に該当する、と解釈していると一般的にいわれており、当該子会社が同法上の「外国人」に該当する場合、外国人事業許可を取得する必要がある。

(1)　保証（Suretyship）

① 保証制度の概要

　保証は、保証人が、債権者との間で、主債務者が主債務を履行しない場合

に主債務を履行する義務を負うこととする契約である（民商法680条1項）。裁判所で保証債務の履行を求めるには、保証人が署名した書面が存在することを要する（同条2項。なお、当該書面に債権者が署名している必要はない）。

保証債務は主債務が有効に成立していることを前提としており（成立における附従性、民商法681条）、主債務が消滅した場合には保証債務も消滅するとされていること（消滅における附従性、同法698条）、保証人が保証債務を履行した場合に、保証人に対して主債務者に対する求償権が認められていること（同法693条1項）、その場合に保証人は債権者の有する権利を代位行使できるとされていること（同条2項）等は、日本の保証制度とも類似している。

② 保証制度についての2015年改正

保証に関しては、2015年2月および7月にそれぞれ施行された民商法改正（以下、2015年2月施行の改正を「2015年2月改正」といい、2015年7月施行の改正を「2015年7月改正」という。また、2015年2月改正および2015年7月改正を併せて、「2015年改正」という）により、重要な変更が加えられているので、以下それらを中心に解説する。

(i) 連帯保証の禁止・制限

まず、個人（自然人）については、連帯保証の合意が無効とされた（民商法681/1条1項）。タイにおいても、日本と同様、単純保証の保証人にはいわゆる催告の抗弁権[14]と検索の抗弁権[15]が認められており[16]、これらの抗弁権を排除する保証類型として連帯保証契約が存在するところ、2015年2月

---

14) 債権者が保証人に債務の履行を請求したときは、保証人が、まず主債務者に催告をすべき旨を債権者に請求できる抗弁権をいう。タイにおいては、民商法688条がこれを定めている。
15) 債権者が主債務者に催告をした後であっても、保証人が主債務者に弁済をする資力があり、かつ、執行が困難でないことを証明したときは、債権者に、まず主債務者の財産について執行させることができる抗弁権をいう。タイにおいては、民商法689条がこれを定めている。
16) これに加えて、タイの場合、債権者が主債務者に対して不動産担保を有する場合は、保証人の請求により、不動産担保から執行しなければならないというルールも存在する（民商法690条）。

改正において、保証人の保護を目的として、個人・法人を問わず、すべての連帯保証の合意が無効とされた。

　しかし、その後すぐに揺戻しがあり、2015年7月改正により、法人の連帯保証についてのみ例外が認められた。すなわち、保証人となる法人が連帯債務者と同様の責任を負うことに同意した場合は、民商法681/1条1項は適用されない旨が規定された（同条2項）。かかる場合、法人の保証人については、催告の抗弁・検索の抗弁等を規定した同法688条、689条および690条の規定が適用されない（同法681条2項）。

(ii)　将来債務・条件付債務の保証

　次に、将来債務・条件付債務を被担保債務とする保証が有効となるための要件が明確化された。すなわち、将来債務または条件付債務を被担保債務とする保証契約においては、保証債務の目的、主債務の性質、保証極度額、および保証期間（ただし、保証期間については、一連の取引に関する保証（民商法699条）の場合には特定することを要しない）を明示しなければならず（同法681条1項）、これに反する合意は無効となる（同法685/1条）。

(iii)　主債務が債務不履行となった場合等における事前通知義務

　債権者は、主債務が債務不履行となった場合、60日以内に保証人に通知しなければならず、当該通知が保証人に到達するまで、保証人に履行請求することができない（民商法686条1項）。保証人が当該期間内に通知することを怠った場合、保証人は当該60日の期間経過後に発生する利息、損害金その他の付随的負担について責任を免れる（同条2項）。

　また、債権者が主債務者との間で被担保債務の減額（利息、損害金その他の付随的負担に関するものを含む）を生ずる合意を行った場合、債権者は、当該合意の日から60日以内に保証人にその旨を知らせる通知を行わなければならない（民商法691条1項）。また、債権者が主債務を減額する合意を保証人に知らせる通知を主債務の弁済期後に発行した場合には、保証人は、当該通知の発行日から60日以内に保証債務を履行することができる[17]（同条同項）。

さらに、弁済期の定めのある主債務について保証がなされている場合において、債権者が主債務者に対して弁済期の延期を許諾したときは、保証人が当該延期に同意した場合を除き、保証人は免責される（民商法700条1項）。債権者による延期の前に行われた主債務の延期に同意する旨の保証人による合意は、保証人が金融機関である場合または通常の事業の範囲内で報酬を得て実施している場合を除き、執行することができない（同条2項）。

ただし、主債務者が債務不履行になった後に債務減額の合意がなされた場合において、弁済期の延期も合意されたときは、民商法700条との関係において弁済期の延期があったものとはみなされない[18]（同法691条1項）。

(2) 抵当権（Mortgage）

① 抵当権の設定および登記

抵当権は、抵当権設定者が、抵当権者に対して、占有を移転することなく債務の履行を担保するため財産を移転させる契約に基づき設定される権利である（民商法702条）。抵当権は、不動産のほか（同法703条1項）、5トン以上の大型船、フローティングハウス、荷役用家畜、法律上登録が可能とされている動産（具体的には、工場機械登録法上の工場機械）にも設定することができるとされるが（同条2項）、実務上抵当権が設定されるのは、ほとんどが不動産である。

抵当権設定契約は、管轄当局の指定した様式の書面により、登記の所轄官庁（不動産の場合は管轄の土地事務所）の担当官の面前で締結される必要があ

---

17) この結果、債権者と主債務者が主債務の減額の合意をすると、保証人は必ず従来よりも60日以上の猶予期間を与えられることになる。なお、民商法690条に定められる条件よりも保証人の負担を過重する合意は無効とされている（同法691条2項）。
18) つまり、延期について保証人の同意がなくても、その時点で弁済期の延期の合意がなされたことを理由に保証人が免責されることにはならない。この場合、保証人は、主債務減額の合意の通知の日から60日以内に保証債務を履行することになる（民商法691条1項）。これは、実務上、主債務者がデフォルトした後、債権者からの救済措置として債務の減額および弁済期の延期が合意されることがあることにかんがみ、そのような措置を採るインセンティブを失わせないようにするための手当てと考えられる。

り、その場で登記される必要がある（民商法714条）。日本においては、登記は抵当権の有効要件ではなく、対抗要件具備のために必要とされる。これに対し、タイにおいては、日本と異なり、登記が抵当権の有効性および執行可能性の要件である。抵当権設定契約は、タイ語で作成されなければならず、被担保債務の金額がバーツ建てで明記されなければならない。

② 抵当権の実行

抵当権の実行方法は、司法手続による競売および抵当権者の抵当目的物の取得（foreclosure）に加えて、抵当権設定者の通知を受けて行う競売（民商法729/1条）がある。これらの執行手続を規定した民商法728条、729条（729/1条を含むものと解される）および735条に反する内容で行われた弁済期到来前の合意は無効とされているため（同法714/1条）、抵当権設定契約等において、これらに反する内容で抵当権者が抵当目的物を処分する権限を定めるような約定を合意（いわゆる私的実行の合意）しても、当該合意は無効とされる可能性があるため、留意が必要である[19]。

抵当権者が抵当権を実行する場合、抵当権者は合理的期間（催告期間は60日を下回ってはならない）を定めて被担保債務の債務者に催告する必要があり、催告期間内の弁済がされなかった場合に、裁判所において抵当目的物の競売による実行手続に入ることができる（民商法728条1項）。なお、抵当権が、被担保債務の債務者ではない者（物上保証人）により設定されている場合、さらに、抵当権者は、債務者に対する催告から15日以内に、物上保証人に対して書面による通知を送付しなければならない（同条2項）。15日以内に当該通知が行われない場合、抵当権設定者ないし物上保証人は、当該期

---

19) これに対して、実務上、抵当権設定契約その他の貸付関連契約に定められた手続に従い、抵当権設定者により任意に不動産の処分が行われ、その処分代金から抵当権者が債権回収を行い、それと同時に抵当権を解除するという方法もある（いわゆる任意処分または任意売却）。なお、本文中で無効とされる可能性があると述べた私的実行の合意は、被担保債権の弁済期到来後に抵当権者が民商法に定める手続に反する内容で不動産を処分する（第三者に対する売却や自らが抵当目的物を取得する等）権限を取得する合意を指しており、任意処分・任意売却とは異なる。

間経過後に発生する利息および損害金（付随する費用負担を含む）について責任を免れる。

抵当権の実行方法は競売が原則であるが、一定の要件を満たせば、競売に代えて、抵当権者が抵当目的物の所有権を取得する方法（foreclosure）によることも可能とされている。すなわち、抵当目的物について他に登記・登録された抵当権や優先権がない場合において、(i)債務者が5年以上にわたり利息の支払いを怠っていること、および、(ii)抵当目的物の価額が被担保債権額を下回ることを抵当権者が裁判所に立証したこと、という要件を満たせば、裁判所において抵当権者が抵当目的物を取得する手続（foreclosure）に入ることができる（民商法729条）。しかし、要件が厳しいため、このforeclosureの手続はあまり利用されておらず、競売による売却について裁判所の判決を得て執行を行う方法が採用されることがほとんどである。

他方で、抵当権設定者の求めに応じて行われる執行手続ではあるが、裁判外での執行手続も、2015年改正により法定されている。すなわち、被担保債務の弁済期が到来し、かつ他に抵当権その他の登記された優先権が抵当目的物に付着していない場合には、抵当権設定者は、抵当権者に対して、裁判外で抵当不動産を競売に付すよう求める通知を行うことができる（民商法729/1条1項）。かかる抵当権設定者の通知は、競売による売却についての同意書として取り扱われる（同条1項）。抵当権者は、かかる通知を受領した場合、受領日から1年以内に競売により抵当目的物を売却しなければならず、当該期間内に売却が行われなかったときは、抵当権設定者は、当該期間経過後に発生する利息および遅延損害金（付随する費用負担を含む）について責任を免れる（同法729条2項）。

民商法733条は、抵当権者による抵当目的物の評価額や競売により得られた純収益金額が被担保債務の金額を下回る場合の被担保債務との差額について、債務者は責任を負わないと定めているが、当事者間の合意により、主債務者が依然として差額相当額について債務を負うという取決めを行うことは可能である。もっとも、物上保証人に対して抵当権実行時に被担保債務の残

存額について引き続き責任を負わせること、および、抵当権設定契約をもってするか別個の契約をもってするかを問わず、物上保証人が抵当目的物の価値以上の責任を負う旨を合意することもしくは主債務の保証人となることは、いずれも禁止されており、これらに反する合意がなされても無効である（同法727/1条2項）[20]。ただし、法人が主債務者である場合において、その法律上の経営権を有する者または当該法人の事業の支配権を有する者が法人の債務のために物上保証人となり、別途保証契約を締結したときは、この限りでない（同法727条2項ただし書）。

なお、抵当権者が外国人である場合も、抵当権を保有することおよび抵当権を実行することは可能である。しかし、後記**第7章**にて説明するとおり、タイの土地法が外国人の土地所有を原則として禁止しているため、外国人は、抵当権を実行した結果自ら不動産を取得することができないという制約がある。競売により抵当権を実行することは妨げられない。

(3) 質権（Pledge）

① 質権の設定等

質権は、質権設定者が債務の履行を担保するために質物を質権者に引き渡す旨の契約により設定する担保権である（民商法747条）。典型的な動産のほか、株券、約束手形、小切手等の権利を表章する証券も質権設定の目的とすることができる。証券に質権を設定する場合には、証券の占有を質権者に移転させることに加えて、株券の場合には株主名簿への登録[21]が必要であり（同法753条）、その他の証券の場合には場合に応じて当該証券への裏書等が必要となる（同法750条〜752条）。

質権の設定には、質権設定者から質権者に対する質物の引渡しが必要であり、また、被担保債務が消滅したときまたは質権者が質権設定者に対して質

---

[20] いずれも、2015年2月改正および同年7月改正によって導入されたルールである。
[21] 株主名簿への登録がない限り、会社および第三者に対して主張することができない旨規定されている（民商法753条）。

物の占有を返還することを認めたときは、質権は自動的に消滅する（民商法769条）。そのため、質権設定期間中、質権設定者は質物を利用することができず、質権者または質権者から委託を受けた保管者が目的物を保管しなければならない。そのため、債務者が、質権を利用して、事業を継続するのに必要な原材料や機械等を担保に供することは困難であった（ただし、上記のとおり、工場機械登録法に定められた工場機械については、同法に基づき抵当権の設定が可能である）。しかし、2016年7月に事業担保法が施行され、同法の要件を満たせば抵当権の設定対象以外の資産も、目的物の占有を移さずに担保設定が行えるようになった（詳細は後記(4)以下を参照）。

② 質権の実行

　質権は、抵当権と異なり、裁判所の手続を要せずに質権者が自ら実行することができるが、質物の売却を競売以外の方法により行う旨をあらかじめ合意しておくことが禁じられている（民商法764条2項）。質権を実行する場合、質権者は、債務者に対し、合理的な期間を定めて債務を履行すべき旨を催告しなければならず（同条1項）、当該催告期間内に債務者が債務の履行をしないときは、質権者は質物を競売にかけるため、質権設定者に対し、競売の日時および場所を記載した書面を送付しなければならない（同条3項）。ただし、通知が実務上不可能である場合には、質権者は、債務の弁済期が到来してから1か月経過後に質物を競売により売却することができる（同法765条）。また、質物が手形や小切手等（bill）の場合は、例外的に、競売による処分によることを要さず、その弁済において第三債務者からの支払いを被担保債権に充当することができる（同法766条）。

(4) 事業担保法

　タイでは、従来、担保設定には主に抵当権および質権が利用されていたが、抵当権は不動産および登録可能な工場機械等のみが対象となっており、また、質権設定は占有移転が要件となっているため、担保権設定者が事業上

使用している原材料や棚卸資産等の動産に担保を設定することが困難であった。また、日本における譲渡担保のような非典型担保の設定についても、実務上さまざま工夫がなされることはあっても、実行方法についての法的な不透明性が払拭できず、問題が残ると指摘されている。そのため、新たな担保権設定手段を定めた法律の制定が長年にわたって望まれていた。

このような事情を背景として、2015年8月7日、事業担保法が暫定国会で承認され、2016年7月4日施行された。以下に、かかる事業担保法の概要を説明する。

なお、この法律は、法律制定前後において、一般に"Business Collateral Act"（事業担保法）と呼ばれてきた経緯があることから、本書においても事業担保法と表記している。ただし、この法律は、事業に設定される担保のみならず、動産や債権など他の目的物に設定される担保もカバーしていることを踏まえ、"Secured Transaction Act"（担保取引法）と呼ばれることもあるため、留意されたい。

① 事業担保法に基づく担保権の設定

事業担保法のもとでは、担保権設定者と担保権者が事業担保権設定契約を締結することにより、一定の目的物について、占有を移転することなく担保権を設定することが可能とされている（事業担保法5条）。

担保権設定者については個人・法人問わず限定がないが（事業担保法6条）、担保権者については、金融機関その他省令が定める者に限定されている（同法7条）。ここでの金融機関とは、金融機関事業法上の金融機関、生命保険法に基づき必要な許認可を得て生命保険業を行う会社、損害保険法に基づき必要な許認可を得て損害保険業を行う会社、特別法に基づき設立された銀行もしくは金融機関等をいう（同法3条）。また、担保権者になることのできる「その他省令が定める者」の範囲については、2016年12月公布の財務省令（Ministerial Regulation Prescribing Other Persons as Security Recipients B.E. 2559 (2016)）において、証券化を目的とする特別目的事業体（Special Purpose

Entity)、上場信託の信託受託者、証券会社・ミューチュアルファンド（Mutual Fund）、先物取引事業者、資産管理会社、ファクタリング事業者等が、さらに、2018年2月公布の財務省令（Ministerial Regulation Prescribing Other Persons as Security Recipients（No. 2）B.E. 2561（2018））において、SME（中小企業）開発基金に関する工業省事務次官事務所、（タイの）金融機関と共にシンジケートローンを組む外国商業銀行、割賦販売業およびリース業を行う目的を有する（タイの）法人、貸金事業を行う目的を有する（タイの）法人が、それぞれ列挙されている。特に、従来は、タイ国内に支店を持たない海外の金融機関は事業担保法に基づく担保権の設定を受けることができないと解されてきたが、2018年2月公布の財務省令が制定・施行されたことにより、タイに支店を有さない外国金融機関であっても、タイの商業銀行等と共にシンジケートローンを組む外国商業銀行であれば、事業担保法上の担保権者となることが認められた。

事業担保法に基づく担保権（以下「事業担保権」という）の設定が可能な目的物は、以下のとおりである（事業担保法8条）。

 (i) 事業[22]
 (ii) 債権[23]
 (iii) 機械、棚卸資産、原材料等の事業の用に供する動産
 (iv) 担保権設定者が不動産事業を行う場合の不動産
 (v) 知的財産権
 (vi) その他省令が定める資産

事業担保権設定契約は、書面によって作成し、事業担保登録室に登記しなければならない（事業担保法13条）[24]。また、事業に担保権を設定する場合

---

[22] 担保権設定者が事業遂行において使用する資産および当該事業遂行において用いる権利であって、譲受人がただちに当該事業遂行の継続が可能となるような方法で移転することができる資産および関連する権利をいう（事業担保法3条）。
[23] 金銭の支払いを受けることができる権利およびその他の権利をいうが、証券に基づく権利は含まれない（事業担保法3条）。

には、事業担保権設定契約の当事者は担保権執行者[25]を選定する必要がある（同法12条)[26]。

そして、担保権が実行されるまでの間、担保権設定者は、担保目的物について、所持、使用、処分、譲渡、抵当権等の設定、担保物より発生する収益の受領等を行うことができるため（事業担保法22条1項）、担保権設定者は、担保目的物を使用して事業活動を継続することが可能である。

② 事業担保権の実行

事業担保権の実行は、担保目的物が事業か否かで方法が分かれる。

まず、担保目的物が事業以外の資産の場合には、競売または担保権者が担保物の所有権を取得する方法（foreclosure）により、原則として[27]裁判手続外で実行することができる（事業担保法35条以下）。ただし、担保権者が担保物の所有権を取得する方法により実行するには、弁済期の到来した被担保債務の元本が担保目的物の価値以上であり、主債務者が利息の支払いを5年以上遅延しており、かつ、他の担保権者または優先権者が登記・登録されていないことを要する（同法37条）。上記のとおり、抵当権のforeclosureの手続においては、抵当目的物の価額が被担保債権額を下回ることを抵当権者が裁判所に立証する必要があるのに対し、事業担保権の実行手続においては、裁判外での実行が認められているため、裁判所における立証までは要件として規定されていない。担保目的物の売却による配当額が未払いの被担保債務よりも少ない場合には、その差額は主債務者の債務として残存するが、その

---

24) 抵当権と同様、登記は事業担保権の成立要件である。
25) 担保権実行の際、事業の売却が行われるまでの間、担保権設定者に代わって当該事業の管理・運営を行う者をいう（事業担保法3条）。
26) 担保権執行者に就任するためには所定の許認可を取得する必要があり、当該許認可は、法律、会計、経済、経営または資産管理の経験を有する者が、省令に定める一定の要件のもとで取得可能とされている（事業担保法54条以下）。
27) 次段落で後述のとおり、担保権実行事由が生じた後の裁判外での抵当権実行手続において担保権設定者が担保目的物の引渡しを拒んだ場合等に、実行手続は裁判手続に移行する（事業担保法46条等）。

場合でも担保権設定者が主債務者でないとき（物上保証人であるとき）は、抵当権設定者に対して残存額の支払いを求めることはできない（同法52条3項）。

事業担保法の特徴として裁判外の担保実行を許容している点が挙げられることがあるが、裁判外で競売やforeclosureを行うには、担保権設定者が担保目的物の占有を担保権者に移転させることに同意し、かつ、担保目的物の処分について書面による同意を与えることが要件とされており（事業担保法39条1項）、担保権設定者がかかる同意を拒絶する場合には、結局、裁判内の競売やforeclosureに移行するものとされている（同法46条）。

したがって、事業担保法のもとで裁判外での担保実行が認められたといっても、（預金債権の担保実行の場合を除いて）担保権設定者の同意の枠内で許容されるにとどまり、この点は同法に基づく担保権の設定の普及の足枷になる可能性がある。

担保目的物が金融機関に対する預金債権である場合には例外があり、担保権者が当該預金の預託先金融機関であるかまたは当該預金債権すべてについて担保権者が事業担保権の設定を受けていれば、担保権設定者に対する事後通知のみで（同意を得ることなく）当該預金の直接取立てによる実行をすることも認められている（事業担保法43条）。

次に、担保物が事業の場合には、事業に関する権限が担保権執行者に移転し、担保権執行者のもとで事業の売却が行われることになる（事業担保法61条以下）。事業の担保権の実行事由が生じたと担保権執行者が判断した場合、不可抗力により不可能と立証できる場合を除き、担保権設定者は、7日以内に、担保権執行者に事業、書類、関連する権利および債務を引き渡さなければならない（同法72条）。担保権執行者は、当該事業が処分されるまで、その事業を管理する義務があり、処分がなされた場合、その売却代金が担保権者および場合によってその他の債権者に割り当てられることになる（同法73条および74条）。

当該事業の売却による配当額が未払いの被担保債務よりも少ない場合の処

第6章　資金調達

理については、事業以外の資産が担保目的物である場合の規定が準用されている（事業担保法74条2項）。

(5)　その他担保目的で用いられている手法

第8章において後述するとおり、タイのプロジェクトファイナンスにおいては、レンダーの貸付債権を担保する目的でプロジェクト関連契約上の地位の条件付譲渡をあらかじめ合意しておくことが一般的に行われている。しかし、これらの非典型担保的な手法については、実際に実行する場合の執行方法について必ずしも法律上明確な手当てがなされているとは限らない。

日本において定着している非典型担保の代表例である譲渡担保についても、タイ法上は、同様の手法について判例で明確な地位が与えられておらず、倒産手続でも別除権のような効果を与えられているわけではないため、注意が必要である。実務において不明な点が残る場合は、ドキュメンテーションの際にリーガル・カウンセルと綿密に協議しておくことが望ましい。

Chapter 7
不動産法制

第7章　不動産法制

　第7章では、タイにおける不動産法制について解説する。タイにおいて工場を建設する場合、また、住宅、オフィス、商業施設などの不動産開発を行う場合など、不動産に関連する事業は多岐にわたる。本章では、まず、下記1において、不動産に対する権利について説明する。特に、タイにおいては、歴史的経緯から、土地の所有権に加え、利用権ともいうべき概念が存在するのが特徴である。次に、下記2において、不動産の譲渡および賃貸借等の不動産の取引について説明する。最後に、下記3において、タイにおける不動産事業についての規制や一般的な不動産開発案件において留意すべき点について触れる。

1　不動産に対する権利

(1)　土地の利用権と所有権

　タイの土地法制は複雑であり、タイにおいては土地の所有権に加え、土地の「利用権」ともいうべき概念が存在する。これらの関係を理解するには、歴史的沿革に遡る必要がある[1]。

　かつて、タイにおいては、大陸法の土地所有権に相当する概念は存在していなかった。その当時は、すべての土地は国王が所有し、国王の臣下である国民は、土地を占有・利用することにより、国王から土地を利用する権利を付与されるという制度が採られていた。このような権利を、本章において、以下「利用権」と呼ぶ[2]。これは、英国の土地制度に類似した制度であるといえる。かかる制度のもとでは、国民は、国王から付与された利用権を自由

---

[1] 野村好弘＝角紀代恵＝小鹿野晶一＝ピチェ・マオラノン「タイの土地法について」水本浩＝野村好弘編『アジアの不動産法制(2)』（日本住宅総合センター、1996）57頁。
[2] この点についてタイ法弁護士と議論したところ、かかる「利用権」に相当するタイ語の一般的な用語は存在しないようであるとのことであった。後記1(2)②において後述する、この権利を証する書面であるNS3（Nor. Sor. 3）も、直接的には、長年にわたり当該土地を利用してきているという実態を証する体裁が採られている。

に譲渡することが可能であった。

　その後、20世紀前半の法制度改革により、土地登記制度として近代的なトレンス・システム（Torrens System）[3]が導入され、土地登記局が設立された。さらに、1935年に完成した民商法において、大陸法的な土地所有権制度が導入された。民商法は、日本法と同様、土地の所有権と占有権を峻別する制度を採用しており（民商法1367条〜1386条）、民商法下では、あくまでも土地の所有権を取得する必要があり、上述した国王から付与された利用権に保護が与えられないこととなった。しかし、土地の所有権を証するための権原証書（title deed）（チャノートと呼ばれる）の発行が進まず、土地取引に少なからぬ混乱が生じたため、1936年に同制度に対して修正が加えられ、旧来の制度である土地の利用権についても保護されることとなった。これにより、土地の所有権に加え、旧来の利用権も保護されることとなり、1954年に公布された現在の土地法もその内容を受け継いでいる。

　以上のような経緯により、タイの土地法制は、近代的な土地所有権制度と国王から付与された利用権を基礎とする伝統的な土地制度が併存することとなり、非常に複雑なものとなっている。

(2) **不動産登記制度と土地に対する権利に関する証書**

　登記は、所轄の土地事務所が発行する権原証書（チャノート、title deed）等

---

[3] トレンス・システムとは、当初オーストラリアで採用された近代的な土地登記制度であり、一般に、登記上の権利者が真正な権利者であることを国が保障する制度であるといわれ、過去の権利移転のすべてを確認しなくとも現在の所有者を確認できる点に特色を持つ。前近代における土地の権利を記録・管理する制度においては、土地売買契約などの取引文書が登記所に提出・編綴される仕組みがとられ、土地を取得しようとする者が売主が真正な権利者であることを確認するには、すべての権利移転の連鎖を確認する必要があり、労力、時間と費用がかかる点が問題視されていた。トレンス・システムは、このような労力、時間と費用を解消するために考案されたと言われている（Barlow Burke, REAL ESTATE TRANSACTIONS, 217-218. Tang Hang Wu & Kelvin FK Low, TAN Sook Yee's PRINCIPLES OF SINGAPORE LAND LAW, 263-265参照）。タイで導入された近代的な土地登記制度は、トレンス・システムであると一般的に言われており、基本的な特色としては上記のとおりであるが、例外の範囲など制度の詳細は国によって異なるようであり、タイも例外ではない。

の土地権利証書4)に記載することによって行う。具体的には、土地法上、土地に対する権利を証する証書として、以下のものが規定されているが（土地法1条）、上記のとおり近代的な土地所有権制度と伝統的な土地制度が併存していることに起因し、両方の権利に関する証書が存在する。これらは、管轄の土地事務所（Land Office）により発行される。なお、各土地権利証書はタイ語であるため、翻訳が必要となる。

① 権原証書（title deed）
② 利用権証書（certificate of utilization）
③ 土地予約証明書（pre-emptive certificate）
④ 請求証明書（claim certificate）

これらのうち、①および②は、当該証書の所持人が、法律上、その権利を自由に譲渡や担保設定することができるものである。これに対し、③および④については、原則として、相続以外の方法による移転が禁じられている。以下、上記①②について、個別に説明する。

① 権原証書（title deed）

権原証書（図表7－1）は、チャノートまたはNS4（Nor. Sor. 4）5)と呼ばれ、上述した近代的登記制度のもとで発行される、土地の完全な所有権を証明する証書である。管轄の土地事務所により原本が2部発行され、1部が土地の所有権者に交付され、もう1部が当該土地事務所に保管される。

---

4) 本章では、「土地権利証書」とは、下記にて後述する権原証書、利用権証書に加え、土地予約証明書、請求証明書などの、土地の利用権原を表章する証書一般を指して用いている。
5) タイ人弁護士に確認したところ、土地権利証書の呼称（Nor. Sor. 4、Nor. Sor. 3、Nor. Sor. 2、Sor. Kor 1等）に用いられている「Nor.」「Sor.」「Kor.」といった表記は、あるタイ文字によって表される音にアルファベットを当てたものであり、特定の意味を持つものではない。たとえば「Nor. Sor.」は、元々「証書」という意味のタイ語に用いられている一部の文字を抜き出したものであり、これと数字を組み合わせることで、書類の分類を目的とした記号として用いているようである。

② 利用権証書（certificate of utilization）

　利用権証書（図表７－２）は、NS3（Nor. Sor. 3）と呼ばれ、上述した伝統的な土地制度下における土地の利用権を証するものであり、所有権を証明するものではない。利用権証書については、境界確定がなされていない場合に発行される証書（NS3）以外に、土地調査に基づき境界確定が完了している場合に発行されるNS3G（Nor. Sor. 3 Gor.）やNS3K（Nor. Sor. 3 Khor.）の種類がある6)。

　利用権を保有する者は、その利用権を第三者に対して自由に譲渡等することができるが、土地の調査に基づき境界確定がなされていない場合（NS3GやNS3Kが発行されていない場合）、管轄の土地事務所に対して譲渡の意向を届け出たうえで、当該取引の登記を行う前に30日間の公告期間を経る必要がある。

　なお、権原証書（NS4）と利用権証書（NS3）は、土地の利用権原の内容には差がないが、境界確定の信頼度の差から権原証書（NS4）が好まれる。

(3)　建物の所有権

　タイ法上、「不動産」とは、「土地および土地の定着物または土地と一体の物」と定義されている（民商法139条）。そして、タイにおいては、建物は、土地と一体の不動産として認識されるのが原則であるが、土地とは別個の不動産として取引をすることや所有権の対象とすることも可能である。土地の所有者と異なる第三者が建物を所有する場合の土地の利用権原としては、日本と同様、賃借権（同法537条以下）や地上権（同法1410条以下）がある。

　タイにおいては、建物に関しては、建物の権利についての証書を発行する制度は存在せず、土地の所有権のような登記制度は設けられていないが、所在する土地とは別に取引の対象となった場合、その取引の情報は登録される。そのため、建物の所有権の確認方法としては、①過去に建物の譲渡取引

---

6) NS3Gは航空写真により調査された地域の土地について発行され、NS3Kは航空写真のない地域において三角測量の方法により調査された地域の土地について発行される利用権証書である。

第7章　不動産法制

【図表7−1】権原証書（NS4）のサンプル

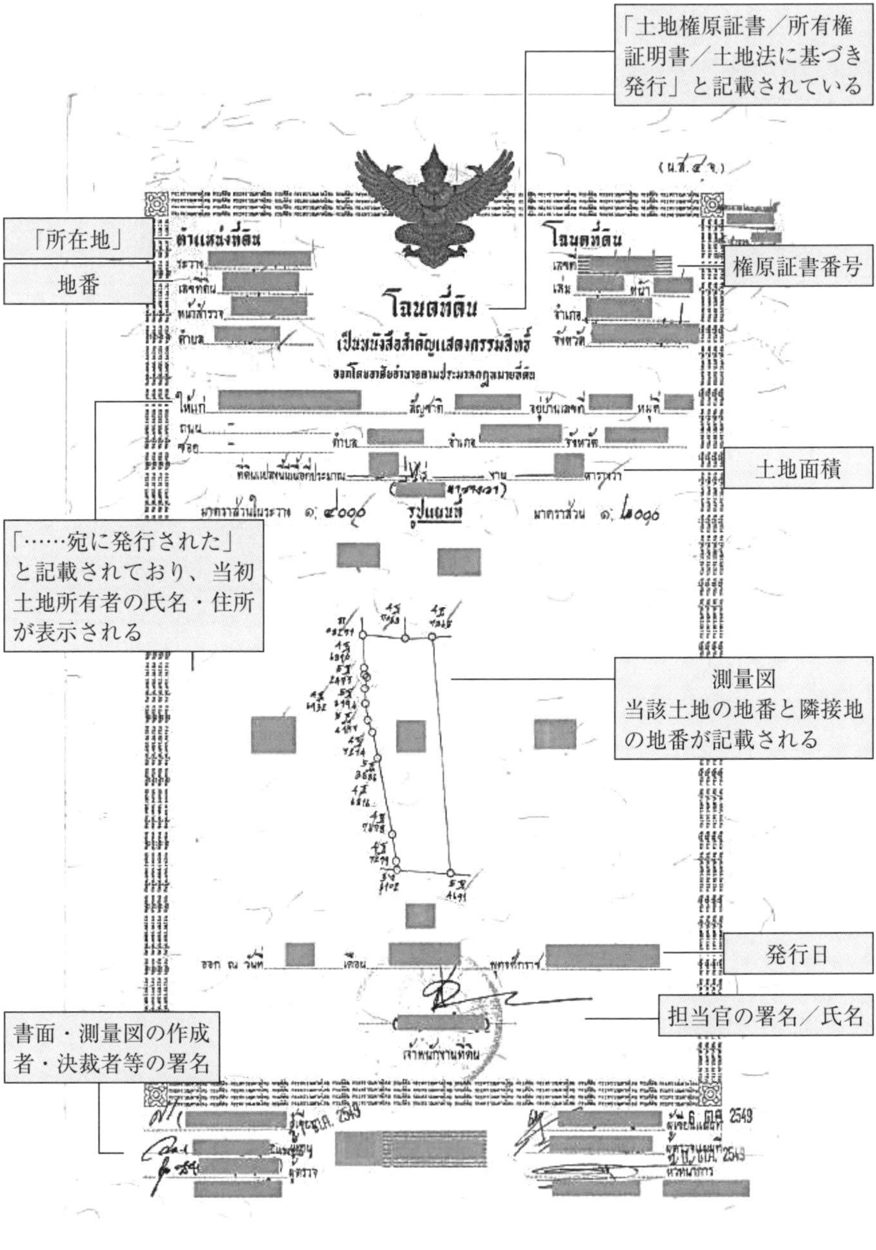

「土地権原証書／所有権証明書／土地法に基づき発行」と記載されている

「所在地」
地番

権原証書番号

土地面積

「……宛に発行された」と記載されており、当初土地所有者の氏名・住所が表示される

測量図
当該土地の地番と隣接地の地番が記載される

発行日

担当官の署名／氏名

書面・測量図の作成者・決裁者等の署名

1　不動産に対する権利

- 「登記日」
- 「譲渡人／設定者」
- 「譲受人／被設定者」
- 「登記内容」
- 「担当官の署名・押印」
- 「対象土地の面積」
- 「登記の種類」売買や抵当権等の種類が記載される
- 「残存土地の面積」
- 「新たな区画・権原証書」
- 抵当権が設定される場合、ここに注記等が付される

第 7 章　不動産法制

【図表 7 − 2】利用権証書（NS3）のサンプル

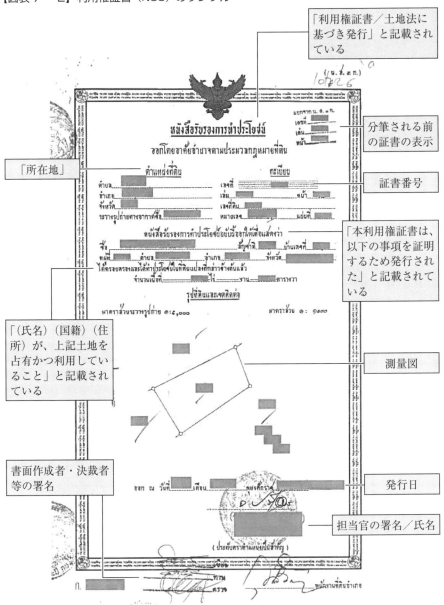

1　不動産に対する権利

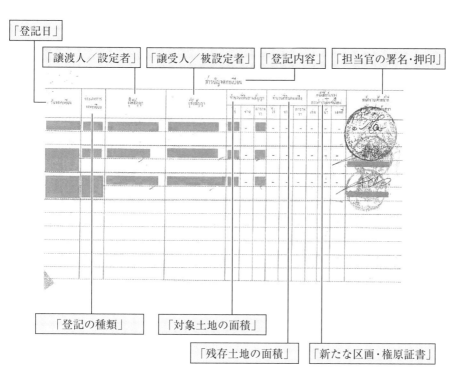

第 7 章　不動産法制

が行われている場合には、所在する土地と合わせての譲渡取引については対応する土地売買契約書が土地事務所に登録されるため、当該売買契約書を確認し、所在する土地とは別に譲渡の対象となった取引については登録された情報を土地事務所において確認することになる。これに対し、②過去に一度も譲渡取引がなされていない建物の場合には、当該地域の地方行政庁において保管されている建築許可証をチェックすることにより建物所有者を確認する。結局、建物を購入する場合には、当該地域の地方行政庁において建築許可証を確認し、かつ、土地事務所において建築時の当初取得者から現在の所有者に至るまでの所有権の移転を示す土地売買契約書および登録された取引情報を確認することが必要となる。

(4)　不動産の取得に対する外資規制

　タイにおいては、外国人（外国法人を含む）による土地所有は、原則として認められていない[7]（土地法86条）。これに違反した場合、最大2万バーツの罰金および／または2年以下の禁固が科される（同法111条）。土地法上の「外国人」には、登録資本を構成する株式の49％超が外国人により保有されているタイの会社、および株主のうち外国人株主が過半数を占めるタイの会社が含まれる（同法97条(1)）。

　他方、この例外として外国人が土地を所有することができる場合もあり、その主な例外は以下のとおりである。

①　投資奨励法に基づき、BOIは、一定の要件を満たす外国人に対し、土地所有権の取得を許可することができる。

②　タイ工業団地公社法に基づき、同公社は、一定の要件を満たす外国人に対し、工業団地内の土地の所有権の取得を許可することができる。

③　居住目的の土地所有については、タイ国内の一定の事業に4,000万

[7) 土地法上、外国との条約に基づく場合は外国人の土地所有が認められる旨規定されているが（土地法86条）、現時点では、かかる条約は締結されていない。

バーツ以上投資する等の一定の条件を満たした場合に限り、当局の許可を得て、1 ライ（1,600 平方メートル）を上限として土地を取得することができる（土地法 96 条の 2）。
④　石油法により石油採掘権の付与を受けている外国人は、その操業に必要な土地の所有権を取得することができる。
⑤　相続人である外国人は、一定の要件を満たす場合、当局の許可を得て土地を相続することができる（土地法 93 条）。

第 1 章 3 で説明した外国人事業法に基づく外資規制と同様、土地の取得についての外資規制についても、その適用を回避するために実務上さまざまなスキームが検討される場合がある。しかし、外国人が実質的に土地を取得することができるよう名義貸しを行うことは禁じられており[8]、かかる取引が行われた場合、当局は、土地所有権を移転する命令を行う権限を有する（土地法 96 条）。

以上のとおり、土地の取得および保有については外資規制が存在するが、建物については外資規制は存在せず、外国人は、建物の所有権を取得し保有することができる。ただし、コンドミニアムについては、コンドミニアム法上、全ユニットの総面積の 49％を超えない範囲に限り、外国人による所有が認められている（コンドミニアム法 19 条の 2）。外国人に対してコンドミニアムのユニットを譲渡する場合、売主は、当局に対し、当該外国人の氏名および全ユニットの総面積に占める外国人により保有されている面積の割合等を届け出ることとされており、当該取引の結果、当該コンドミニアムの外国人の保有面積が 49％を超えることとなる場合には、登録が拒否される（同法 19 条の 3、19 条の 4）。

---

8) なお、土地所有に関する外資規制を潜脱する目的で名義貸し等が行われるのを防止するため、土地局の通達に基づき、不動産業を行う目的で土地を取得した会社等の株主または取締役が外国人である場合や、それ以外でも名義借りの疑いがある場合（例：外国人が署名権者や発起人になっている場合、外国株主が株主総会において支配権を有している場合、タイ株主が弁護士やブローカーである場合など）には、タイ人株主の株式購入資金源が調査の対象になるとされている。

2　不動産の取引

前記1で述べた基本的な不動産に対する権利の内容を踏まえ、本項目では、かかる権利について具体的に取引を行う場合に主に留意すべき事項について、不動産の譲渡および賃貸借に分けて説明する。不動産の譲渡に関しては、まず土地取得手続の概要について述べたうえで、不動産譲渡の登記・登録手続について説明し、最後に不動産の売買契約の効力と登記の関係について触れる。

(1)　不動産の譲渡

①　土地取得手続の概要および土地デュー・ディリジェンス

タイにおいて土地を売買により取得する場合、一般的な手続の流れは以下のとおりである。

(ⅰ)　土地の調査（デュー・ディリジェンス）
(ⅱ)　土地売買契約の締結
(ⅲ)　管轄の土地事務所における売買契約証書の締結・登記

上述したとおり、タイの土地法はいわゆるトレンス・システムを採用しており、土地の所有権に関する権利の得喪は、原則として登記によって終局的に確定される。言い換えれば、原則として、登記はそこに記載された者に権利が帰属することを示す終局的な証拠であり、取引の相手方はそれに依拠することができる。

そのため、上記(ⅰ)の土地デュー・ディリジェンスの内容として、まず登記に係る各証書の内容を確認して、権利の種類、土地の用途・利用条件、権利に関する制限、所有者に関する情報、用益権・担保権その他の土地の負担に関する事項を確認する必要がある[9]。登記に係る各証書はタイ語であるため、翻訳が必要となる。

土地デュー・ディリジェンスにおいて留意すべき点としては、各証書上の土地の用途が、想定している事業と整合しているかを確認することである。また、合筆・分筆が必要となる場合には、その手続に必要となる期間を確認する必要がある。また、当該土地上に既存の建物がある場合には、建物の建築許可証等を確認しておく必要がある。

② 土地売買契約・売買契約証書の締結、不動産譲渡の登記・登録手続

土地売買契約の内容は、日本の実務と大きく異なるものではなく、土地の売買の合意、売買金額に加えて、たとえば、当事者や土地の権利に関する表明保証、売買代金の支払いの実行前提条件、必要な許認可の取得などに関する誓約事項を規定することが検討される。そして、土地の譲渡に際しては、管轄の土地事務所において登記官の面前で所定の売買契約証書に両当事者が署名し、その場で登記申請を行う。かかる売買契約証書は定型の書式が定められており、詳細な条件を規定することが想定されていない。したがって、実務上、まずは当事者間で、上記のような詳細な条件を規定した売買契約を別途作成・締結し、そのうえで、その主要条項のみを売買契約証書に反映し、登記官の面前で署名することも多い。登記の申請から完了に要する期間は、登記に先立ち公告が必要な場合や申請書類に不備があるような場合を除き、通常、1営業日以内である。上述のとおり、利用権証書が発行されている土地について、土地の調査に基づき境界確定がなされていない場合（NS3GやNS3Kが発行されていない場合）、登記を行う前に30日間の公告期間を経る必要がある。

建物の譲渡に際しては、土地の譲渡の場合と同様、当事者間で土地事務所

---

9) 特に地方においては、上述した権原証書や利用権証書等の証書が一切発行されていない未登記の土地が存在する。かかる土地の取引に際しては、権原証書や利用権証書のように土地の権利の直接的な証拠となる証書の発行を待って取引を行う場合もあれば、かかる証書を用いることなく、当該土地についての税金（固定資産税に相当）を支払っていることを証する証明書（PBT5（Por. Bor. Tor. 5）と呼ばれる）をもって間接的にその土地の権利関係を確認する方法が採られる場合もある。

において所定の売買契約書に署名する必要がある。そして、建物が土地とは別に独立して取引対象となる場合には、30日間の公告期間を経て、土地事務所から売買証明書が発行されることにより売買の効力が発生する。しかし、建物については、土地の所有権のようなトレンス・システムは採用されておらず、建物のみについての権原証書は発行されない。代わりに、いわゆるレコーディング・システム（recording system）が採用されており、所在する土地と別個に建物が取引の対象となった場合、建物譲渡に関する情報が管轄の土地事務所において登録され、売買契約書が保管される。また、建物が建築される際、当初の建物所有者に建築許可証が付与されるが、その後建物が譲渡されるに際し、建築許可証も譲受人に交付される。上述のとおり、建物の所有権の証明は、実務上、かかる土地事務所に登録される取引情報売買契約書や建築許可証によってなされる。

③ 不動産の売買契約の効力と登記の関係

日本法上、売買契約は諾成契約であり、合意のみによって売買の効力が生じる。タイ法においても、動産の売買契約については原則として合意のみによってその効力が生じる（民商法458条）[10]。

これに対し、不動産の売買契約は、タイ法上、書面で行われ、かつ、登記がなされない限り無効と規定されている（民商法456条1項、1299条1項）。ただし、たとえばある土地が別々の者に二重に譲渡された場合において、第一譲受人が登記をする前に第二譲受人が先に登記を行ったような場合、(i)第二譲受人が善意の有償取得者である場合には第二譲受人が土地所有権を取得する（この場合、第一譲受人は、元土地所有者に対して債務不履行責任を追及することができるのみである）が、(ii)第二譲受人が悪意または無償取得者である場合には第一譲受人が優先し、第一譲受人は、第二譲受人による登記の抹消

---

[10] ただし、2万バーツ以上の動産の売買契約については、当事者の署名ある書証がなければ、訴訟によって強制することができない（民商法456条3項）。

を請求することができるとされており（同法 1300 条参照）11)、同規定は、所有権の移転の登記がなされていない場合でも売買の合意のみで一定の効果が生じることを認めた規定と評価できる。

また、タイにおいても、日本と同様、詐欺による意思表示は取り消しうることとされているが（民商法 159 条）、善意の第三者に対しては詐欺による意思表示の取消しを主張できない（同法 160 条）。そのため、たとえば、A が B の詐欺により B に土地の売買を行った後、B が善意の C に対して有償で当該土地を譲渡した場合、A は後に詐欺による売買の取消しを主張しても、C に対してはこれを主張することができない（最高裁決定 B.E.2546（2003）・1522 号）。このルールは、権利の外観を信頼した者を一定限度で保護する制度として、（登記に公信力が認められているか否かは別論として）実質的に公信力に似た機能を認めたものと評価することができる。

なお、不動産売買の合意は、当事者の署名ある書証がある場合、手付けが支払われている場合、または、一部の履行がすでになされている場合を除き、訴訟によって強制することはできない（民商法 456 条 2 項）。

(2) **不動産の賃貸借**

土地や建物の賃貸借の期間は、原則として最長 30 年であり、それより長い期間が合意された場合、30 年に短縮される（民商法 540 条）。ただし、当事者間で、借主が契約期間満了後に契約期間の更新を求めた場合に貸主がそれに応じなければならない旨を合意することも有効と解されている12)。なお、商業または工業用の不動産については、商工業用不動産賃貸借法に基づき、同法の下位規則に定める一定の条件13)を充足する場合、最長 50 年間の

---

11) 野村ほか・前掲注 1) 61 頁。なお、同 51 頁においては、登記がない場合の不動産の所有権移転の効力についての議論に触れており、結論としては明確ではないものの、登記がなくとも所有権が認められた高等裁判所の裁判例があるとの指摘がなされている。
12) ただし、たとえば 30 年の賃貸借期間の更新権を借主に 2 回以上行使することを認める合意については、その有効性につき慎重に検討する必要がある。

賃貸借が可能とされている 14)。しかし、要件が細かく承認に至るための手続が煩雑である等の事情により、実務上はあまり活用されていないようである。

　賃貸借期間が 3 年を超える不動産賃貸借は、管轄の土地事務所に登記する必要があり（民商法 538 条）、登記がない場合は 3 年間に限り有効となる。賃貸借契約の登記には手数料が発生し手間もかかるため、実務上はこれを嫌って不動産の賃貸借期間を 3 年以下に抑えるケースが多くみられる 15)。

　タイには、日本の借地借家法のような不動産の賃借人を保護するための特別法は存在しない。なお、土地賃借人が土地上に建物を建設した後に土地所有者が土地を第三者に譲渡した場合、日本では、土地賃借人の賃借権が対抗力を有しない限り土地の譲受人に賃借権を主張することはできない（このことをもって、一般に「売買は賃貸借を破る」といわれる）のに対し、タイでは、かかる土地賃借人は土地の譲受人にその賃借権を主張することができる旨明文で規定されている 16)。

　他方、賃借権の譲渡や転貸については、賃貸借契約上別段の合意がなされていない限りこれを行うことはできないとされ（民商法 544 条 1 項）、この点に関しては日本の民法における規律と共通性がみられる。

---

13) たとえば、賃貸借契約が登記されること、市街地計画法等に基づき商業または工業分野の土地として指定された土地であるか工業団地に所在すること、2,000 万バーツ以上の投資を行う商業であるか投資奨励法上の投資奨励対象の工業に該当すること等のいずれかの条件を充足する必要がある。
14) その他、2018 年 5 月に施行された東部経済回廊（EEC）法（Eastern Economic Corridor Act, B.E.2561（2018））上、同法に基づいて指定される経済促進特区においては、50 年間の土地賃借および 49 年間の契約更新の優遇措置が付与され得る旨規定されている。
15) 賃貸借期間を 3 年間としつつ、賃借人による複数回の更新権を合意するような賃貸借契約については、民商法 538 条に基づく登記義務の潜脱であり、同法違反により当初 3 年間を超える期間の賃貸借については無効である旨判示する最高裁判例が複数存在するため留意が必要である。
16) 民商法 569 条は、「不動産の賃貸借契約は、その所有権の譲渡があった場合においても終了しない。土地の譲受人は、譲渡人が賃借人に対して有していたすべての権利及び義務を引き継ぐ」と規定する。この点について、野村ほか・前掲注 1) 52 頁は、土地賃借人が当該賃借権について登記していない場合でも同様であると指摘する。

2 不動産の取引

Column1

新たな不動産用益権の創設

　タイでは、2019年2月、土地建物の賃借権類似の新たな権利（タイ語の発音で、"Sub-Ing-Sithi"）を創設する法案が立法議会において承認された。そのような権利創設の背景としては、既存の不動産賃借権の利用には一定の制約があるため、そのような制約が少ない権利を新たに創設することにより、不動産市場その他不動産が関連する国内産業をより合理化・活性化することが目的であると言われている。

　不動産賃借権についての一定の制約としては、たとえば、抵当権設定の可否が挙げられる。賃借権には、原則として抵当権を設定することができないが、この新しい用益権には抵当権を設定することができるとされている。また、賃借権は賃借人の死亡により権利が消滅するのに対し、新しい用益権は、権利者が死亡した場合であっても権利は消滅せず、相続人が権利を承継することができるとされている。これらの点を含む、不動産賃借権と新しい不動産用益権との主な違いをまとめると、下図のとおりである。

〔不動産賃借権と新たな不動産用益権の相違点〕

	不動産賃借権	新不動産用益権（"Sub-Ing-Sithi"）
根拠法	民商法	特別法
登記	期間3年を超える場合登記が必要	必ず登記が必要
期間	上限30年	上限30年
抵当権	原則として設定不可	設定可能
権利譲渡	賃貸人（所有者）の同意必要	所有者の同意不要
相続	不可	可能
改築等	賃貸人（所有者）の同意必要	所有者の同意不要

　この新たな用益権を設定できる不動産は、①権原証書の発行されている土地、②権原証書の発行されている土地およびその土地上の建物、③コンドミ

> ニアム法に基づく区分所有建物の区分所有部分、と規定されている。また、当該用益権に関する契約は、書面で作成し、管轄当局に登記しなければならないとされ、法定の様式に従わない場合には権利として無効とされるなど、賃借権の場合に比べ、権利の設定について厳格な形式要件が要求されている。

3 不動産事業

(1) 不動産開発事業の一般的なスキーム

① 土地の所有権を取得する場合

タイにおいては、コンドミニアム法上、土地上の建物をコンドミニアム化（区分所有化）するためには、当該建物の敷地に関する権利が所有権である必要がある（コンドミニアム法6条）。したがって、レジデンスのコンドミニアム開発案件においては、原則として、当該土地の所有権を確保する必要がある。外資規制のもとで日系企業がタイの不動産の所有権取得を前提に投資するオーソドックスな方法としては、タイの国内企業と合弁を組み、外国人事業法および土地法上の「外国人」に該当しない比率で資本構成を組んだ合弁会社を設立することが挙げられる（資本構成の例として、下記の**図表7－3**参照）。その場合、日系企業側はマイノリティとなることから、合弁契約において、取締役会や株主総会における拒否権事項、事業のモニタリング、競業禁止、案件からのEXITの方法等の規定について注意深く検討する必要がある。

また、合弁契約において、日系企業がタイの国内企業側から株式を買い取る権利（コール・オプション）を保有することを規定した場合、仮にその権利行使事由が生じたとしても、外資規制との関係で日系企業自らが買い取ることができない可能性があることから、その場合は別のローカル企業を買受人として指定するなどの対応が必要となる点にも留意が必要である。

【図表7－3】タイにおける土地の所有権を取得する不動産開発合弁事業の一般的なスキーム例

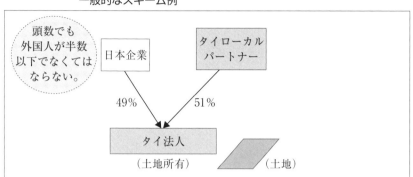

② 土地の賃借権を取得する場合

これに対し、コンドミニアム化を前提としないホテルや商業施設等の非レジ開発案件においては、土地の権利をリースの形で確保することも可能である。実際、タイにおける非レジの不動産開発案件においては、実務上も、プロジェクトの土地をリースで確保することが多い。

アセットタイプと土地の権利や適用される外資規制の関係をまとめたのが、以下の図表7－4である。

【図表7－4】アセットタイプと開発スキームの関係

	分譲コンドミニアム	非分譲賃貸（ホテル以外）	ホテル
①土地の権利	所有権	（所有権）賃借権	（所有権）賃借権
②適用される外資規制	土地法 外国人事業法	（土地法） 外国人事業法 ※借地の場合は後者のみ	（土地法） 外国人事業法 ※借地の場合は後者のみ

| ③外資規制への対応手段の有無／ローカルパートナーとの合弁要否 | 基本的になし→原則として合弁必須（日系マイノリティ） | IEAT 許可が取得できれば独資可能 | BOI 投資奨励の取得により独資可能 |

(2) 借地上の開発案件に関する実務上の留意点

① 建物建設期間の扱い

　タイにおける借地上の開発案件においては、当初一定の短期間を建設期間として別契約期間とし、運営開始後を想定して長期間の賃貸借期間を設定する場合がある。そのような期間は案件により様々であるものの、一般に、3年の建設期間とその後の 30 年の運用期間が設定される場合が比較的多い。このようなスキームはタイにおいて非常に一般的であるものの、いくつか留意すべき点がある。

　たとえば、当初 3 年間についてレントフリーとする場合、タイ法上賃料の支払は賃貸借契約の要素であることから、賃料がゼロである期間は法律上「賃貸借」には該当しないとされ、その場合は賃貸借ではなく地上権（superficies）の設定として整理した上で登記をするような対応をとる場合がある。

　また、当初期間の開始する初日に全期間（上記例でいえば、3+30 の合計 33 年間）分の賃料の全額または少なくとも一定部分の金額を一括で支払うような取引も比較的一般的に行われる。このようなケースでは、賃借人としては、期間の途中で賃貸人側の帰責により賃貸借が終了した場合における少なくとも残期間相当分の賃料の返還請求権を明示的に確保した上で、さらに、その保全方法についても検討することが望ましい。

② 転貸借スキームに関する一般的な留意点

　タイにおける土地リースの案件においては、バンコクの中心部のようなエリアであっても、土地の所有者が富裕層の個人である場合が比較的多い。そ

のような場合、税務上などの理由から、当該所有者たる個人からの直接のリースではなく、当該個人の資産管理会社を通じたサブリースを提案される場合が多い。

この場合、開発を行うプロジェクト会社にとっては、その借地権の保全が極めて重要になる。特に、何らかの事態によって土地オーナーと資産管理会社との間の賃貸借契約（マスターリース部分）が終了するような場合において、プロジェクト会社が保有する借地権に対して法律上どのような影響があるのか、また、それを踏まえて契約上の手当てとしてどのような対応策を想定しておく必要があるか等を慎重に検討する必要がある[17]。

③ 相続に関する留意点

数十年にわたる取引となるため、個人オーナーについては、取引期間中に相続が生じる可能性が相応に高いと思われる。この点、相続が生じたとしても、賃借権や地上権について登記をしている以上は、賃借権や地上権の根幹たる権利部分（すなわち、「土地を借りることができる」という権利）については登記によって保護され、相続人に対しても対抗することが可能である。他方、それ以外の付随的合意部分（たとえば、更新権など）については、やや不明確な部分はあるものの、一般的には登記によって保護される対象に含まれず、相続人に対して対抗することができない可能性があると理解されてい

---

[17] 日本の判例においては、賃貸借契約の終了による転貸借契約への影響については、一般に、賃貸借契約の終了事由ごとに個別に判断されており、たとえば、(i) 賃貸人と賃借人（転貸人）との間で賃貸借契約を合意解約した場合であっても、特段の事情がない限り、転借人に対抗しえないとする一方、(ii) 賃貸人（転貸人）による賃貸借契約の債務不履行に基づき、賃貸人により賃貸借契約が解除された場合、賃借人（転貸人）と転借人との間の転貸借契約は、原則として、賃貸人が転借人に目的物の返還を請求した時に終了するとされている。この点、タイにおいて、上記のような日本と同様の判例（特に (i) に相当するようなもの）は見当たっていないものの、少なくとも、賃借人（転貸人）による賃貸借契約の債務不履行に基づき同契約が解除された場合には、転貸借契約に基づく借地権もその基礎を失うとの解釈が一般的なようである。したがって、まずは土地所有者に対して資産管理会社に関する情報開示を要求しつつ、上記のような事態に対処するための契約上の手当てを慎重に検討する必要がある。

るため、留意が必要である 18)。

---

18)「相続が発生した場合には当該契約の内容を引き継ぐ」というような内容の Undertaking Letter を相続人予定者から取得することも考えられるものの、そのような内容の Letter の有効性には一定の疑義があると指摘されており、かつ、そもそも全相続人予定者からそのような Letter を取得することは事実上限界があるように思われ、中々対応が難しい点であると思われる。

Chapter 8

インフラ・エネルギー開発

第8章

第8章　インフラ・エネルギー開発

　タイにおいては、インフラ整備や発電所の開発プロジェクトのためにいわゆるプロジェクトファイナンスの手法を採用することがすでに浸透している。プロジェクトファイナンスとは、必ずしも確定的な定義のある用語ではないが、一定期間安定したキャッシュフローが見込めるプロジェクトについて、当該プロジェクトの生み出すキャッシュフローを引当てにして貸付人から借入れを受ける仕組みのことをいう。この概念自体は世界共通であり、日本でも、発電所の開発やPFI案件等において広く利用されている。

　タイにおけるプロジェクトファイナンスを用いたインフラ／発電事業開発プロジェクトは、1990年頃のタイ政府によるマープタープット工業団地の建設の時期が黎明期に当たる。その後、現在に至るまでに、産業インフラ投資分野、エネルギー分野において、スポンサーがプロジェクトファイナンスの手法を利用して資金調達することはすでに一般的になっている。本章では、この分野において重要な位置付けを占める法律上の枠組みとして、PPP法、石油・ガス開発関連規制、電力開発関連規制について概説したうえで、インフラ・エネルギー開発プロジェクトを念頭に置いたタイのプロジェクトファイナンスの実務の概要を説明する。

1　インフラ・エネルギー開発関連法制

(1)　PPP法

　タイにおける近時のインフラ整備プロジェクトにおいては、民間部門の参加による官民連携（PPP：Public Private Partnership）によるインフラ整備がすでに浸透している。かかるプロジェクト案件においてはPPP法の枠組みに従ってプロジェクトを進めることになるため、同法の枠組みを把握しておくことが有益である。以下では、PPP法の枠組みおよび手続の概要を説明する。

① 制定の背景および所管当局

　タイでは、PPP事業に関する法律として1992年に第一次PPP法が制定され、第一次PPP法のもとで多くのPPP事業が承認されていたが、第一次PPP法は、その主たる目的がPPP事業の促進よりも汚職防止にあり、また、条文の記述があいまいで対象事業の範囲が不明確である等、内容として不十分であるとの指摘がなされていた。そこで、PPP事業の選定・承認に関する手続の明確化および合理化等を目的として、2013年4月、第二次PPP法が制定された。さらに、2019年3月10日にこの第二次PPP法を再度全面改正する法律が成立し、新たなPPP法（the Joint Investment between the State and Private Sector Act）として翌11日から施行された。以下では、特に明示しない限り、この第三次PPP法を「PPP法」と呼ぶ。

　PPP法のもとでは、首相を議長とするPPP政策委員会（Public Private Partnership Policy Board、以下「PPP政策委員会」という）と、事務局としての国営企業政策局（State Enterprise Policy Office、以下「SEPO」という）がそれぞれ設置されており、PPP政策委員会が、PPPプロジェクト準備計画の承認、関連する告示の策定等を（PPP法20条）、SEPOが、PPP政策委員会へPPPプロジェクト準備計画の立案・提出等の種々の事務を取り扱う（同法12条、21条）。

② PPP法の適用対象事業

　PPP法の適用対象事業は、「①道路、高速道路、特別道路および陸路輸送、②列車、電車および鉄道輸送、③飛行機および航空輸送、④港および水上輸送、⑤水管理、灌漑、上水道および下水処理、⑥エネルギー事業、⑦遠隔通信および通信、⑧病院および公衆衛生、⑨学校および教育、⑩低・中所得者、高齢者、貧困者および身体障がい者のための住宅および施設、⑪展示会場および会議会場、⑫その他勅令で定める事業」のいずれかに該当するインフラおよび公共サービスに関連する官民連携プロジェクトと規定され（PPP法7条）、そのうち、50億バーツ（以下、本書において為替レートを1バーツ＝

4.1円として計算して200億円相当）または省令で定めるそれ以上の金額の事業価値を有するプロジェクトが、PPP法に定められる基準・手続・条件を遵守しなければならない（PPP法8条）。ただし、事業価値が上記金額未満のプロジェクトであっても、PPP政策委員会が重要またはPPPプロジェクト準備計画に合致していると判断した場合は、PPP法上の手続に従う場合がある（同法9条2項）。他方、同金額未満のプロジェクトに関しては、PPP政策委員会が別途定める規則に従い、手続が進められる（同条1項）。

より具体的なPPP事業の内容および優先度等については、SEPOにおいて、国家経済社会開発委員会事務局が準備したインフラ・社会開発マスタープランに沿うよう、国家として官民連携を望むプロジェクト概要、その準備に関する優先度および緊急性、プロジェクトの目的、実施政府機関、総投資額、プロジェクトの準備・運営のタイムラインなどを規定した「PPPプロジェクト準備計画」を作成してPPP政策委員会に提出し、PPP政策委員会の承認を求めることとされている（同法12条1項・2項）。PPP政策委員会がPPPプロジェクト準備計画を承認した場合には、各政府機関は、当該PPPプロジェクト準備計画に従って諸手続を行うものとされ、かつ承認されたPPPプロジェクト準備計画は、SEPOの情報ネットワークシステムにおいて公表されることが法定されている（同条3項）。

③ 個別プロジェクトの提案・承認プロセス

PPP法の下で個別のプロジェクトを遂行するには、当該個別プロジェクトの具体的事業内容を固め、PPP法の手続に従って各政府機関に承認されなければならない。個別プロジェクトの承認プロセスの概要は、以下のとおりである。

（i）PPP事業の適用対象となるプロジェクトの実施を行う政府機関（Project-Owner Agency、以下「実施政府機関」という）は、PPP政策委員会の定める規則に従ってプロジェクトの調査分析を行わなければならない（PPP法22条）。プロジェクトの調査分析を行うに当たっては、コンサルタントを起

用し、当該プロジェクトの調査分析結果に関する報告書の作成に参加させなければならない（同法27条）。なお、PPPプロジェクトの速やかな提案のため、PPP政策委員会は、実施政府機関に対して、プロジェクトの準備運営に関連する政府機関の人員から構成されるワーキング・コミッティーの設置を指示することができる（同法26条）。

(ii) 実施政府機関は、プロジェクトの主要事項および調査分析報告書を、実施政府機関を所管する大臣等（以下「主管大臣」という）に提出しなければならない。かかる主管大臣による承認を受けた後は、当該調査分析結果はSEPOに提出され、SEPOが、PPPプロジェクトの主要事項が確定し、調査分析報告書が完成したと認めた場合、PPP政策委員会の承認手続に付される（PPP法28条、29条）。

(iii) プロジェクトの主要事項についてPPP政策委員会の承認が得られた場合、その旨および内閣の承認を求めるべき旨が主管大臣に通知される（PPP法29条3項）。

(iv) プロジェクトの主要事項および支出予算または当該プロジェクトの負債金額が内閣によって承認された場合、当該承認は、適用ある予算手続に関する法律、経済社会開発に関する法律、公的負債管理に関する法律に則ったものとみなされる（PPP法30条）。

④ 民間事業者の選定プロセス

個別プロジェクト実施の承認プロセスが完了すると、次は民間事業者の選定等のプロセスに移る。

PPPプロジェクトの実施が内閣により承認された場合、実施政府機関は、実施政府機関の代表者を議長とし、SEPOの代表、検察庁（the Office of Attorney General）の代表および有識者2名以上から構成される（加えて、PPPプロジェクトが国家予算の支出を伴う場合は予算局の代表を、公的債務を構成する借入を伴う場合は公的債務管理事務局の代表も含める必要がある）選定委員会（the Selection Committee）を設置する（PPP法36条）。選定委員会は、PPPに関

する入札要項や官民パートナーシップ契約等のドラフトの承認、民間事業者との間の交渉・選定、官民パートナーシップ契約の交渉等を行う権限および責任を担い（同法 38 条）、民間事業者の選定等の審査について中心的な役割を担う。

民間事業者の選定は、原則として入札手続により行われる（PPP 法 32 条）。ただし、実施政府機関と選定委員会が入札を経ないことについて意見が一致する場合、実施政府機関は主管大臣の承認を得て PPP 政策委員会の審議を求め、PPP 政策委員会が入札を経るべきでないと決定した場合は、その結果が主管大臣に通知され内閣の承認手続に付される（同法 34 条）。内閣の承認があった場合は、当該プロジェクトの民間事業者の選定は、入札以外の手続を採用することができる（同法 32 条）。

入札手続においては、実施政府機関が入札要項、民間事業者選定書類、官民パートナーシップ契約のドラフトを準備し、選定委員会の承認を得て、民間事業者の選定のための入札手続を実施する（PPP 法 35 条、39 条）。入札手続は、PPP 政策委員会の定める手続および条件に従い実施される。なお、実施政府機関が入札要項、民間事業者選定書類、官民パートナーシップ契約を準備するに当たっては、すべての関連民間部門からの意見を聴取し、当該書類準備の補助として使用しなければならないものとされている（同法 35 条 2 項）。この関連民間部門からの意見聴取というのは、いわゆるパブリックヒアリング手続の規定である。

選定委員会による民間事業者の選定結果が判明し、民間事業者との間の官民パートナーシップ契約ドラフトに関する交渉が終了した場合、選定委員会は、15 日以内に検察庁に対して官民パートナーシップ契約のドラフトを提出し、検察庁は、提出を受けてから 45 日以内に審査を終了しなければならない（PPP 法 41 条）。

検察庁の審査を終えた選定結果および官民パートナーシップ契約のドラフト等は、主管大臣に提出され、主管大臣は、提出を受けてから 30 日以内に自らの審査を完了させ、内閣の審議に付するものとされている（PPP 法 42 条

1項・2項)。なお、主管大臣が選定結果または官民パートナーシップ契約の条件に不同意の場合は、一度、実施政府機関および選定委員会に再考が促されるが、実施政府機関および選定委員会が再度承認した場合は、いずれにせよ内閣の審議に付される（同法42条3項・4項）。そして、内閣が民間事業者の選定結果および官民パートナーシップ契約の重要条件を承認した場合には、実施政府機関は、民間事業者との間で官民パートナーシップ契約を締結しなければならない（同法42条5項）。なお、①事業価値が50億バーツ以上のPPPプロジェクト、および②事業価値が10億バーツ以上50億バーツ未満でPPP政策委員会がPPP法に則って実施する旨決定したPPPプロジェクトについては、実施政府機関と入札者との間で、選定プロセスにおいて汚職を行わず、専門性と経験を有するオブサーバーに選定プロセスを監督させる旨を合意する清廉協定（Integrity Pact）の締結が必要である（SEPO Notification regarding Guidelines on Adoption of Integrity Pact in Public-Private Partnership Projects which comply with the Act on Public Private Partnerships B.E. 2562（2019）の第3条）。

　民間事業者としては、以上の手続をクリアして初めて、官民パートナーシップ契約の締結に至ることができることになる。

Column1

アジアにおけるインフラ案件への取組み方と法律事務所の役割

　タイを含むアジア諸国において、インフラ整備は大きな課題であり、アジア地域のさらなる経済成長の実現のためにその整備を進めることが急務である。

　しかし、特にアジア新興国においては、公的部門のみでそれを推進するには限界がある。そこで、近時は、外国企業を中心とする民間部門の参加による官民連携（PPP）でのインフラ整備が主流である。このような背景から、アジアにおけるインフラ整備の推進は日本の企業にとっても大きなビジネスチャンスであり、日本政府も、官民連携してのアジアへのインフラ輸出の推進に努めている。

しかし、アジアにおけるPPPに関してはまだまだ問題もある。しばしば指摘される問題点として、たとえば、想定しない政策変更などの政治的リスクが高いこと、国内金融システムの整備が不十分であること、当局にPPPを実施する能力が不足していること（ノウハウや人材の不足）等が挙げられる。それらに加え、法的側面の課題として、大きく以下の2つの問題が挙げられる。まず、第1に、実体面の問題として、PPPに関する法規制枠組み自体の整備が依然として不十分であることが挙げられる。また、実体法上、プロジェクトにおける一定の取引や契約条項について、当該国において法律上有効かどうかが不明確である場合も多い。第2に、手続面ないし運用面の問題として、入札手続をはじめとするプロジェクトの組成過程において手続の透明性・公平性・一貫性が乏しく、当局の場あたり的な対応に悩まされる場合が多いことも挙げられる。

このようなアジアにおけるPPPの法的側面の課題を踏まえ、その課題を克服するために日本の法律事務所がどのような役割を果たすことができるだろうか。

まず、1点目の課題に関して、アジアのインフラ案件への参加を検討するに当たっては、プロジェクト対象国の法規制枠組みを十分に検証する必要がある。

現地の法令等について、その法令の内容自体を紹介するのはもちろんのこと、日本法との違いは何か、法令が実務上どのように運用されているか、実務上どのような問題が生じているかまで日本の法律事務所が深掘りして検証し、情報提供していくことは、日本企業にとって有益であろう。

また、法律上の論点について、各国の現地法弁護士等との議論を通じた分析を行い、その結果を情報提供することも有益と思われる。その場合、特に、日本法との比較の視点が重要である。そのような分析を行うためには、日本で行われている取引や日本で一般的な契約条項の意味や目的を理解し、なぜそのような内容となっているかの背景と法的根拠を解きほぐしたうえで、それを現地法に当てはめて再構築するというリバースエンジニアリングが必要である。そのような分析を行うことにより、たとえば、ある国において、日本と同じ取引形態や契約条項を用いることが法律上困難であったとしても、その国で有効な他の手段を用いて、同じ目的を達成することのできる別のスキームや契約条項の提案も可能となるからである。

次に、上述した2点目の課題である手続面・運用面の課題、すなわち、

PPPにおけるプロジェクト実施に向けた手続の透明性や当局の対応の一貫性・公平性が乏しいという問題点に関しては、結論からいえば、アジア諸国におけるインフラのPPP案件において、当局側にこちらの修正案を受け入れさせることは難しいのが現状である（日本を含めどこの国においても、基本的に当局側との交渉が難しいのは同じである）。しかし、特にアジア諸国においては、当局にPPPを実施する能力やノウハウが不足している結果、国際標準からみれば一般的かつ合理的な内容の提案であっても、当局側がそれ自体を理解しない結果、交渉が難しくなるという状況がしばしば見られる。そのため、粘り強く交渉することが重要であり、特に、当局との交渉においては、ゼロか100かではなく、合理的な落としどころを見据えた代替案の提案をすることが有効である場合も多く、他の同種案件の経験を踏まえた合理的な提案をすることも法律事務所の重要な役割の1つと思われる。

　また、仮に当局側がこちらの主張を受け入れない場合には、事業者として、そのリスクを受け入れてプロジェクトに参加するか否かを検討することになる。そのようなプロセスを経ることにより、もし、事後に実際に問題が発生し、そのリスクが顕在化した場合であっても、なぜそのようなリスクがありながら契約締結に至ったのかという説明も可能となり、また、事前に検討を経ていることでリスクの顕在化を最小限に止めるための初動の対応も可能になると思われる。

(2) 石油・ガス開発関連規制

日本ではあまり知られていないが、タイには、タイランド湾内の海底ガス田をはじめとして国内に地下資源が存在し、石油・天然ガスの掘削・生産が行われてきた。もっとも、現在確認されているタイ国内の地下資源は枯渇傾向にあり、2022年時点でタイの国内の天然ガス需要の約4割、原油需要の約92％をそれぞれ国外からの輸入で賄っている。とはいえ、特に天然ガスについては国内需要の約6割を国内資源でカバーしているため、その規模は重要なものである。

このような地下資源の利用に関する法制の主要なものが、石油・ガスの探鉱・開発の方法とその権益を取得した民間事業者に課される税について定めた石油法（the Petroleum Act, B.E. 2514（1971））と石油所得税法（the Petroleum Income Tax Act, B.E. 2514（1971））である。以下では、石油法で定められている民間事業者による石油およびガスの探鉱・開発・生産の方式の概要を紹介する。

① 民間事業者が取得する権益の概要

石油法上、石油・ガス（Petroleum）資源は国家に帰属し、何人も、石油・ガスの探鉱・生産を行う場合、その土地の所有権を有しているか否かにかかわらず、石油法または下位規則の定めに従い、(i)コンセッション、(ii)生産物分与契約（Production Sharing Contract）または(iii)サービス契約（Service Contract）のいずれかを国家から取得しまたは国家との間で締結しなければならないとされる（石油法23条）。これらの権益の付与は、通常、国際入札を経て行われ、応札者は法人である必要があるが、石油法上外資を制限する規定はなく、(個別案件で入札資格として特に定められなければ）外国企業でも応札可能である。

1　インフラ・エネルギー開発関連法制

②　コンセッション

　民間事業者がコンセッションを受けた場合、その探鉱・開発・生産により取得した石油・ガスは、当該民間事業者（コンセッショネアー）に帰属し、コンセッショネアーは、その生産された石油・ガスを販売・処分する権限を取得する（なお、生産されたすべての石油・ガスは、事実上タイにおいて国内消費者への販売独占権を有する PTT Public Company Limited に対して販売する必要がある）。代わりに、コンセッショネアーは、国家に対して生産量に応じた累進比率で定められたロイヤルティの支払いを行うとともに、石油所得税法に定められた特別な所得税の納税を行う必要がある。

　タイにおける石油・天然ガスの民間事業者による探鉱・開発・生産の権益付与は、2017年の第7次石油法および石油所得税法改正前まで、このコンセッションにより実施されてきた。コンセッション契約のフォームは、エネルギー省の制定した下位規則によって定められ（石油法23条3項）、通常、フォームの内容を民間事業者側から交渉して変更を求めることは困難である。

③　2017年第7次石油法・石油所得税法改正後の新方式（生産物分与契約・サービス契約）

　これに対して、2017年の第7次石油法および石油所得税法改正により導入された生産物分与契約およびサービス契約においては、国家は、民間事業者に探鉱・開発・生産を委託するが、その生産物（石油・ガス）は第一次的には国家に帰属し、その対価として生産量または利益に応じた報酬を民間事業者に支払う仕組みとなっている。生産物分与契約とサービス契約の概念上の大きな違いは、民間事業者に対して与えられる対価である。生産物分与契約においては、投下費用部分を差し引いた利益に相当する生産量の一部を国家と民間事業者の間で分配するのに対し、サービス契約においては、国家から民間事業者に対して報酬（ロイヤルティ）が支払われる点が異なる。なお、これらの生産物分与契約やサービス契約は、諸外国で従来から採用されてい

第8章 インフラ・エネルギー開発

た方式であり（生産物分与契約は、1960年代にインドネシアで導入されたものが初めと言われ、現在はマレーシアや中国などでも採用されている）、タイでもこれらと同様または類似の方式が、国家（エネルギー省）の選択肢の1つとして石油法に取り入れられたことになる。まず、生産物分与契約は、民間事業者が探鉱・開発・生産に関する費用を負担し、その費用負担分を得られた生産物により優先的に回収し、費用相当分控除後の残余の生産物を、国家と一定割合で分け合う契約である。石油法で定められたタイの生産物分与契約の主な内容は、**図表8－1**のとおりである。

【図表8－1】生産物分与契約の主な内容

項　目	内　容
費用負担	―操業に要する費用はいずれも民間事業者負担。（石油法53/3条(a)）
費用回収	―費用は、生産物分与契約および毎年当局承認を得るワークプランおよび予算に従い、生産量から回収。 ―費用の回収は、総生産量の50％を超えてはならない。年間の費用総額が当該年の総生産量の50％を超えた場合には、その超えた費用を、翌年の総生産量の50％に満つるまで繰り越すことができる。（石油法53/3条）
利益分配	―費用の控除およびロイヤルティ支払後の生産量は50％を上限として民間事業者に分配される。（石油法53/3条（c））
ロイヤルティ	―民間事業者が国家に対し総生産量の10％のロイヤルティを支払う。（石油法53/6条）

次に、サービス契約では、民間事業者が国家から探鉱・開発・生産の委託を受け、生産量の10％のロイヤルティの支払いを受ける契約であり、当該対価支払後の生産物による収入は国庫に帰属することとなる。石油法で定められたサービス契約の主な内容は、**図表8－2**のとおりである。

1　インフラ・エネルギー開発関連法制

【図表 8 - 2】サービス契約の主な内容

項　目	内　容
生産物の帰属	―生産物は国家に帰属する。（石油法 53/11 条(1))
費用負担	―操業に要する費用はいずれも民間事業者負担。（石油法 53/11 条(2))
国家の監督	―探鉱・生産に関するワークプランおよび予算について毎年国家が承認を行い、探鉱・生産活動は国家の監督に服する。（石油法 53/11 条(3))
対価支払 （ロイヤルティ）	―国家が民間事業者に対し総生産量の 10% に相当するロイヤルティを支払う。（石油法 53/16 条） ―対価の支払いは、石油・ガスの商業生産の開始後にのみ行われる。支払方法は、金銭または現物。（石油法 53/11 条(4))

(3)　電力開発関連規制

　エネルギー事業の下流、発電分野においてもタイの民間による開発は活発に進められてきた。現在タイの主要電源は天然ガスであり、約 6 割が天然ガスによる火力発電で賄われている。エネルギー省の事務局である Energy Policy and Planning Office（EPPO）の公表資料によれば、2023 年 1-6 月のガス火力以外の発電量の内訳は、その他化石燃料（石炭・亜炭・石油）が 15%、再生可能エネルギーが 11%、国外からの輸入が 12%、水力が 4% となっており、再生可能エネルギーは近年特に増加傾向にある[1]。

　また、発電の供給主体は、Electricity Generating Authority of Thailand（EGAT / タイ発電公社）保有の発電所が国内全体の全体発電容量の 34% を担っている。他方、民間発電事業者の発電容量も大きく、2022 年で、IPP（Independent Power Producer）が 34%、SPP（Small Power Producer）と VSPP（Very Small Power Producer）が 19% の発電容量を占めており、民間発電事業者の発電容量は国

---

[1] EPPO ウェブサイト（https://www.eppo.go.th/index.php/en/en-energystatistics/electricity-statistic）参照。

内全体の発電容量の過半数を占めている。なお、ここでいう IPP・SPP・VSPP とは、90MW 超の発電容量を持つ発電事業者が IPP、発電容量 10MW から 90MW の発電事業者が SPP、発電容量 10MW 未満の発電事業者が VSPP と分類される。これらの国内発電に加えて、国外からの輸入、特に、地続きの近隣諸国ラオス、ミャンマー、マレーシアからの電力輸入によって、全体の電力需要を賄っている状況である。

タイの発電事業の規制を理解するには、前提として電力規制当局および電力公社を把握する必要があるため、以下では、電力規制当局および電力公社を紹介したうえで、民間事業者が発電事業を実施する場合の規制の概要に触れる。

① 電力規制当局と電力公社

タイの電力規制当局の中核は、内閣の下に設置された 3 つの組織体、すなわち National Energy Policy Council（NEPC / 国家エネルギー政策審議会）、Energy Regulatory Commission（ERC / エネルギー規制委員会）、Ministry of Energy（MOE / エネルギー省）である。NEPC が内閣に対して国家全体のエネルギー政策・開発計画の助言を行い、ERC と MOE が、具体的な所管官庁としての役割を担う。ERC がガス・電力などのエネルギー事業に関連する規則の制定やライセンスの発行などを行うのに対し、MOE は、エネルギーに関する調査・監督・分析と政策の具体的な企画立案を行い、業務ごとにさらに細かい部局を設置している。電力事業を行ううえで重要な部局としては、エネルギー政策全体の事務局としての Energy Policy and Planning Office（EPPO / エネルギー政策企画事務局）、エネルギー事業の監督機関としての Department of Energy Business（DOEB / エネルギー事業局）、代替可能エネルギーの促進や関連施設保有者への監督を行う Department of Alternative Energy Development and Efficiency（DEDE / 代替エネルギー開発・エネルギー保全局）がある。

そして、タイの発電事業は、EGAT がその中心を担っている。EGAT の主要な役割は、自ら保有する発電所の運営・発電、民間発電事業者（IPP / SPP）

からの電力買取、送配電設備と系統の運用である。これに対して、電力需要家への配電・電力小売事業を担うのが、Metropolitan Electricity Authority（MEA / 首都圏配電公社）と Provincial Electricity Authority（PEA / 地方配電公社）である。MEA がバンコク首都圏、すなわちバンコク都と近隣 2 県サムットプラカン県・ノンタブリ県で配電を行い、PEA は MEA の管轄以外の地域について配電を行っている。民間事業者の売電先は、基本的に、IPP・SPP が EGAT へ、VSPP が発電設備の場所に応じて MEA または PEA となる。

② 民間事業者による発電事業に関する規制概要

民間事業者が電力公社に対して売電を行うためには、ERC または各電力公社によって売電案件の個別募集が行われた場合に申請を行い、当該申請について承認を受けるというプロセスを踏む必要がある。この基本的な仕組み自体は、募集・申請の手続の内容に関する差異はあれ、発電規模にかかわらず共通である。

たとえば、IPP の場合は、ERC によって、個別案件について電力買取方法、発電事業者の特徴、買取発電量、提案書の手続および期間、発電に利用される燃料の種類、電力に使用される技術の特徴および種類を含む提案募集事項書（RFP：Request for Proposal）のルールおよび方法が定められ、その募集は、合理的な周知期間を設けた一般入札の方法による旨が ERC 規則に定められている（IPP からの電力取得に関する ERC 規則 B.E. 2555（2012）[2]）。また、VSPP による屋根設置太陽光発電の場合は、ERC が、募集ラウンドごとに買取りを行う総電力量（系統接続の地域を含む）、申請受理の始期・終期、固定買取価格・期間・予定する商業運転開始日（COD：Commercial Operation Date）の時期等の細目を公表し、民間事業者の選定については所定条件を満たしていれば申請受理の順序を主要基準とする方法が採用されている（屋根

---

[2] Regulation of the Energy Regulatory Commission on Acquiring Electricity from Independent Power Producers B.E. 2555（2012）.

設置太陽光発電の電力買取りに関する ERC 規則 B.E. 2556（2013）[3]）。いずれの場合も、当局側からの案件募集がなければ民間事業者が売電契約締結に至ることはできない。

　他方、民間事業者の発電する電力の売電先が電力公社でなく、自家消費を行う電力需要家であれば、上記のような手続は適用されない。そのため、たとえば、屋根設置の太陽光発電設備によって発電した電力を直接電力需要家に自家消費目的で売電することは可能である。その場合、発電設備の建設に当たって、建築物管理法の建設許可、工場法上の工場運営許可、エネルギー産業法所定の発電許可や系統接続に関する PEA/MEA の承認等の許認可の取得が必要になることがあるが、許認可の詳細については、発電規模やプロジェクト所在地等に応じて要否・種類が異なるため、個別案件ごとに確認しつつ進めることが必要となる。

> *Column2*
>
> ### タイにおける太陽光発電事業の合弁
>
> 　近時、技術革新に伴い太陽光発電設備の設置コストが低下したことなどを背景に、工場や商業施設を保有する大規模電力需要家に対して、工場／商業施設の屋根などのスペースに太陽光発電設備を設置して発電した電力を売電し、省エネ・電力コスト節約効果を提供するビジネスがみられる。日系企業とタイのローカル企業が合弁を組んでそのような事業を行う事例もある（ストラクチャー例として、下図参照）。
>
> 　太陽光発電事業で合弁を組む場合、本文記載のとおり合弁会社が取得すべき許認可の詳細を確認する必要があるが、外資企業にとって同時に問題となるのが、外国人事業法上の外資規制が適用されるか否かである。一般論としては、自ら発電して売電する事業のみであれば外国人事業法の規制対象業種

---

[3] Regulation of the Energy Regulatory Commission on the Purchase of Electricity from Solar PV Rooftop Electricity Generation B.E. 2556（2013）.

とはならないが、合弁会社が発電設備をリースする場合や発電設備の維持管理（O&M：Operation and Management）サービスを提供する場合などその他の事業が含まれる場合には、外国人事業法の規制対象業種（たとえば、同法別表3「その他サービス業」など）に該当する可能性がある。合弁会社の事業が同法の規制対象業種に該当する場合には、外国人事業許可（FBL：Foreign Business License）やBOI投資奨励などを取得して外資規制の適用免除を受けるか、合弁会社が同法上の「外国人」に該当しないように外資企業の出資比率を調整するなどの対応を検討する必要がある。

〔屋根設置太陽光発電事業のストラクチャー例〕

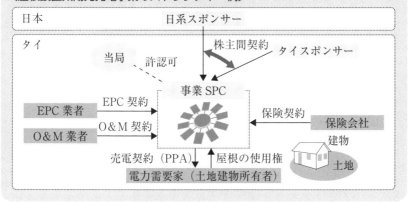

2　プロジェクトファイナンス

　以下では、インフラ／発電事業開発プロジェクトを進行させるに当たって用いられている典型的なプロジェクトファイナンスの手法について解説する。

　タイにおけるプロジェクトファイナンスの仕組みは、日本における開発型ファイナンス取引とそれほど大きく異なるものではない。特別目的会社（SPC）が設立され、そのSPCが資金調達を実施し、当該プロジェクトに関連する資産を取得・保有するとともに、関連する各種契約を締結する当事者

となる。ただ、プロジェクトコストが不足した場合等に対処し、SPC の財務基盤を支持するため、スポンサーが一定の場合に出資義務を負担する内容のコミットメントを行うのが一般的である。

レンダーは、段階的に、建設期間中の建設コストとプロジェクトの運転開始後の運転資金の一部を賄うための貸付けを行う。当該貸付債権は、基本的にすべてのプロジェクト関連資産を担保目的物に取ってその回収を担保されることになる（ただし、後述のとおりタイの担保法制にはタイ独自の制約が存在する）。また、為替変動や金利変動をヘッジするための仕組みを導入することも少なくない。

(1) 典型的な進行例

大規模な建設プロジェクトを前提としたプロジェクトファイナンスにおける典型的な進行例を挙げると、まず、プロジェクトファイナンスの組成は、スポンサーがファイナンシャル・アドバイザー(FA) と協議のうえ、プロジェクトの重要事項、ローン関連契約のタームシート、ファイナンシャル・モデル等の内容を含んだインフォメーション・メモランダムの作成を準備するところから始まる。作成されたインフォメーション・メモランダムは、Request for Proposal（RFP / 提案依頼書）に添付され、レンダー候補に配布される。必要に応じて、レンダー候補からのプロジェクトに関する質問に回答するためのセッションが開催されることもある。

このようなプロセスを踏まえてレンダー候補者から提案書が提出され、それに基づきレンダーが決定し、シンジケートローンの場合には、採用されたレンダーの中からアレンジャーが指名される。アレンジャーが決定すると、各種アドバイザーを通じてプロジェクトのデュー・ディリジェンスが行われると同時に、タームシートのより詳細な検討・交渉、ローン契約および担保契約（以下「ローン関連契約」という）の作成・検討・交渉が行われ、最終的にこれらの交渉が妥結すると、ローン関連契約の締結に至る。

ローン関連契約が締結されると、SPC は何段階かに分かれて貸付実行を

受けることになる。融資実行可能期間は、プロジェクト対象物の竣工予定日から数か月後を終期として定められることが多い。SPC は、ローン関連契約に規定された貸付実行日ごとの前提条件を充足したうえで、貸付実行を受けることになる。

(2) 許認可等

プロジェクトを遂行するに当たっては、適時適切に必要な許認可を取得することが肝要である。ローン関連契約においては、プロジェクトの遂行上必要不可欠な許認可の取得がマイルストーンとして規定され、そのマイルストーンを達成できない場合、すなわちあらかじめ定められた期日どおりに許認可が取得できていない場合には、次の貸付実行が行われないという仕組みが採用されることが多い。マイルストーンとなる許認可の例としては、環境影響評価報告書の取得、BOI 投資奨励、工場設立・運営許可その他のプロジェクトに関連する許認可が考えられるが、対象プロジェクトの分野によるので、案件ごとに事前の詳細な検討が必要である。

(3) 契約の構成

プロジェクトファイナンスにおける諸契約の枠組みの一例を図示すると、以下の**図表8－3**のようになる。

以下、これらの契約を、①プロジェクト対象物件の建築・遂行・管理に関するプロジェクト関連契約、②エクイティ資金の調達枠組みを規定するスポンサー関連契約、③デット資金の調達枠組みを規定するローン関連契約（担保契約を含む）に分けて概観する。

① プロジェクト関連契約

プロジェクト開発の重要契約としては、典型的には、敷地取得に係る契約、プロジェクトに関連する各種マネジメント契約、ライセンス契約、EPC 契約（EPC は Engineering, Procurement, Construction の略）をはじめとする請負契

第8章 インフラ・エネルギー開発

【図表8-3】プロジェクトファイナンスの契約枠組み

COMMON TERMS AGREEMENT
契約当事者
- タイ国内レンダー
- プロジェクトSPC

ONSHORE CREDIT FACILITY AGREEMENT
契約当事者
- タイ国内レンダー
- プロジェクトSPC

OFFSHORE CREDIT FACILITY AGREEMENT
契約当事者
- タイ国内レンダー
- プロジェクトSPC

担保関連契約
契約当事者
- タイ国内レンダー
- タイ国外レンダー
- プロジェクトSPC

主要条項
- 担保権設定合意
- 債権者間合意
- レンダーによる資産、収益および契約に対する権利の設定等

株主間契約
契約当事者
- 株主(スポンサーおよびその他の投資家)
- プロジェクトSPC

主要条項
- 投資家の誓約事項
- プロジェクトの管理運営およびプロジェクトSPCの組織に関する合意
- 定款に関する合意

(国内)供給契約

↓

プロジェクトSPC
- 民商法の非公開会社として設立
- BOIの投資奨励取得

↓

オフテイク契約

保険契約
契約当事者
- 保険会社
- プロジェクトSPC

主要条項
- 建設期間中のControl All Risks Insurance(操業開始遅延に関するDelay in Start-upを含む)
- 操業期間中のAll risk InsuranceおよびBusiness Interruption

プロジェクト管理業務委託契約
契約当事者
- プロジェクト・マネージャー
- プロジェクトSPC

国外供給契約
契約当事者
- タイ国外の供給業者
- プロジェクトSPC

主要条項
- 販売供給合意
- 国外におけるサービス提供合意
- 保証
- 価格および支払条件

EPC契約
契約当事者
- 建築請負業者
- プロジェクトSPC

主要条項
- プロジェクト対象物件の引渡および報酬に関する合意
- 開墾、海外調達資材の輸送および設置
- 保証およびパフォーマンスボンド
- ライセンス
- 損害賠償の予定

ライセンス契約
主要条項
- ライセンス合意・報酬合意
- ノウハウの移転

約、供給／販売契約、保険契約、さらに、プロジェクトの収益源となるオフテイク契約（たとえば、発電所の開発案件における電力供給契約（Power Purchase Agreement））等が挙げられる。

　このうち、請負契約は、大規模なプロジェクトの場合には、国際コンサルティング・エンジニア連盟（International Federation of Consulting Engineers）の作成するFIDIC契約約款など、国際的に広く認知されているEPC契約のひな形が使用されることが多い。国際的に広く用いられているEPC契約のひな形は、リスク分担や紛争解決の仕組みについて一般的に受け入れられている条項を含んだ内容となっているほか、請負業務の範囲などに応じ、複数のひな形が用意されているのも特徴である。他方で、さほど規模の大きくないプロジェクトの場合には、そのようなひな形を用いると不相応に大部な契約になってしまうため、当該案件の内容や契約当事者の顔触れなどに応じて、よりカスタマイズされた個別案件用の契約書を作成することももちろんある。

第8章　インフラ・エネルギー開発

Column3

インフラ／発電事業開発プロジェクトにおけるリスク評価

　PPPによりインフラ／発電事業開発プロジェクトに参加するに当たっては、個別案件ごとにリスクを洗い出し、それを踏まえて当局と交渉したうえで、その交渉の結果を踏まえてプロジェクトへの参加の可否を検討するプロセスを経ることが望ましい。ここでは、EPC契約を例にとってリスクの洗出しおよびその評価の仕方について紹介する。

　EPC契約において特に重要な規定としては、工事内容・範囲に関する規定、実質的完工（Substantial Completion）および完工期限、工事内容の変更（Variation/Alteration）・期限の延長・価格の変更に関する規定、遅延予定損害賠償および性能未達予定損害賠償の規定（Liquidated Damage）、瑕疵担保（Defects Liability）等が挙げられる。

　特に紛争になりやすい一例として、請負業者（Contractor）の工事内容・範囲が不明確な定められ方をしている場合がある。そのような場合、契約締結後、発注者（Employer/Owner）から、請負業者としてはもともと想定していなかった範囲の工事まで施工するように指示を受け、その結果大きなコストオーバーランが生じてしまう事態が発生するリスクがある。

　また、以上のような規定に潜むリスクを洗い出すに当たり、請負業者側で留意すべき視点としては、特に、①請負業者に課される可能性のある経済的なコストや手続上の負担の範囲、②発注者側の裁量に基づく判断などの請負業者のコントロールの及ばない事象に起因してどのようなリスクを負っているか、を正確に把握することである。たとえば、①の例として、請負業者の損害賠償責任の範囲に間接損害が含まれる内容になっていないか、一定の上限を課す必要はないかを確認・検討する必要がある。また、②の例として、工事の修繕・修補が必要となった原因が請負業者の施工にあるのかそうでないのかの判断が発注者側に委ねられているという場合には、それを認識したうえで対応を検討する必要がある。

② スポンサー関連契約

　スポンサーが当事者となる契約としては、スポンサーおよびSPCが当事

者となる株主間契約が挙げられる。株主間契約においては、プロジェクトの管理運営に関する基本的事項とSPCの組織に関する規定が盛り込まれる。また、レンダーの要求に応じて、スポンサーの追加出資義務に係るスポンサーサポート契約が締結されることも多い。スポンサーとなるエンティティによる追加出資義務のみではレンダーの要求する信用水準を満たさない場合は、スポンサーの親会社やそのグループ会社が当該追加出資に係る債務を保証する旨の契約の締結を求められることや、国際的格付機関による一定水準以上の格付を有する金融機関からスタンドバイ信用状を差し入れるよう求められる場合がある。

③　ローン関連契約

(i)　ローン契約

　ローン関連契約は、貸付けに係る契約と担保契約から構成される。前者は、シンプルなファイナンス取引であればローン契約（またはファシリティ契約）1通のみで足りることもあるが、より複雑な取引の場合には、ローン契約やファシリティ契約のみでなく、Common Terms AgreementやAccounts Agreement等の複数の契約にまたがることもある。

　また、日本におけるストラクチャードファイナンス取引と同様、タイのプロジェクトファイナンスにおいても、レンダーにとって資金フローを管理することが肝要であるため、キャッシュウォーターフォールの規定は詳細かつ複雑なものとなる。ほとんどの案件において、銀行口座はタイ国内において開設されるが、国際金融機関がレンダーに含まれる場合は、レンダーの指定により、一部の銀行口座を国外のものにすることもある。

(ii)　典型的なセキュリティ・パッケージ

　担保契約に関して、典型的なセキュリティ・パッケージとしては、**図表８－４**のような構成が考えられる。このうち、抵当権設定契約は、書面によりタイ語で締結されなければならず、バーツ建てで担保される金額を規定し、登記する必要がある（前記第6章2(2)①を参照）。また、工場機械登録法に定めら

第8章　インフラ・エネルギー開発

【図表8－4】典型的なセキュリティ・パッケージの構成

典型的なセキュリティ・パッケージの構成
（土地・建物に関する）不動産抵当権設定契約
（抵当権設定が可能な工場機械に関する）工場機械抵当権設定契約
スポンサーサポート契約（コストオーバーラン・資金不足に対応する内容のもの）
株式質権設定契約（Project SPC・親会社の株式それぞれについて）／株式保有に関する誓約書
プロジェクト関連契約譲渡・条件付更改契約およびその他当事者の同意取得
事業担保法に基づく以下のものに対する担保設定： 　銀行預金 　機械設備 　プロジェクト関連契約上の権利（オフテイク契約上の収入を含む）
許容投資対象（例：債券等）に対する質権設定契約
保険・再保険の譲渡
保険会社による誓約書

れる工場機械については（事業担保法に基づかなくとも）抵当権の設定が可能とされているが、かかる工場機械抵当権設定の登録は、登録工場機械の設置完了後になされるべき工場機械の登録が済んでからでないと行うことができない。さらに、2016年7月の事業担保法の施行以降は、銀行預金、機械設備、プロジェクト関連契約上の権利については、同法に基づく担保権を設定するのが実務として定着した。

　以上のほか、レンダーから、スポンサーによる保証を求められることがある。しかし、上記のとおり、プロジェクトファイナンスは、本来的には当該プロジェクトの生み出すキャッシュフローのみを引当てにして貸付人から借入れを受ける仕組みである。したがって、スポンサーが保証債務を負担するか否か、また、負担するとしてどの範囲で負担するかについては、案件ごとに交渉によって定まることになる。

2　プロジェクトファイナンス

(iii)　ローン関連契約において特に留意すべき事項

これらのローン関連契約の締結に当たっては、タイ法上の制約を踏まえて留意すべき事項がいくつか考えられる。以下に若干の例を挙げる。

まず、一般に、担保契約はタイ法準拠で締結されるのが通常である。しかし、レンダーに国際的金融機関が含まれる場合には、そのような国際的金融機関はローン関連契約を締結する場合に特定の外国法を準拠法としなければならない旨のルールを有していることがある。そのような場合には、通常、当該ローン関連契約を英国法その他の当該外国法準拠で締結するとともに、一定範囲の担保契約についてタイ法準拠で締結するという対応を採ることになる。たとえば、担保関連契約のうち、スポンサーサポート契約、プロジェクト関連契約上の地位の譲渡契約、預金担保契約等は外国法準拠とされることがある。なお、言語については、抵当権設定契約のようにタイ語で作成されることが必要不可欠な契約を除き、担保契約を含むローン関連契約は英語で作成されるのが通常である。

紛争解決条項にも留意を要する。後記第15章で述べるとおり、タイの裁判所は、外国判決の承認・執行を行わない。そのため、タイ国外の裁判所に管轄権を認め、実際にタイ国外で判決を取得しても、当該判決に基づいてタイ国内で執行を行うことができない。かかる問題の対処法としては、ローン関連契約に、たとえばシンガポールのような中立国における仲裁を紛争解決方法とする旨の仲裁条項を規定しておくことが考えられる。タイは、外国仲裁判断の承認および執行に関する条約（いわゆるニューヨーク条約）の加盟国であるため、タイの裁判所は、当該条約および国内の仲裁法の規定を満たせば、外国の仲裁判断を執行する。

Chapter 9
REIT・インフラファンド

第9章

第9章では、タイにおける REIT・インフラファンドについて解説する。近時、日本からタイへの不動産投資が増加しているが、最近の傾向として、レジデンス案件だけではなく、オフィスやホテル、商業施設などの非レジデンス案件が相対的に増えつつある。そこで、本章では、まず、下記1において、非レジデンス案件における EXIT 先の1つとして注目が高まりつつある Thai REIT の制度の概要について説明する。

また、インフラ開発においては、従来より、金融機関からプロジェクトファイナンスの手法により資金調達をして進めることが多いが、最近では、不動産投資の場合における REIT のように、インフラ開発についても資本市場から資金調達を行う事例もみられるようになっている。そこで、下記2においては、インフラ開発の資金調達の新たな手段として注目されつつあるタイのインフラファンドの制度概要について説明する。

1 REIT

(1) Thai REIT の歴史と市場の概況

タイにおける不動産ファンド用のスキームとしては、従来、証券取引法（Securities and Exchange Act, B.E. 2535（1992））に基づくプロパティ・ファンド（PFPO：Property Fund for Public Offering）という制度が存在していた。しかし、PFPO については、その制度の設計に際し投資家保護を非常に重視していた結果、投資可能な対象不動産が限定され、また、負債資本比率（debt equity ratio）が厳しく規制されるなど、不動産投資用のスキームとしては必ずしも使い勝手が良くないと指摘されていた。

そこで、タイ証券取引委員会（SEC：Securities and Exchange Commission）は、2012 年に新たな告示[1]（以下「REIT 告示」という）を出し、より使いやすく透

---

[1] Notification of Capital Market Supervisory Board No. TorJor.49/2555（2012）re: the Issuance and Offer for Sale regarding Units of Real Estate Investment Trust.

明性の高いスキームとしてREIT（Real Estate Investment Trust）スキームを導入した。そして、タイ政府は、新制度であるREITの利用を促進するため、2014年に新たなPFPOの設立を禁止し、さらに、PFPOからREITへの組織変更（conversion）について税制上の優遇措置を設けるなどした。その結果、複数のPFPOがREITへの組織変更を実施し、新規設立分を含め、本稿執筆時点までに29の上場REIT（図表９－１参照）が誕生するに至っており、現在も複数のREITが新規上場を控えている状況である。

図表９－１に記載のとおり、アセットタイプ別では、Industrialが9、ホテルが6、オフィスが6、商業が4、Industrialおよびオフィスが1、その他3という内訳となっている。Thai REITの一般的な特徴として、規模の小さいREITが比較的多いという点が挙げられる。図表９－１に記載のREITのうち、その保有するアセットが１つのみというREITも複数存在する。ただ、市場全体の傾向としては、スケールメリットを活かすべく、徐々に規模の大きいREITが増えつつある状況であり、複数のPFPOをまとめて１つのREITへ組織変更（conversion）するような取引も出てきている[2]。

また、近時は、Thai REITが海外のアセットを取得する事例も出てきている。たとえば、下記図表９－１に記載のSHREIT（14番）はインドネシアおよびベトナムのアセットを保有している。さらに、近時は、日本のアセットを取得することを検討しているThai REITも出てきているなど、Thai REITを通じた投資の動きはタイ国内外において非常に活発になってきている状況である。

---

[2] 2023年1月24日、PFPOからREITへの組織変更（conversion）について、2023年から2024年にかけて税制上および土地局での登録料の優遇措置を再度設ける旨の閣議決定が行われた。それに基づき、2023年6月1日、税制の優遇措置に関する勅令（The Royal Decree issued under the Revenue Code governing exemptions of taxes and duties No. 763 B.E. 2566（2023））が発行され、アセットの移転の際に発生する付加価値税（VAT）および個人所得税が免除されること等が定められた。しかし、本稿執筆時点（2023年6月7日時点）において、土地局における登録料の優遇措置に関する規程はまだ制定されていない状態である。

第9章 REIT・インフラファンド

【図表９－１】タイの上場 REIT

	REIT の名称	略　称	スポンサー	REIT マネジャー	設 立 日	土地の権利*1	総資産額*2
INDUSTRIALS							
1.	WHA PREMIUM GROWTH REAL ESTATE INVESTMENT TRUST	WHART	WHA Corporation Public Co., Ltd.	WHA Real Estate Management Co., Ltd.	8 Dec. 14	FH and LH	51,815.28
2.	FRASERS PROPERTY THAILAND INDUSTRIAL FREEHOLD & LEASEHOLD REIT	FTREIT	Frasers Property (Thailand) PCL.	Frasers Property Industrial REIT Management (Thailand) Company Limited	12 Dec. 14	FH and LH	46,745.73
3.	AMATA SUMMIT GROWTH FREEHOLD AND LEASEHOLD REAL ESTATE INVESTMENT TRUST	AMATAR	Amata Corporation PCL.	Amata Summit REIT Management Co.,Ltd.	16 Jun. 15	FH and LH	4,767.81
4.	MFC INDUSTRIAL REAL ESTATE INVESTMENT TRUST	MIT	Country Group Development PCL.	MFC Asset Management PLC.	11 Dec. 15	FH	841.14
5.	WHA INDUSTRIAL LEASEHOLD REAL ESTATE INVESTMENT TRUST	WHAIR	WHA Industrial DevelopmentPCL.	WHA Industrial REIT Management Co.,Ltd.	21 Nov. 16	LH	13,320.65
6.	SUB SRI THAI REAL ESTATE INVESTMENT TRUST	SSTRT	Sub Sri Thai PCL.	SST REIT Management Co., Ltd.	13 Dec. 17	FH	1,756.74
7.	AIM INDUSTRIAL GROWTH FREEHOLD AND LEASEHOLD REAL ESTATE INVESTMENT TRUST	AIMIRT	JWD Infologistics PCL. group and TIP Holding Co., Ltd., Benjaporn Land Company Limited, Thai Taffeta Company Limited, 2 Tiger Prop Company Limited, Siam Chemical Public Company Limited	AIM REIT Management Co., Ltd.	22 Dec. 17	FH and LH	11,154.18
8.	PROSPECT LOGISTICS AND INDUSTRIAL FREEHOLD AND LEASEHOLD REAL ESTATE INVESTMENT TRUST	PROSPECT	Prospect Development Co., Ltd.	PROSPECT REIT Management Co., Ltd.	14 Aug. 20	FH and LH	3,538.38
9.	HYDROGEN FREEHOLD AND LEASEHOLD REAL ESTATE INVESTMENT TRUST	HYDROGEN	Saha Pathana Inter-Holding PCL	Hydrogen REIT Management Company Limited	29 Nov. 22	FH and LH	3,029.74
HOTELS							
10.	LH HOTEL LEASEHOLD REAL ESTATE INVESTMENT TRUST	LHHOTEL	Land And Houses PCL.	Land And Houses Fund Management Co.,Ltd.	11 Dec. 15	LH	12,319.81
11.	SRI PANWA HOTEL REAL ESTATE INVESTMENT TRUST	SRIPANWA	Charn Issara Development PCL.	Charn Issara REIT Management Co., Ltd.	6 Dec. 16	FH	4,444.90
12.	GRANDE HOSPITALITY REAL ESTATE INVESTMENT TRUST	GAHREIT	Grande Asset Hotels and Property PCL.	One Asset Management Limited	10 Oct. 17	FH	1,933.23
13.	DUSIT THANI FREEHOLD AND LEASEHOLD REAL ESTATE INVESTMENT TRUST	DREIT	Dusit Thani PCL.	Dusit Thani Properties REIT Co., Ltd.	29 Nov. 17	FH and LH	7,910.41
14.	STRATEGIC HOSPITALITY EXTENDABLE FREEHOLD AND LEASEHOLD REAL ESTATE INVESTMENT TRUST	SHREIT	PT Agung Podomoro Land Tbk.	Strategic Property Investors Co., Ltd.	20 Dec. 17	FH and LH	4,413.89
15.	GRANDE ROYAL ORCHID HOSPITALITY REAL ESTATE INVESTMENT TRUST WITH BUY-BACK CONDITION	GROREIT	Royal Orchid Hotel (Thailand) Public Company Limited	One Asset Management Limited	12 Jul. 21	FH	4,967.34
OFFICES							
16.	WHA BUSINESS COMPLEX FREEHOLD AND LEASEHOLD REAL ESTATE INVESTMENT TRUST	WHABT	WHA Corporation PCL.	WHA Real Estate Management Co., Ltd.	4 Nov. 15	FH and LH	2,797.33
17.	GOLDEN VENTURES LEASEHOLD REAL ESTATE INVESTMENT TRUST	GVREIT	Golden Land Property DevelopmentPublic Company Limited	Frasers Property Commercial Asset Management (Thailand) Company Limited	22 Mar. 16	LH	12,245.65
18.	THAILAND PRIME PROPERTY FREEHOLD AND LEASEHOLD REAL ESTATE INVESTMENT TRUST	TPRIME	Exchange Tower Company Limited; and Damrong Seri Co., Ltd.	SCCP REIT Co., Ltd.	11 Oct. 16	FH and LH	9,487.90

1 REIT

19.	BHIRAJ OFFICE LEASEHOLD REAL ESTATE INVESTMENT TRUST	BOFFICE	BHIRAJ BURI Co., Ltd.	Bhiraj REIT Management Co., Ltd.	15 Jan. 18	LH	10,081.48
20.	BUALUANG OFFICE LEASEHOLD REAL ESTATE INVESTMENT TRUST	B-WORK	True Properties Co., Ltd.	BBL Asset Management Co., Ltd.	6 Feb. 18	LH	5,180.78
21.	S PRIME GROWTH LEASEHOLD REAL ESTATE INVESTMENT TRUST	SPRIME	Max Future Company Limited	S REIT Management Company Limited	17 Jan. 19	LH	6,204.65
RETAIL							
22.	LH SHOPPING CENTERS LEASEHOLD REAL ESTATE INVESTMENT TRUST	LHSC	Land and Houses Public Co., Ltd.	Land and Houses Fund Management Co.,Ltd.	22 Dec. 14	LH	7,031.61
23.	CPN RETAIL GROWTH LEASEHOLD REIT	CPNREIT	Central Pattana PCL.	CPN REIT Management Co.,Ltd.	29 Nov. 17	LH	80,316.81
24.	AIM COMMERCIAL GROWTH LEASEHOLD REAL ESTATE INVESTMENT TRUST	AIMCG	Udon Plaza Co., Ltd., Chettachot Co., Ltd. and D-Land Property Co., Ltd.	AIM REAL ESTATE MANAGEMENT COMPANY LIMITED	3 Jul. 19	LH	3,318.89
25.	ALLY LEASEHOLD REAL ESTATE INVESTMENT TRUST	ALLY	KE Benjakij Co., Ltd.	ALLY REIT Management Co., Ltd.	27 Nov. 19	LH	13,508.32
OFFICES AND INDUSTRAILS							
26.	KTBST MIXED FREEHOLD AND LEASEHOLD REAL ESTATE INVESTMENT TRUST	KTBSTMR	Rich Asset Center Co., Ltd., ST Property & Logistics Co., Ltd.	DAOL REIT Management (Thailand) Company Limited	2 Nov. 21	FH and LH	4,447.23
OTHER							
27.	IMPACT GROWTH REAL ESTATE INVESTMENT TRUST	IMPACT	IMPACT Exhibition Management Co., Ltd.	RMI Co., Ltd.	22 Sep. 14	FH	20,635.08
28.	INET LEASEHOLD REAL ESTATE INVESTMENT TRUST	INETREIT	Internet Thailand PCL	INET REIT Management Company Limited	29 Jul. 21	LH	4,552.74
29.	BA AIRPORT LEASEHOLD REAL ESTATE INVESTMENT TRUST	BAREIT	Bangkok Airways Public Company Limited	Bangkok REIT Management Company Limited	5 Sep. 22	LH	14,838.83

*1：FH（freehold）は所有権、LH（leasehold）は賃借権
*2：2023年6月7日時点（単位：百万バーツ）

(2) Thai REIT のストラクチャー

　タイの REIT は、資本市場取引の信託に関する法律（Trust of Transactions in Capital Market Act, B.E. 2550（2007））に基づく信託型のスキームであり、日本の J-REIT のように REIT 自体が法人格を有する会社型のスキームとは異なり、REIT 自体は法人格を有しない。したがって、タイの REIT スキームでは、形式的には信託の受託者が資産保有主体となる。

　REIT は、委託者と受託者との間で信託証書を締結することによって成立する。REIT の信託証書の内容は、SEC の告示[3]（以下「信託証書告示」という）に従う必要がある。設立後、委託者が REIT マネジャーに就任し、法令および信託証書の内容に従い、REIT の管理運営を行う。

3）Notification of SEC No. SorRor.26/2555（2012）re: Provisions relating to Particulars, Terms and Conditions in a Trust Instrument of Real Estate Investment Trust.

REITの投資対象資産は、①投資対象不動産（所有権もしくは賃借権）、②投資対象不動産を保有する会社の株式、または、③投資対象不動産を保有する他の信託のいずれかである。②の場合、REITは、当該会社の株式数および議決権数の99％以上を保有するか、または、売主や賃貸人がREITマネジャーの「関係者」（下記脚注(4)参照）ではない場合、当該会社の株式数および議決権数の75％以上を保有する必要がある。さらに、その例外として、他の規制によりREITが当該会社の株式数および議決権数の99％または75％以上を保有することが制限されている場合、REITは、当該規制下において最大限可能な範囲で当該会社の株式数および議決権数を保有する必要がある。しかし、その比率が40％を下回ることは禁じられている[4]。（REIT告示12/2条）。また、上記③は2021年の法改正[5]により新たに認められた形態であるが、この場合、REITが当該他の信託に対して十分なコントロールを持つことを保証するために、一定のメカニズムを導入することが必要である[6]（REIT告示12/4条）。投資対象不動産の価値の総額は5億バーツ以上でなければならない（REIT告示12条(6)）。

また、REITは、エクイティおよびデットいずれの方法による資金調達も可能である。エクイティによる資金調達の場合、受益権を発行し、スポンサーやその他市場の一般投資家がその対価を払い込むことにより受益権を取得し、受益者となる。また、デットによる資金調達として、外部の金融機関

---

[4] 上記の75％の類型や例外的に下回ることが可能なケースは、2019年の改正により新たに認められたものである（Notification No. Tor Jor. 7/2562 re: Issuance and Offers for Sale regarding Units of REITs (no. 15)）。例外の一例としては、たとえば、タイのREITがフィリピンの不動産に対して上記②の形態で投資をする場合、現地の外資規制により99％や75％の比率を保有することは出来ないことから、この例外に該当し、現地規制上の最大限である40％を保有することにより投資を行うことは可能である。

[5] Notification No. Tor Jor. 28/2564 re: Issuance and Offers for Sale regarding Units of Real Estate Investment Trust (No. 19).

[6] かかるメカニズムとしては、たとえば、当該他の信託が重要な運営上の行為（たとえば、当該他の信託とその関係者との間における取引、事業内容の変更や停止、借入れの実行、不動産の取得・譲渡など）を行う前に、REITマネジャーの取締役会またはREITの受益者総会において、決議を経ることが必要である。

等からの借入れや債券（Bond）の発行を行うことも可能である。以上の内容をまとめたものが、下記図表９－２である。

【図表９－２】Thai REITのストラクチャー

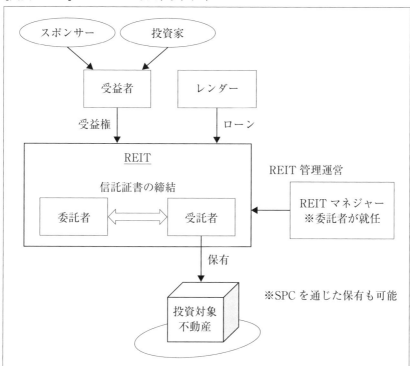

なお、タイのREITは、以前は、その受益権証券をタイ証券取引所（SET：Stock Exchange of Thailand）に上場しなければならず、私募の制度は認められていなかったが、2021年に私募REITの制度が導入された[7]（下記(4)参照）。上場をする場合には、SECの規則に基づき、受益権証券の保有者数

---

7) また、下記(4)②にて後述するとおり、私募REITの制度に加えて、資産の売主等による買戻し条件の付された資産のみを有するREITであり、かつ、機関投資家または富裕層投資家のみが受益者であるものは、SETに上場をする必要はないという制度も2021年に導入されている。

は250名以上を維持する必要があり（REIT告示25条(5)）、単一投資家による保有割合が50%を超えることはできない（REIT告示27条）。また、SETの規則に従い、全体の15%以上が浮動口となるよう販売されなければならない。受益権証券の最低募集金額も定められており、5億バーツ以上である必要がある（REIT告示10条(1)(c)）。

(3) Thai REITに関する主要な規制

① 投資に関する規制

(i) 投資対象資産の制限

Thai REITは、その収入を賃料という形で得る必要がある（REIT告示10条(3)(a)）。そして、賃料の形で収入を得ることのできる不動産であれば、いかなる種類の不動産に対しても投資をすることができる。上記のとおり、タイ国内に留まらず、タイ国外の不動産に対しても投資をすることも可能である。そして、REITの資本および負債の総額の75%以上は、すでに完成し賃料収入を生むことが可能な不動産である必要がある。当該規制の裏返しとして、開発中の不動産の価額は、10%までに制限されている（REIT告示12条(4)）。

(ii) オペレーショナルアセット

上記のとおり、Thai REITは、その収入を賃料という形で得る必要があり、自ら事業を主体的に行うことはできない。したがって、投資対象不動産のアセットタイプのうち、ホテルや病院などの事業性の不動産については、受託者から第三者（SPC等）に対して当該不動産を賃貸したうえで、当該第三者の下で当該事業に関するライセンスを取得して事業を運営し、REITは当該第三者からの賃料という形で収入を得るスキームとする必要があるため留意が必要である。なお、賃借人の変更または新規賃借人を探索する手続・活動を行っている間、REITは一時的に当該事業を自ら運営することが許されている[8]（REIT告示10条(3)(a)）。

そして、そのようなスキームにおいては、当該第三者からの賃料につい

て、固定賃料に加えて、当該事業の結果により変動する賃料を設けることも可能であるが、予め設立趣意書・目論見書（Registration Statement / Prospectus）、年次報告書（Annual Report）において公示する必要がある。なお、以前は、当該変動賃料の額は最大でも固定賃料部分の 50％ までに制限されていたが、現在は、その制限は撤廃されている[9]（REIT 告示 10 条(3)(b)）。

② 利害関係人取引に関する規制

REIT が、REIT マネジャーまたはその「関係者」[10]との間で取引を行う場合、以下の手続を経る必要がある（REIT 告示 19 条(2)）。なお、以下の各手続は重畳的であり、たとえば、下記(iii)の条件に該当する場合には、(i)、(ii)および(iii)すべての手続の履践が必要となる。

(i) 当該取引が信託証書および法令に違反していないことについての受託者の確認

(ii) 当該取引の価額が 100 万バーツ超である場合（または、REIT の純資産額の 0.03％ のほうが大きい場合には当該金額以上の場合）、REIT マネジャーの取締役会決議による承認

(iii) 当該取引の価額が 2,000 万バーツ以上である場合（または、REIT の純資産額の 3％ のほうが大きい場合には当該金額を超える場合）、REIT の受益者総会における特別決議（75％ 以上）による承認

---

[8] これは、コロナ禍の 2021 年に新たに認められた措置である（Announcement of the Capital Market Supervisory Board No. TorJor. 3/2564 re: Issuance and Offers for Sale regarding Units of Real Estate Investment Trust (No. 18) 等）。

[9] コロナ禍において、特にホテル REIT の運営状況が悪化し、固定賃料では対応が難しくなったホテルオペレーターが多く出てきたことから、それに対応する措置として 2021 年に規制が緩和されたものである（Announcement of the Capital Market Supervisory Board No. TorJor. 39/2564 re: Issuance and Offers for Sale regarding Units of Real Estate Investment Trust（No. 20））。

[10] 当該「関係者」の定義は、資本市場監視委員会の通達（Notification of Capital Market Supervisory Board No. TorChor. 21/2551 re: Rules on Connected Transactions および Notification of the Board of Governors of the SET re: Disclosure of Information and Other Acts of Listed Companies concerning the Connected Transactions B.E. 2546（2003）（Bor.Jor./Por.22-01））により詳細に定められている。

なお、あるREITのスポンサーが、一定の受益権を保有しつつ、REITマネジャーに対する過半数の出資を行うことやREITの保有不動産についての不動産管理（Property Management）を受託することについては特段の制約はなく、可能とされている。

③ その他の規制──LTV規制・配当規制

Thai REITにはいわゆるLTV（Loan To Value）規制が課され、デットによる借入等の額は、原則として、保有する資産の総額の35％までに制限される（REIT告示14条1項(1)）。ただし、一定の格付を取得した場合、当該制限が60％まで緩和される（同条1項(2)）。

また、Thai REITの配当に関しては、REITマネジャーは、配当可能利益の90％以上を受益者に対して配当しなければならないとされている（信託証書告示21条(1)）。

(4) Thai REITに関して近時導入された新たな制度

① 買戻し条件の付された資産のみを有するREIT

コロナ禍において、複数の不動産事業者が困難な状況に直面する状態が続いたことから、SECは、それをサポートするため、2021年に新たな告示[11]を制定し、資産の売主等による買戻し条件の付された資産のみを有するREITに関する特例を導入した。この特例は、REITへ資産処分した売主や賃貸人が、(i)その資産を買い戻す義務がある場合、または、(ii)その資産を買い戻す権利を有している場合の2種類に分かれている。そして、いずれの場合においても、そのREITの受益者が機関投資家または富裕層投資家のみである場合、SETへの上場は不要である。

---

11) Announcement of the Capital Market Supervisory Board No. TorJor. 43/2564 re: Issuance and Offers for Sale regarding Units of Real Estate Investment Trust（No. 21）およびAnnouncement of the Capital Market Supervisory Board No. TorJor. 47/2564 re: Issuance and Offers for Sale regarding Units of Real Estate Investment Trust（No. 22）.

② 私募REIT

上記のとおり、タイのREITについて、従前は私募の制度は認められていなかったが、2021年6月16日、SECは新たな告示[12]を制定し、それによりタイにおいても私募REIT制度が導入されるに至った。

上場REIT制度との主な差異は下記の図表9-3のとおりである。

上記の「機関投資家」については、SECの告示において詳細な定義が設けられているが、たとえば銀行、証券会社その他の金融機関等（機関投資家として列挙されている類型と類似の性質を有する外国法人を含む）は含まれる一方、一般の事業会社等は含まれていない点には留意が必要である。

【図表9-3】上場REITと私募REITの差異

	上場REIT	私募REIT
受益者の範囲	制限なし	(a)「機関投資家」 (b) REITマネジャーとその「関係者」
受益者数	250名以上	2名以上
受益権の譲渡制限	なし	相続の場合を除き、上記「受益者の範囲」に記載の者以外への譲渡不可
設立趣意書・目論見書	原則として、SECの受領後45営業日後発効	SECの受領後1営業日後に発効
投資対象不動産の価値総額	5億バーツ以上	下限なし
LTV (Loan to Value) 規制	原則として35%以内（一定の格付を取得すれば60%まで可）	特段の規制なし

(5) 外国投資家によるThai REIT事業への投資形態

外国投資家によるThai REIT事業への投資ないし参画形態としては、大き

---

[12] Notification No. Tor Jor. 43/2564 re: Issuance and Offers for Sale regarding Units of Real Estate Investment Trust (No. 21).

くは、① Thai REIT の受益権を取得することにより、Thai REIT を通じたアセットへの投資、および、② REIT マネジャーの株式を取得することにより、Thai REIT の管理運営ビジネスへの参入、の２つの形態が考えられる。以下、それぞれの投資形態の留意点について、特に外資規制の観点から簡単に説明する。

　①　REITの受益権の保有――土地法上の外資規制

　まず、外国人や外国法人などが Thai REIT の受益権を取得することについて、特段の一般的な制約は課されておらず、原則として、特に制約なく取得することができる。

　しかし、留意を要する点として、土地の所有権に関する外資規制が、REIT に対しても適用されることが挙げられる。すなわち、ある REIT が、その投資対象資産として土地の所有権を含む場合、タイの土地法上の外資規制が、当該 REIT の受託者による土地所有に適用される結果、外国人による REIT の受益権証券の保有にも及ぶことになる。

　そのため、土地法上の「外国人」に該当する者は、受益権の総数の49％超を取得することができず、かつ、受益権保有者の頭数で外国人が半数以上となることもできない点に留意が必要である。

　②　REIT マネジャーへの出資――外国人事業法上の外資規制

　外国法人や外国法人が過半を出資するタイ法人が、REIT マネジャーに対して出資をすることも可能である。

　しかし、REIT マネジャーへの出資に関しては、タイの外国人事業法上の外資規制に留意が必要である。すなわち、REIT マネジャーの行う REIT の管理運営という事業は、外国人事業法上、同法の適用のある「その他サービス業」に該当する。したがって、外国人事業法に基づき、REIT マネジャーが同法上の「外国人」に該当する場合、外国人事業許可（FBL）を取得しない限り、当該事業を行うことが禁止される。

　そして、上記のとおり、一般的に、外国人事業許可の取得は実務上困難な

2 インフラファンド

場合が多いと言われている[13]。また、REITマネジャーという業種は、上記で触れたホテル業とは異なり、BOI投資奨励対象事業リストには含まれていない。そのため、外国人事業法の適用を回避するためには、外国法人等によるREITマネジャーの株式保有割合を50%未満にする必要がある。

2 インフラファンド

(1) インフラファンドの概要

タイにおいても、インフラ資産を裏付け資産として上場証券を発行する仕組みが制度化されており、その仕組みの1つがインフラファンド（IFF：Infrastructure Fund）である。その法律上の根拠は、証券取引法に基づくミューチュアル・ファンド制度であり、タイ証券取引委員会が、証券取引法の規定に基づきミューチュアル・ファンドの一形態としてインフラファンドに関する各種告示[14]を発行している。そして、本稿執筆時点までに、すでに8つのインフラファンド（下記図表9-4参照）がタイ証券取引所に上場されている。

なお、もう1つ、インフラ資産を保有するための異なるエンティティとしてインフラトラスト（Infrastructure Trust）という制度が存在しているが、本稿執筆時点までに、タイにおいてインフラトラストが設立された実例はない。これは、インフラファンドにおいては、個人投資家への配当について当該インフラファンドの設立から10年間の配当課税免除が認められているのに対して、インフラトラストにおいては、そのような税務恩典が認められていな

---

13) なお、図表9-1に記載のREITのうち、SHREITのREITマネジャーは、シンガポール系の会社により過半数の株式を保有されており、外国人事業法上の「外国人」に該当することから、外国人事業許可を取得している実例と考えられる。

14) たとえば、インフラファンドの設立および運営に関する規則として、Notification of the Capital Market Supervisory Board No. Tor Nor. 38/2562 (2019) Re: Rules, Conditions and Procedures for Establishment and Management of Infrastructure Funds（以下「IFF設立運営告示」という）がある。

第9章 REIT・インフラファンド

【図表9-4】タイのインフラファンド

	IFFの名称	略称	スポンサー*	マネジメント会社	設立日	主要投資対象
1.	Khonburi Sugar Power Plant Infrastructure Fund	KBSPIF	Khonburi Power Plant Co., Ltd.	KRUNG THAI ASSET MANAGEMENT PUBLIC COMPANY LIMITED	18 Aug. 20	小型発電所（SSP）から生ずる将来収益受領権
2.	Super Energy Power Plant Infrastructure Fund	SUPEREIF	Super Energy Corporation Public Co., Ltd.	BBL ASSET MANAGEMENT COMPANY LIMITED	7 Aug. 19	太陽光発電運営から生ずる将来収益受領権
3.	Buriram Sugar Group Power Plant Infrastruture Fund	BRRGIF	Buriram Sugar Public Co., Ltd.	BBL ASSET MANAGEMENT COMPANY LIMITED	1 Aug. 17	Buriram Energy Co., Ltd. や Buriram Power Co., Ltd. その他のスポンサー子会社との間の Net Revenue Purchase And Transfer Agreement 上の権利（将来収益受領権）
4.	Thailand Future Fund	TFFIF	Ministry of Finance	MFC ASSET MANAGEMENT PUBLIC COMPANY LIMITED	24 Nov. 16	高速道路の通行料から生ずる収益の一部を受領する権利
5.	North Bangkok Power Plant Block 1 Infrastructure Fund, Electricity Generating Authority of Thailand	EGATIF	Electricity Generating Authority of Thailand	KRUNG THAI ASSET MANAGEMENT PUBLIC COMPANY LIMITED	6 Jul. 15	EGAT 保有・運営に係る北バンコク発電所ブロック1（発電容量670MW）の20年間の将来収入
6.	Jasmine Broadband Internet Infrastructure Fund	JASIF	Jasmine International Public co., Ltd.	BBL ASSET MANAGEMENT COMPANY LIMITED	10 Feb. 15	光ファイバーネットワーク所有権
7.	Digital Telecommunications Infrastructure Fund	DIF	TRUE Corporation Public Co., Ltd.	SCB ASSET MANAGEMENT COMPANY LIMITED	23 Dec. 13	テレコミュニケーションタワー、光ファイバーケーブル系統その他の関連伝送設備の賃料収入受領権
8.	BTS Rail Mass Transit Growth Infrastructure Fund	BTSGIF	BTS Group Holding Public Co., Ltd.	BBL ASSET MANAGEMENT COMPANY LIMITED	17 Apr. 13	BTSスカイトレインシステムの中核部の運営から生ずる将来の純運賃収入

＊ここでの「スポンサー」は、インフラファンドの主要投資主となっているエンティティを記載している。

いことが大きく影響しているものと考えられる。

以下では、利用実績のあるインフラファンドの仕組み・概要を説明する。

(2) インフラファンドのストラクチャー

インフラファンドの法的性質は、証券取引法において法人としての権能を付与された「ミューチュアル・ファンド」であり、これはPFPOと同種のエンティティである。ミューチュアル・ファンドにおいては、証券会社である

マネジメント会社が当該ファンドのミューチュアル・ファンド・プロジェクトに従い、ファンドの運営を行う責任を負う（証券取引法 124 条 2 項）。また、ファンド監督者の設置が義務付けられており、ファンド監督者は、マネジメント会社によるファンド運営を監督するとともに、ミューチュアル・ファンドの資産の預託を受けて他の財産から分離し、ミューチュアル・ファンド・プロジェクトに則った処分が行われることを確保する責任等を負う（同法 127 条）。なお、ファンド監督者は、所定の資格要件を充足する商業銀行または金融機関でなければならない（同法 121 条 1 項）。

インフラファンドは、マネジメント会社が、インフラファンドの設立申請書類を証券取引員会に提出し承認を得て設立され、証券取引委員会の設立承認後、インフラファンドが発行する投資口の募集が行われる。インフラファンドの設立申請書類には、「投資主・マネジメント会社間コミットメント」のドラフトが含まれるが、この「投資主・マネジメント会社間コミットメント」が、インフラファンド、マネジメント会社、インフラファンドの投資口を取得する投資主、ファンド監督者のすべてが拘束されるインフラファンドの基本規程であり、いわば、会社における定款や日本の投資法人における規約に相当する規程として機能する。

前記のとおり、インフラファンドには法人としての権能が与えられているが、会社における取締役のような機関は存在せず、原則としてマネジメント会社によって指名された個人であるファンドマネジャーがインフラファンドの投資意思決定を行う（IFF 設立運営告示 60 条および 61 条）。ただし、投資主・マネジメント会社間コミットメントに定められた重要事項については、投資主総会の決議を経ることを要する。また、SEC の定める告示に従い、インフラファンドが外部の金融機関等から借入れを行うことも可能である。

インフラファンドの関係者相互の関係概要を図示すると、下記**図表 9 − 5**のようになる。

【図表9－5】インフラファンドのストラクチャー

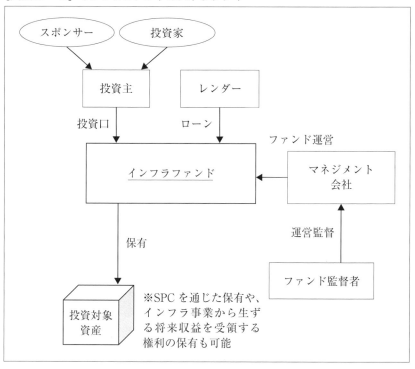

(3) インフラファンドの主要な規制

① 投資に関する規制

インフラファンドの主要投資資産は、タイの公共共通の利益のために運営される「インフラ事業」における「インフラ資産」である必要がある（IFF設立運営告示11条(5)）。

「インフラ事業」とは、鉄道輸送・パイプライン輸送、電気、水道、道路・有料道路、空港、港湾、電気通信・情報コミュニケーション技術インフラ、代替エネルギー、水管理・灌漑システム、天災予防システム、廃棄物処理、およびこれらの事業を複合したマルチインフラ事業をいう（IFF設立運営告示5条）。

また、「インフラ資産」とは、(i)土地、建物、その他の建築物、機械、設備等に関する所有権、占有権または賃借権、(ii)インフラ事業のコンセッション上の権利（公共設備の運営権）に加えて、(iii)インフラ事業から生ずる将来収益を受領する権利またはそれらの収益に関する収益分与契約上の権利、(iv)インフラ事業によって製造または供給される機械設備の売買・設置契約、建築請負契約、製品・サービス供給契約上の権利や、(v)これらの資産を主要資産（総資産の75％以上）または主要収益源（総収入の75％以上がインフラ資産由来）とする会社の株式なども含まれる（IFF設立運営告示4条）。

　そのため、インフラファンドがインフラ事業に供される現物資産を直接保有する形態のみならず、インフラファンドが事業から生ずる将来収益を受領する権利を保有する形態や、インフラ事業を行う会社の株式を保有する形態も認められる。なお、株式保有の場合は、インフラファンドが発行済総株式の75％超および総議決権の75％超を保有する必要がある。

　また、インフラファンドの資産総額は最低20億バーツ以上なければならず、かつ、発電事業とマルチインフラ事業の場合を除き、その投資対象インフラ資産は15億バーツ以上の価値を有する必要がある。発電事業の場合は、投資対象インフラ資産のプロジェクトごとの最低金額要件はなく、また、マルチインフラ事業の場合は、その一部をなす各プロジェクトの価値が5億バーツ以上なければならない（IFF設立運営告示11条(3)）。

　なお、インフラファンドの投資資産は、「タイの公共共通の利益のために運用される」インフラ事業である必要があるため、インフラファンドの主要投資対象はタイ国内のインフラ事業に限られ、タイのインフラファンドがタイ国外のインフラ事業を主要投資対象とすることはできない[15]。

② グリーンフィールドプロジェクト／ブラウンフィールドプロジェクト

　インフラファンドにおいては、投資対象インフラ資産が商業収益を生じて

---

[15] 他方、インフラトラストの場合は、このような国内要件が定められていないため、インフラトラストがタイ国外のインフラ事業に投資することも制度上可能である。

いる資産か否かで、投資口発行の規模やタイミングに関する規制が区分されている。すでに建築が完了し商業収益を生じさせているインフラ事業をブラウンフィールドプロジェクトと呼び、それ以外のインフラ事業をグリーンフィールドプロジェクトと呼ぶが（IFF 設立運営告示 3 条）、グリーンフィールドプロジェクトの投資比率が高いインフラファンドは収益性のリスクが高いことから、より投資家を保護するための仕組みが採用されている。たとえば、グリーンフィールドプロジェクトの投資比率がインフラファンドの純資産の 30% 以下の場合は、当該インフラファンドの投資口は、投資主 500 人以上に引き受けさせ、投資口を上場させることができる。これに対して、グリーンフィールドプロジェクトへの投資比率がインフラファンドの純資産の 30% を超える場合は、1 人当たり 1,000 万バーツ以上の投資口を引き受ける大規模投資家のみ 35 人以上に投資口を引き受けさせなければならず、その時点で投資口を上場させることはできない。その後、グリーンフィールドプロジェクトの建築が完了し商業収益が生じたら、その完了から 3 年以内に投資口を上場させる必要がある（以上につき、IFF 設立運営告示 12 条(4)(b)、29 条(1)(2)）。

③ その他の規制——資本比率規制・配当規制等

インフラファンドの資本比率規制は REIT よりも緩く、デットによる借入等の額は、原則としてエクイティ総額の 3 倍までに制限されている（IFF による金銭借入等に関する SEC 告示[16] 5 条）。

配当に関しては REIT と同様で、配当可能利益の 90% 以上を受益者に対して配当しなければならないとされている（IFF 設立運営告示 100 条）。

この他、インフラファンドにも一定の利害関係人取引規制が設けられている。

---

[16] Notification of the Securities and Exchange Commission No. KorNor. 1/2554（2011）Re: Rules, Conditions and Procedure for Borrowing Money and Encumbering the Asset of Infrastructure Mutual Fund.

(4) 外国投資家によるインフラファンドへの投資

　外国投資家によるインフラファンド事業への投資ないし参画形態としては、REITと同様、①インフラファンドの投資口を取得することにより、インフラファンドを通じたアセットへの投資、および、②マネジメント会社の株式を取得することにより、インフラファンドの管理運営ビジネスへの参入、の2つの形態が考えられる。

　このうち、①外国人や外国法人などがインフラファンドの投資口を取得することそのものについて一般的制約はない。しかし、投資対象となっているインフラ事業に関して個別の特別法により外国投資家による投資制限の規制がある場合は、インフラファンドの投資口の保有についても当該特別法の投資制限規制が適用される。インフラファンドの投資対象が複数のインフラ事業にわたっている場合は、投資対象事業に適用される特別法上の外国人投資上限のうち最も低い比率が、そのインフラファンドの投資口の外国人投資上限となる（IFF設立運営告示49条）。

　また、②外国法人や外国法人が過半を出資するタイ法人が、マネジメント会社に対して出資をすることも可能である。ミューチュアル・ファンドのマネジメント業務は、商務省令[17]により外国人事業法上の「その他サービス業」から除外されているため、ミューチュアル・ファンドのマネジメント業務のみを行っている限りは、当該会社に外国人事業法の適用はない。したがって、インフラファンドのマネジメント業務のみを行う前提であれば、外資企業（たとえば、外国法人や外国法人が過半を出資するタイ法人）がマネジメント会社の株式の過半数以上を取得することも可能である。

---

[17] Ministerial Regulation Prescribing Service Businesses Not Subject To Application For Permission in Alien Business Operations, B.E. 2556 (2013).

Chapter 10
知的財産法

第10章

第10章　知的財産法

　タイは、多くの日本企業にとり、生産地および消費地としての重要性をますます増しており、知的財産権の保護についても重大な関心が寄せられている。

　タイ政府は、近年、知的財産権保護への取組みを強化しており、2015年に営業秘密保護法が改正され、2016年に商標法が全面改正されたほか、2018年および2022年には著作権法の一部が改正された。また、2019年以降特許法の改正案が複数回公表されている。

　また、日本をはじめとする諸外国との間でPatent Prosecution Highway（以下「PPH」という）等の特許審査に関する協定を締結し、また2017年には商標の国際出願に関するマドリッドプロトコールに加盟するなど、商務省知的財産局（Department of Intellectual Property, Ministry of Commerce：DIP）での出願および審査実務の改革も進展を見せている。

　タイは、アジアで最初に知的財産権専門の裁判所を設立した。すなわち、1997年、中央知的財産および国際貿易裁判所（Central Intellectual Property and International Trade Court：CIPITC）が設立され、タイ全国での知的財産権に関する刑事および民事事件を専属的に管轄している。

　ただ、タイにおける知的財産制度の整備および保護は、まだまだ満足できるレベルになく、今後、さらなる強化が期待される。

　具体的には、従来から実店舗およびインターネット上での模倣品・海賊版の流通による商標権および著作権の侵害、第三者による商標の冒認（不正取得）等が問題視されており、これらの権利侵害は依然として深刻な状況にある。

　また知的財産権のエンフォースメントについても、実効性に疑問があり、まだまだ課題が多く、日米欧をはじめとする先進国は、これらを問題視し改善を求めてきた。

　たとえば、米国は、長年にわたり、タイを通商法301条（いわゆるスーパー301条）に基づく優先監視国（Priority Watch Listed Country）に指定していたが、2018年に監視国（Watch Listed Country）に引き下げた[1]。

そして近年、サプライチェーンのグローバル化の進展により、タイでの知財戦略を強化する必要性も増している。たとえば、タイで生産された部品が、中国等で製品に組み込まれ、消費国へ輸出されるといった事例において、特許権者は、タイ以外で特許を実施する者が自己の顧客であることも多いことから、実質上、タイのみでしか競業メーカーに対し権利行使の機会がない事例も増加しており、このような場合、タイでも特許権を取得しておかなければ、権利行使の機会を失うことになる。またタイに研究開発拠点を開設する企業の増加に伴い、職務発明・職務著作の取扱いについて問題となる機会やタイ企業との間で、技術ライセンス契約、共同開発契約を締結する機会が増加している。

このような状況も踏まえ、本章では、まず近時の商標法、著作権法、営業秘密保護法の改正、さらに特許法の改正動向を含む、知的財産制度全般について解説したうえで、実務上特に問題となることが多い、①冒認出願対策、②職務発明、職務著作の取扱い、③技術ライセンス契約および技術支援契約の締結上の留意点について簡潔に解説する。

1 知的財産制度の現状

(1) 法制度の制定状況

タイは、1989年、WIPO（World Intellectual Property Organization：世界知的所有権機関）に加盟し、またWTO（World Trade Organization：世界貿易機関）には1995年の発足と同時に加盟し、その附属書であるTRIPs協定（Agreement on Trade-Related Aspects of Intellectual Property Rights：知的所有権の貿易関連の側面に関する協定）のミニマムスタンダード（同協定1条）に基づき、知的財産権

---

1) The Office of the United States Trade Representative "2018 Special 301 Report" (https://ustr.gov/sites/default/files/files/Press/Reports/2018%20Special%20301.pdf)。2023年のレポートまで引き続き「監視国」に指定されている (https://ustr.gov/sites/default/files/2023-04/2023%20Special%20301%20Report.pdf)。

第10章　知的財産法

制度を整備してきた。

また、パリ条約には2008年、特許協力条約（Patent Cooperation Treaty：PCT）には2009年にそれぞれ加盟している。そして、2016年の改正商標法にはマドリッドプロトコールに対応した規定が整備され、2017年中に加盟が実現した。また、現在、改正準備中の特許法が施行された後に、意匠に関するハーグ条約への加盟が予定されている。

現在施行中のタイの知的財産法の概要は、以下**図表10－1**のとおりである。

【図表10－1】知的財産法の概要

法律	対象	登録	保護の要件	保護の対象（実施／使用行為）	権利期間
特許法 （1999年改正第3版） 改正予定あり	特許発明	要	・産業上の利用可能性 ・新規性 ・進歩性	物： 製造、使用、販売、販売のための所持、販売の申出、輸入 製造方法： 方法の使用、製品の製造方法により製造された製品の販売、販売のための所持、販売の申出、輸入	出願日から20年間
	実用新案		・産業上の利用可能性 ・新規性 （実体審査なし）		出願日から6年間（2年間の更新を2回可能、最長10年間）
	意匠		・工業・工芸上の利用可能性 ・新規性		出願日から10年間
商標法 （2016年改正第3版）	商標、役務商標、証明標章、団体標章	要	・識別性を欠くなど一定の禁止事由に該当しないこと ・同一または類似商品／	指定商品／役務と同一または類似する商品／役務での同一／類似標章の使用	登録日（原則として出願日が登録日となる）から10年間（10年間ずつ更新可能）

224

1　知的財産制度の現状

				役務で先願の商標に同一または類似でないこと		
著作権法（2022年改正第4版）	著作物（文学、コンピュータプログラム、演劇、美術、応用美術、音楽、視聴覚、映画、録音、実演、音およびビデオ放送）	不要（登録は任意）	・創作	・複製 ・改変 ・公衆への伝達 ・原本および複製物の貸与（視聴覚、映画、録音著作物のみ）	・原則として、創作日から創作者の死後50年間 ・法人著作については公表後50年間
営業秘密保護法（2015年改正第2版）	営業情報	不要（登録は任意）	・非公知性 ・有用性 ・秘密管理性	・開示 ・持出し ・使用	左記要件を満たす限り無期限
集積回路の回線配置保護法	回路配置またはその組合せ	要	・独自創作性 ・ありふれていないこと	・回路の製造 ・販売 ・輸入	出願日および実施開始日から10年間
地理的表示法	地理的表示	要	・対象商品の一般名称でないこと	・使用	期限なし
種苗法	植物新品種、地域固有植物品種、地域一般植物品種、野生植物品種	要	・区別性 ・均一性 ・安定性	・生産 ・販売 ・輸入 ・これらのための所持	登録証発行から12年間、17年間、または27年間

第 10 章　知的財産法

(2)　知的財産権の出願の状況

　タイにおける過去 10 年間の主要な知的財産権の出願の推移は、以下の**図表 10 − 2** のとおりである。

　図表 10 − 2 から明らかなとおり、商標出願は、過去 10 年の間に、約 4 万件から 5 万件前後で推移しているほか、その他の権利についてはおおむね数千件程度で比較的安定して推移している。この数値は、タイの経済規模や発展状況に比較すれば、まだまだ少ないという意見が多い。その一端として指摘されているのは、審査の遅延とエンフォースメントの脆弱性である。

　また特許審査については、2009 年に PCT に加盟したほか、2014 年 1 月 1 日より、日本特許庁と DIP との間で、PPH が試行されている。これにより、日本で特許査定がなされたものと同一内容のタイ出願について、出願人の申請により、タイにおいて簡易な手続で早期審査を申請することが可能となっている[2]。通常の特許出願の審査には、2 年から 3 年以上の期間がかかっているところ、事案にもよるが 6 か月程度で審査結果が得られるようになっている。

---

[2]　特許庁「日タイ特許審査ハイウェイ試行プログラムについて」（2022 年 1 月 11 日）（https://www.jpo.go.jp/system/patent/shinsa/soki/pph/japan_thailand_highway.html）参照。

1　知的財産制度の現状

【図表10－2】過去10年間の主要な知的財産権の出願の推移

(年・件)

	特　許	実用新案	意　匠	商　標
2012	6,746	1,486	3,481	44,963
2013	7,404	1,609	3,802	46,097
2014	7,930	1,746	4,077	45,661
2015	8,167	2,164	4,461	52,344
2016	7,820	2,571	4,857	51,613
2017	7,865	2,517	5,122	42,990
2018	8,149	2,969	5,469	54,131
2019	8,172	3,310	5,293	47,420
2020	7,525	3,455	5,818	45,853
2021	8,242	3,762	5,687	45,106

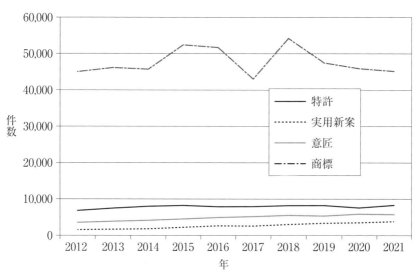

※WIPOデータベースに基づき筆者が作成

2 主要な知的財産法の概要

(1) 商 標 法

① 根 拠 法

現行の商標法である商標法（第3版、B.E.2559（2016））は、2016年4月29日に公告され、同年7月28日から施行されている。

商標法（第3版）での主な改正点は以下のとおりである。

- 音の商標の保護（4条の改正）
- 多区分指定出願の可能化（9条の改正）
- 連合商標制度の廃止（第2版商標法14条、50条の削除、経過規定35条）
- DIPのオフィスアクションへの回答期限の短縮（90日間から60日間への短縮）（15条2項、18条、21条、27条2項、31条1項、35条、36条2項・4項、37条2項、40条2項、52条の1第1項、60条2項、69条3項および74条2項の改正）
- 更新手続の猶予期間の新設（60日間）（55条の改正）
- マドリッドプロトコールへの調和のための規定の新設（79条の1～79条の15の新設）

② 保護の客体

商標法において、「標章」とは、肖像、図案、図形、ブランド、名称、語、句、文字、数字、署名、色彩、形もしくは物の配置、音、これらの組合せまたはこれらの結合を意味すると定義されている（商標法4条）。いわゆる新しいタイプの商標のうち、「音」は保護されているが、「匂い」は保護されていない。

また、「商標」とは、その商標権者の標章を使用する商品が他人の商標を使用する商品と異なることを表すために、標識として使用するもしくは使用

を意図する、または商品に関連する標章をいうと定義されており、「サービスマーク」とは、そのサービスマークの所有者のサービスが他人のサービスマークを有するサービスと異なることを示す目的でサービスに関連して使用する、または使用を意図する標章を意味すると定義されている（商標法 4 条）。

その他、証明商標[3]および団体商標[4]が保護されている（商標法 4 条）。

なお、DIP は、2005 年 8 月 1 日より著名商標登録制度を運用していたが、2010 年から審査および新規の登録申請の受理も停止され、2015 年 9 月 9 日、制度の廃止が公示された。すでに認定登録されている著名商標（75 件）は引き続き有効であり、これと同一の標章、または商品の所有者もしくは出所に関して公衆を混同させるおそれのある商標に類似する標章は商標登録できない（商標法 8 条 10 号）。

③ 商標要件

商標として保護されるための要件は以下のとおりである（商標法 6 条）。

(i)　「識別性」のある商標
(ii)　本法に基づき禁止されていない商標
(iii)　他人が登録した商標と同一または類似でない商標

(i)の「識別性」のある商標とは、公衆または商品の消費者にその商標を有する商品を他人の商品と異なると認識させることができる商標であるものとされており、商品の一般名称でないこと、商品の性質または品質について直接言及するものではないこと等の条件を満たす必要がある（商標法 7 条 1 項各号）。ただし、商標が、大臣の告示による規則に従って広範に販売または

---

[3]「証明標章」とは、商品の出所、成分、製造方法、品質または他の特徴、またはサービスの性質、品質、種類または他の特徴を証明する目的で、他人の商品またはサービスに関して使用されることにその所有者が同意した標章を意味すると定義される（商標法 4 条）。
[4]「団体標章」とは、同じグループの会社または企業、または協会、社団、共同組合、連盟または同盟、個人の集まり、または他の民間または政府団体が使用する、または使用を意図する商標またはサービスマークを意味する（商標法 4 条）。

広告した商品に関して商標として使用され、その規則を遵守している証拠がある場合は、その商標は識別性があるとみなされており（同条2項）、周知性を獲得した製品については例外的に識別性を獲得するものとされている。

(ii)の登録が禁止されている商標は、商標法8条各号に列挙されており、国家、国王、王室、地方自治体、外国および国際機関に関する商標、公序良俗に反する商標、登録の有無にかかわらず、大臣が告示する規則に従って一般に普及する著名な標章と同一の標章、または公衆が商品の所有者もしくは原産地について誤認もしくは混同するおそれのある程に類似する標章等である。

(iii)の他人が登録した商標と同一または類似でない商標については、先願主義の原則を明らかにしたものであり、標章相互の同一または類似と、指定商品または指定役務の同一または類似を意味し、双方が審査される。

④　出願、審査

商標法（第2版）までは、1区分ごとに出願する必要があったが、2016年の商標法（第3版）により、多区分指定出願が可能となった（商標法9条）。

タイは、商標の分類に関するニース協定には、未加盟であるが、従来から実務上国際商標分類が用いられており、2013年3月1日以降ニース協定に基づく国際分類第10版が採用されている。

審査官は、審査の結果、登録の要件を満たしていると判断された商標については出願公告を命じる（商標法29条）。一方、補正の必要のある出願に対しては、審査官は、補正を命じ、出願人に通知の受領日から60日以内に補正する機会を与え（同法15条）、商標要件を満たさない商標出願については、拒絶理由を通知する（日本の拒絶理由通知とは異なり、拒絶査定に相当する。同法16条）。また、同法6条に基づいて商標全体としては登録性（識別性）があるが、商品の種類または分類に関して通商上慣用で、排他権がないかまたは識別性がない部分を1つ以上含むと認めたとき、登録官は、出願人に、通知の受領日から60日以内に、当該部分の排他権を放棄すること等を求める

ことができる（ディスクレイマー制度、同法17条）。

　出願人は、商標法15条、16条および17条に基づく審査官の命令または通知に不服がある場合には、その受領日から60日以内に商標委員会に審判を請求することができる（商標法18条1項）。当該請求に関する商標委員会の決定は最終であり、さらに裁判所に取消しを求めることはできない（同項、すなわち、拒絶理由の通知を受けた場合、拒絶査定不服審判に相当する申立てが可能であるが、その決定に対する取消訴訟を裁判所に提起することは許されない）。当該請求に関する商標委員会の決定は、審査官および出願人を拘束する（同条2項および3項）。

　出願人が審査官の上記の各命令に従わない場合、当該商標出願は放棄したものとみなされる（商標法19条）。

　商標出願公告がなされ、商標異議の申立てがない場合、または異議申立てがなされた場合であっても異議を認めない商標委員会の決定が確定した場合には、審査官は、商標の登録を命ずる（商標法40条）。なお、商標異議、これに対する商標委員会の審判、これに対するCIPITCでの取消訴訟が継続している間、商標は登録されない。

⑤　商標異議

　いわゆる権利付与前の商標異議が認められている。

　出願公告された商標について、出願人より優先する権利を有していると考える者、商標要件（商標法6条）を欠くと考える者、または当該商標出願が商標法の規定に違反していると考える者は、何人も、公告の日から60日以内に異議理由を付して審査官に異議申立てを請求することができる（同法35条）。

　出願人は、異議申立書の写しを受領した日から60日以内に異議答弁書を登録官に提出しなければならない（商標法36条2項）。提出しない場合、当該商標出願は放棄したものとみなされる（同条3項）。

　異議申立てについて審議および決定を行うに当たり、審査官は、異議申立

人および出願人に追加の陳述書、説明書または証拠の提出を命じることができる（商標法36条4項）。

出願人または異議申立人は、審査官の異議決定に不服がある場合には、その受領日から60日以内に商標委員会に取消審判を請求することができる（商標法37条2項）。

商標委員会の決定に不服がある場合、出願人または異議申立人は、決定の受領日より90日以内にCIPITCにその取消しを求める訴訟を提起することができる（商標法38条2項）。

⑥ 存続期間

商標権は、登録により発生し、登録後10年間が経過する日まで効力を有する（商標法53条）。商標が登録される場合、出願日に登録されたものとみなされるので（同法42条1文）、最初の存続期間は、出願後10年となる（他の多くの国のように登録後10年でない点に注意が必要である）。なお、パリ条約に基づく優先権出願（同法28条）または国際条約等に基づく優先権出願（同法28条の2）の場合には、優先日でなく、タイにおける出願日が商標の登録日とみなされる（同法42条2文）。

また、マドリッドプロトコールに基づく出願の場合、国際登録出願をした日が登録日とみなされる。ただし、国際事務局が省令で定める期間を経過した後に出願を受理した場合、国際事務局が国際出願を受理した日が登録日とみなされる（商標法79条の7）。

商標権者は、存続期間の満了の3か月前から更新の申請を行うことができ、10年間更新することができる（商標法53条および54条）。

⑦ 効　力

商標権者は、指定商品および指定役務においてその商標の独占使用権を有する（商標法44条）。

商標権者は、商標法44条に基づき、商標権侵害が行われた場合に、差止

請求権および損害賠償請求権を行使できる民事上の権利を有する。

⑧ ライセンス

　商標権者は、指定商品および役務の一部または全部について、他人にライセンスすることができる（商標法68条1項）。商標ライセンス契約は書面で行われる必要があり、かつDIPにおいて登録する必要がある（同条2項）。その際、(i)商標権者が、ライセンシーによって製造される商品の品質を実際に管理するために商標権者とライセンシーとの間で交わされた契約条件および(ii)使用許諾の対象製品を明らかにする必要がある（同条3項）。このライセンス登録を欠く場合、当該ライセンス契約が、民事上無効と判断される可能性があるため注意が必要である。

⑨ 刑事罰

　現状、タイにおいては、商標権のエンフォースメントの多くが、刑事罰の発動という形でなされている。

　商標に関する手続において登録官または商標委員会に偽造書類を提出する行為（商標法107条）、登録商標の偽造行為（同法108条）、登録商標を需要者に誤認混同させる目的で模倣する行為（同法109条）、登録商標を表示した他人の（すなわち真正品の）パッケージまたは容器を、当該他人のまたは使用許諾を受けている商品であると需要者に誤認させる目的で、自らまたは他人の商品に使用する行為（同法109条の1）等に刑事罰が科される。

　法人も刑事処罰の対応となる。商標法違反で処罰を受ける者が法人である場合、その犯した違反が、その法人の取締役、管理職または経営責任者としての職務上要求される命令、行為、命令の留保または不作為により発生した場合は、かかる取締役、管理職または経営責任者もまた当該違反について定められた処罰に服するものとされている（両罰規定、商標法114条）。違反者が刑の執行後5年以内に商標法違反の罪を再犯した場合、2倍の刑を科するものとされている（重犯処罰、同法113条）。

商標法に違反して頒布のために輸入されまたは頒布のために所持される製品は、特定の者が有罪判決を受けるか否かにかかわらず、没収される（商標法 115 条）。

商標法 108 条、109 条または 110 条に規定した行為をある者が行っているかまたは行おうとしている明白な証拠がある場合、その商標、サービスマーク、証明標章または団体標章の権利者は、裁判所にその行為の中止または留保を請求することができる（刑事裁判による差止命令、商標法 116 条）。

なお、上記のほか、誤認混同を目的として、他人の登録商標を模倣した者は、たとえそれがタイ国内外で登録された商標であっても刑事罰が科される（刑法 274 条）。その他、刑法 271 条および 272 条にも表示および商標に関する刑事罰が規定されている[5]。

⑩ 商標権の無効、取消し

商標がいったん登録された場合であっても、一定の取消事由が存在する場合、DIP の商標委員会の決定または裁判所の判決により登録が取り消される（商標法 61 条～67 条）

商標の主な取消事由、申立権者（申立先）は、**図表 10－3** のとおりである。

商標委員会が、商標法 61 条、62 条または 63 条に基づく、商標取消申請を受けた場合、商標委員会は、商標権者および使用許諾権者がいれば当該使用許諾権者に、通知受領から 60 日以内に回答を提出するよう書面で通知する（商標法 64 条）。

商標委員会の審理には、通常 1 年半から 2 年程度の期間を要しており、商

---

[5] 具体的には、商品の出所、性質、品質もしくは質量に関して買い手を騙す意図で、不正にもしくは詐欺的なあらゆる方法を使って、商品を販売する行為（刑法 271 条）、および一般の人々に対して他人の商品もしくはサービスであると信じさせることを目的として、他人のサービスに使用されている名前、写真、絵、あるいはその他の内容を使用したり、もしくは商品、包装、包装に使用する物に表示したり、内容を記載したり、価格を表示したり、もしくはサービスに関する手紙もしくはその他の物に表示する行為（同法 272(1)条）等である。

標登録を取り消すか否かの決定は、請求人、商標権者（および使用許諾権者）に、遅滞なく通知される。

請求人、商標権者（または使用許諾権者）は、商標委員会の決定に不服が

【図表10－3】主な取消事由、申立権者

取消事由 （根拠条文）	申立権者	申立先、 判断権者	内　容
商標要件違反 （61条※）	利害関係人、登録官	商標委員会	識別性がない場合（7条違反）
			不登録事由に該当する場合（8条違反）
			他人の先願と同一である場合（7条違反）
			他人の先願との誤認混同を生じさせる程度に類似している場合（7条違反）
公序良俗違反 （62条）	何人	商標委員会	公序良俗に反する場合（8条9号違反）
不使用 （63条）	利害関係人、登録官	商標委員会	3年間に善意による商標の使用がなかった場合。ただし、商標権者が商標の不使用が通商上の特別な事情によるものであり、商標を使用しないまたは放棄する意図によるものではないことを証明すれば取り消されない。
一般名称化 （66条）	利害関係人、登録官	裁判所 （CIPITC）	商標が、特定の商品または分類に関して通商上慣用となり、業界または公衆にとって商標としての性格を失った場合
優先する権利の存在 （67条）	利害関係人 （商標登録の決定の日から5年以内に限る）	裁判所 （CIPITC）	商標権者よりも当該商標に関して優先する権利を有している場合

※条文はすべて商標法。

ある場合には、決定の送達を受けた日から90日以内に、裁判所（CIPITC）に当該決定の取消しを求めて提訴することができる。この期間内に提訴がなかった場合には、商標委員会の決定が確定する（商標法65条）。

商標委員会の決定の取消訴訟は、CIPITCが専属的に管轄しており、同裁判所の判決に対しては、専門控訴裁判所に控訴できる。そして、同裁判所の判決に対しては、さらに最高裁判所に上訴できる（三審制）。

商標法66条および67条に基づく商標の取消訴訟は、商標委員会の審理を経ず最初からCIPITCが専属的に管轄する。この訴訟の性質は、民事訴訟であり、商標取消訴訟の審理には通常1年半から2年程度の期間を要している。

商標法67条1項は、「40条に基づく登録官の商標登録の決定の日から5年以内に、利害関係人は、所有者として登録されている者よりも当該商標に関して優先する権利を有していることを証明できるときは、裁判所に当該商標登録の取消しを請求することができる」旨定める。

ここで「優先する権利」とは何を意味するのかが問題となるが、当該冒認商標のタイにおける出願日前からたとえタイの国外であっても当該商標を使用しており、タイ国外で商標として登録されており、これが周知・著名であったことを証明した場合には、冒認出願者は、悪意（bad faith）で出願したものと認められて、当該商標につき冒認出願者に優先する権利を有すると解釈されている。

なお、商標の冒認出願対策に関する実務上の問題点については、後記4(1)で扱う。

(2) 特　　許

① 根 拠 法

特許法は、特許、実用新案（小特許）、意匠について規定する（便宜上、本項で特許について比較的詳細に説明し、次項で実用新案、次々項で意匠について特許との相違点を中心に簡単に説明する）。

現行特許法は、1979（B.E.2522）年に施行され、1992（B.E.2535）年および1999（B.E.2542）年に改正されたものであり、最終改正法は、1999年9月27日に施行された。

なお、現在、特許法の改正作業が行われている。特許法の改正内容には、審理の迅速化、実用新案権制度の改革、強制実施許諾制度の強化、意匠に関するハーグ条約への加盟に対応した条項の追加等が盛り込まれる予定である。

② 保護の客体

保護客体は、発明である。発明とは、新しい製品もしくは製法を生み出す技術革新もしくは発明、または既知の製品もしくは製法の改良をいい、ここにいう製法とは、製品を製造し、製品の品質を維持または改良する方法、技法または工程をいい、その製法の応用を含むとそれぞれ定義されている（特許法3条）。

③ 特許要件

特許要件は、新規性、進歩性、産業上の利用可能性、および特許することが許されない発明に該当しないこと、である（特許法5条）。

新規性は、以下を除いて認められる（新規性喪失事由、特許法6条1項各号）。

(i) 特許出願日前に、タイ国内で公然実施された発明
(ii) 特許出願日前に、タイ国内外で文書もしくは印刷物に記載されていたか、または展示その他の方法で一般に開示されていた発明
(iii) 特許出願日前に、タイ国内外で特許または実用新案の付与を受けていた発明
(iv) 特許出願日の18か月より前に外国で特許または実用新案が出願されたが、特許または実用新案が付与されなかった発明
(v) 特許出願日前に、タイ国内外で特許または実用新案が出願され、かつ公開された発明

特許法6条1項1号の公然実施がタイ国内での実施に限定されている点に注意が必要である（現在審議中の特許法改正案では、同号の公然実施が、海外での実施も含むよう改正することが提案されている）。その他は、日本の新規性喪失事由とほぼ同等の内容として理解してよい。

上記の新規性喪失事由の例外事由として、特許出願日前の12か月間に行われた、発明の内容が非合法に取得されて行われた開示、または発明者が国際博覧会もしくは公的機関の博覧会での展示により行った開示は、特許法6条1項2号でいう開示とはみなされない（同条2項）。また、政府後援または公認のタイ国内で開催された博覧会でその発明を展示した者が、その博覧会の開催初日から12か月以内に当該発明について特許を出願したときは、その博覧会の開催初日に出願を行ったとみなされる（特許法19条）。かかる取扱いも一種の新規性喪失の例外といえる。

進歩性は、発明が当業者にとって自明でない場合、認められる（特許法7条）。文言上、日本の容易相当と比較して、一見進歩性が認められるハードルが低いように見えるが、必ずしもそうではない。

産業上の利用可能性は、日本同様、広く認められている。すなわち、発明が、手工芸、農業および商業を含むいずれかの産業において製造または使用することができる場合は、産業上利用できるものとみなされる（特許法8条）。

特許することが許されない発明は以下のとおりである（特許法9条）。

(i) 自然発生する微生物およびそれらの成分、動物、植物、または動物もしくは植物からの抽出物
(ii) 科学的または数学的法則および理論
(iii) コンピュータプログラム
(iv) 人間および動物の疾病の診断、処置または治療の方法
(v) 公の秩序、道徳、健康または福祉に反する発明

保護の対象に、コンピュータプログラムならびに人間および動物の疾病の診断、治療、療養の方法は保護されない点に注意が必要である。

④ 特許を受ける権利の帰属、発明者人格権

発明者は、特許を出願する権利を有するとともに発明者として特許に名称を記載される権利を有する（特許法10条1項）。すなわち、特許を受ける権利は、原則として発明者に原始的に帰属する。また発明者は、特許に発明者として氏名を記載される発明者人格権を有する。

発明が複数の者によって共同でなされたときは、その特許を受ける権利は発明者の間で共有される（特許法15条1項）。特許出願は、共同でなされる必要があるのが原則である（同項）。ただし、共同発明者のうちのいずれかが特許出願に加わることを拒み、またはその所在が不明であり、連絡が取れずもしくは特許出願をする資格がないときは、当該出願は、その者の代わりに他の発明者で行うことができる（同条2項）。特許出願に参加しなかった共同発明者は、特許が付与される前であれば何時でも出願に参加することを請求できる（同条3項）。

特許を受ける権利は、譲渡または承継により移転することができる（特許法10条2項）。特許を受ける権利の譲渡または承継は署名の入った書面で行わなければならない（同条3項）。

⑤ 職務発明

職務発明については、特許法11条に規定があり、

(i) 雇用契約または一定業務の遂行を目的とする契約のもとで従業者[6]が行った発明（1項）

(ii) 雇用契約上、従業者が発明活動を行うことを義務付けられてはいないものの、雇用契約に基づき自由に利用することのできる手段、データまたは報告を使用して行った発明（2項）

の特許を受ける権利は、雇用契約や委託契約に特に定めがない限り使用

---

[6]「従業者」とは、場合に応じ特許法12条または13条に基づく民間の従業者、国家公務員または国有の団体もしくは企業の従業者をいうものと定義される（特許法に基づく省令第24号（B.E.2542（1999））2条）。

者[7]または業務委託者に帰属する。

　従業者の行った発明から使用者が利益を受ける場合は、かかる従業者は、通常の賃金のほかに報酬を受ける権利を有する（特許法12条1項および2項）。この報酬請求権は、特約で排除できない（同条3項）。国家公務員および国有の団体または企業の従業者による発明にも同法12条の規定が適用される（同法13条）。

　特許法12条1項および2項に基づく報酬の請求は、省令の規則および省令に定める手続に従いDIP長官に提出しなければならない（同条4項）。DIP長官は、従業者の賃金、発明の重要性、当該発明から派生したかまたは派生が見込まれる利益および省令に規定する他の状況を斟酌して従業者に適当と思われる報酬額を定める権限を有する（同条4項）。

　この報酬請求権については、特許法に基づく省令第24号（B.E.2542（1999））8条に、報酬額の決定の基準が定められている。すなわち、

(i)　従業者の職務内容

(ii)　従業者が発明または意匠を創作するために供した労力および技能

(iii)　他の者が当該従業者と共同で発明または意匠を創作するために供した労力および技能、ならびに共同発明者または共同創作者ではない他の従業者が提供した助言その他の援助

(iv)　使用者が、発明または意匠の実験、展開または実施のための資源またはサービスを取得するに当たり財産、助言、施設、予備作業または管理業務を提供することによって発明または意匠の創作のために行った援助

(v)　当該発明または意匠の実施を他者に許諾すること（他者への特許の譲渡を含む）によって従業者が得たかまたは得ることが見込まれる利益

(vi)　共同で発明を行ったかまたは意匠を創作した従業者の総数

　DIP長官に対して上記に基づき報酬請求がなされた例は、本章執筆時点で

---

[7]「使用者」とは、場合に応じ特許法12条または13条に基づく民間の使用者、政府機関または国有の団体もしくは企業をいうものと定義される（特許法に基づく省令第24号（B.E.2542（1999））2条）。

少なくとも1件存在するようであるが、その結果については公開されていない（DIP担当者に確認した結果によれば、決定前に取り下げられたとのことである）。

なお、職務発明に関する実務上の問題点については、後記4(2)で扱う。

⑥ 出願・審査

特許出願書類には、次の事項が含まれていなければならない（特許法17条2項各号）。

(i) 発明の名称
(ii) 発明の特徴および目的に関する簡単な説明
(iii) 当該発明が帰属するかまたは最も密接に関連する技術分野において通常の知識を有する者が当該発明を実施および使用することができるような完全、簡潔、明瞭かつ正確な言葉で記され、かつ発明者が自らの発明を実施するうえで企図する最良の態様が示された、発明の詳細な説明
(iv) 明確かつ正確な1または複数のクレーム
(v) 省令に定めるその他の事項

発明者が知る限りのベスト・モードを、発明の詳細な説明に記載されなければならないとされていることに注意が必要である（特許法17条2項3号後段）。

特許出願がなされるとDIPの審査官が、特許法9条および17条に基づき、特許出願につき形式要件の審査を行う。この方式審査で出願に不備がある場合には、審査官は、補正を命じる（特許法27条1項）。外国で特許出願を行った出願人は、省令に定める規則および手続に従い、出願審査報告書を提出しなければならない（同条2項）。

方式審査に不備があり、補正されない場合には、特許出願はその時点で拒絶される（特許法28条1項1号）。方式審査に不備がない場合には、出願公告がなされる（同項2号）。

出願人は、出願公告後5年以内か、または次に述べる特許異議申立ておよ

び審判請求が提出されているときはその最終決定後 1 年以内のいずれか遅くに満了する期限内に、審査官にその発明が特許法 5 条に合致するか否かの審査の開始を請求しなければならない。出願人が当該期間内に審査請求しない場合には、当該出願は放棄したものとみなされる（同法 29 条 1 項）。

なお、特許審査については、冒頭でも述べたとおり、時間がかかることが問題とされてきたが、2014 年 1 月 1 日より、日本特許庁と DIP との間で、PPH が試行されており、日本での審査結果を利用することにより早期権利化も可能となっている。

⑦　特許異議

特許出願公告がされた場合、出願人ではなく自己が特許を受ける権利を有すると思料する者、またはその出願が特許法 5 条、9 条、10 条、11 条もしくは 14 条の規定に合致していないと思料する者は、特許出願公告の日から 90 日以内に審査官に特許異議申立てができる（同法 31 条 1 項）。

出願公告後、実体審査前に異議申立てが可能な点、また冒認出願に対しても異議申立てが可能である点が大きな特徴である。

なお、冒認出願を理由に異議申立てがなされ、当該発明の特許を受ける権利は異議申立人に属するものであると決定が確定した場合、異議決定に基づく拒絶査定日または、異議決定の効力を争う最終の審決または判決の日から 180 日以内に、異議申立人（真の権利者）により特許出願がなされたときは、その出願は元の冒認出願人の出願した日になしたものとみなされ、特許出願公告は、異議申立人の出願公告とみなされ、さらに第三者が異議申立てを行うことは許されない（特許法 34 条 2 項）。

このように冒認出願があっても、真の権利者は、特許異議申立ておよび自ら出願し、その出願日が遡及することにより保護される。

⑧　特許権の効力、制限

特許の存続期間は、出願日から 20 年間とする（特許法 35 条 1 項）。

特許権の独占権の範囲、すなわち実施行為は以下のように定義される（特許法 36 条 1 項）。
(i) 物の特許：特許製品の製造、使用、販売、販売のための所持、販売の申出、および輸入
(ii) 製法の特許：特許方法の使用、特許方法で製造した物の生産、販売、販売のため所持、販売の申出、および輸入

以下の行為には、特許権の効力が及ばない（特許法 36 条 2 項）。
(i) 研究、調査、実験または分析を目的とする行為。ただし、それが特許の通常の実施と不合理に矛盾してはならず、また特許権者の合法的利益を不当に侵害するものであってはならない。
(ii) 特許出願の事実を知らずまたはかかる事実を知るべき合理的な理由なくタイにおいて特許出願日より前に善意で特許製品の製造または特許方法を使用した製品の製造を行っていたか、そのための装置を取得した者による特許製品の製造または特許方法の使用。この場合、特許法 19 条の 2 の適用はない。
(iii) 薬剤師または開業医による医師の処方箋に基づく薬剤の調合およびかかる医薬品に関する行為
(iv) 特許の存続期間の満了後に特許医薬品を製造、頒布または輸入することを意図して薬剤登録を行うための申請に関する行為
(v) 特許の対象である装置を、タイが当事国となっている特許保護に関する国際条約または協定の当事国の船舶が一時的または偶発的にタイの領海に侵入したときにその船体または付属品に必要範囲内で使用すること
(vi) 特許の対象である装置を、タイが当事国となっている特許保護に関する国際条約または協定の当事国の航空機または陸上車両が一時的または偶発的にタイの領空または領土に侵入したときにその構造物または付属品について使用すること
(vii) 特許権者の許可または同意を得て製造または販売されている特許製品の使用、販売、販売を目的とする所持、販売の申出、または輸入

第10章 知的財産法

　特許発明の保護範囲は、特許請求の範囲の記載により決定される。その確定を行うに当たっては、発明の詳細な説明および図面に記載された発明の特徴が考慮される（特許法36条の2第1項）。特許発明の保護範囲は、特許請求の範囲に記載がなくとも、当該技術分野における通常の技術者の観点で特許請求の範囲に述べられているものと実質的に同じ特性、機能および効果を有する発明の特徴まで拡大されるものとする（いわゆる均等論、同条2項）。なお、本章執筆時点で、均等論に関する裁判例は少なくとも公開されておらず、均等が認められるためのより詳細な基準は明らかでない。

⑨　ライセンス

　特許権者は、ライセンスの付与により、自己の独占権の範囲の行為について他人に許可することができる。また他人にその特許権を譲渡することができる（特許法38条）。

　商標のライセンスと同様、特許ライセンス契約および特許の譲渡は、書面によることを要し、DIPにおいて登録しなければならない（特許法41条1項）。この登録を怠った場合、ライセンス契約が私法上無効と判断されるリスクがある。

　特許権者は、特許権のライセンスに当たって、不当に反競争的な条件、制限またはロイヤルティ規定を実施権者に課してはならない（特許法39条1項1号）。その具体的内容は、特許法に基づく省令第25号（B.E.2542（1999））3条および4条に詳しく定められている。これらの規制は、日本の「知的財産の利用に関する独占禁止法上の指針」と同様競争法的な観点と、中国における「技術輸出入管理条例」と同様の自国産業の保護育成の2つの観点から定められたものである。この規定に違反する条件、制限またはロイヤルティ規定は無効とされる（特許法39条2項）。ライセンス契約中、同条に違反する規定が存在する場合に、当該条項のみが無効となるのか、契約全体が無効となるのかについて判断した裁判例は存在しないようであり、一般には本規定の文言から違反する規定のみが無効となるものと解されているが、注意を要

244

する。

　また、ライセンスの登録申請時に、ライセンス契約の規定が、特許法39条に違反していると DIP 長官が判断した場合、当該契約書は特許委員会に付託され、特許委員会が、当該契約書が同法39条に違反すると認めた場合、その登録を拒絶される。ただし、その状況に照らし両当事者が、当該契約の有効な規定を無効な規定から分離することを意図していると推定される場合は、DIP 長官は、契約の有効な規定を登録するよう命令する（特許法41条2項）。

　まず不当に反競争的な条件、制限またはロイヤルティ規定に該当する一般的な要件として、ライセンスの条件、制限または対価が不当に反競争的であるか否かは、不正競争の惹起を意図しているか否か等の当事者の目的または意図、およびかかる条件、制限または対価から生じたかまたは生じるであろう結果を考慮し、かつ判決、特許委員会の判断および競争に関する法律に基づいて指名された委員会の決定を斟酌して、当該ライセンスの個々の状況について検討するものとされている（特許法に基づく省令第25号3条1項）。

　次のいずれかの条件、制限または対価が含まれている場合、当該制限または対価が不当に反競争的であるか否かが上記の基準を適用して検討される（特許法に基づく省令第25号3条2項）。

(i) 有償か否かを問わず、生産において使用する原材料の全部または一部を実施権者が特許権者またはその指定者から入手することを要求する規定。ただし、特許の有効な実施のため当該規定が必要である事実、およびそれに基づいて算定した価格が第三者から入手する同品質の原材料の価格よりも高価でない事実が立証された場合はこの限りでない。

(ii) 生産において使用する原材料の全部または一部を実施権者が場合に応じ特許権者が指名した販売業者から入手することを禁止する規定。ただし、かかる禁止規定がなかったら特許の実施が無効になるであろう事実、または原材料が他の筋からは入手不能である事実が立証される場合はこの限りでない。

(iii) 許諾された発明を使用する製造業務のために人材を雇用するに当たり実施権者に課される条件または制限。ただし、特許の有効な実施のために当該規定が必要である事実が立証される場合はこの限りでない。
(iv) 実施権者の製品の過半数を特許権者または特許権者が指定した者に実施権者が販売または頒布することを要求する規定。
(v) 特許権者または特許権者が指定した者を実施権者の製品の販売業者または頒布業者に実施権者が指定することを要求する規定。
(vi) 実施権者の製品の生産量、販売または頒布を規制する規定。
(vii) 許諾製品の外国での販売または頒布を目的とする輸出を禁止する規定、または実施権者が許諾製品の外国での販売または頒布を目的とする輸出に先立ち特許権者の許可を得ることを要求する規定。ただし、特許権者がかかる外国においてもまた特許権者の立場にあり、かかる外国で当該特許製品を販売または頒布するための排他的ライセンスを実施権者とのライセンス契約の締結に先立ってすでに他の者に与えている場合はこの限りでない。
(viii) 当該発明の調査、研究、実験、分析または開発に関して実施権者に課される条件または制限。
(ix) 許諾された発明とは別の他人の発明の使用について実施権者に課される条件または制限。
(x) 製造した製品の販売価格またはマーケティングについて決定する権限を特許権者が有することを要求する規定。
(xi) 許諾された発明にライセンス契約の締結時には容易に確認できなかった瑕疵があった場合における、特許権者の責任を免除または制限する規定。
(xii) 特許権者が他の実施権者との間で締結したライセンス契約に規定されている金額に比べ高額または不当なライセンスの対価を定める規定。
(xiii) 競争に関する法律に違反するその他の条件。

上記特許法に基づく省令第25号3条2項の基準にかかわらず、次の条件、

制限または対価は不当に反競争的であるとみなされる（同省令4条）。
 (i) 実施権者が特許権者の他の発明を、対価を支払って使用することを要求する規定。ただし、特許の有効な実施のため当該規定が必要であるかまたはかかる発明が国内の他の筋からは入手不能であること、およびかかる対価が当該発明から得られる利益に照らし適切な額であることが立証される場合はこの限りでない。
 (ii) 実施権者が、特許が無効である旨の異議申立てまたは抗弁を行うことを禁止する規定。
 (iii) 実施権者が実施許諾者に対し、許諾された発明もしくは意匠の改良を開示するか、または特許権者に対し、かかる改良発明もしくは改良意匠を適切な報酬を支払うことなく排他的に実施することを許可するよう要求する規定。
 (iv) 実施権者が特許の満了後も、許諾された発明の使用について対価を支払うよう要求する規定。
 (v) 実施権者が、裁判所、特許委員会または競争に関する法律に基づいて指名された委員会により不当に反競争的であるとみなされる条件、制限または対価に従うよう要求する規定。

また、特許権者は、特許の存続期間満了後に、当該特許発明の使用に対するロイヤルティの支払いを実施権者に要求することはできない（特許法39条1項2号）。

なお、タイにおけるライセンス契約および技術支援契約に関する実務上の留意点については、後記4(3)で扱う。

⑩ 特許の無効

特許要件（特許法5条、9条、10条、11条、および14条）に違反して登録された特許は、無効とされる（同法54条1項）。利害関係人または公訴官は、無効の特許の取消しを裁判所に請求できるものとする（同条2項）。

日本や多くの国とは異なり、DIPにおける特許無効審判に相当する手続は

存在せず、特許無効については直接裁判所に出訴することとされている。この特許無効訴訟は、行政訴訟ではなく民事訴訟であるが対世効があり、CIPITC が専属的に管轄する。

⑪　特許侵害訴訟における抗弁
　(i)　特許無効の抗弁
　特許法に明文の規定はないが、特許侵害訴訟において、特許無効を抗弁として主張できる。
　また、同時に上記特許無効訴訟を、特許侵害訴訟の手続内で反訴 (Counter Claim) として提訴することも可能である。両者の差は、対世効の有無であり、訴訟手続の進行にも差が出る。
　無論、別訴として特許無効訴訟を提起することも可能であるが、当該訴訟のみを提起した場合、侵害訴訟においては制度上当該無効理由が考慮されないことになる。
　(ii)　先使用の抗弁
　特許出願の事実を知らずまたはかかる事実を知るべき合理的な理由なくタイにおいて特許出願日より前に善意で特許製品の製造または特許方法を使用した製品の製造を行っていたか、そのための装置を取得した者による特許製品の製造または特許方法の使用には、特許権の効力は及ばないものとされ（特許法36条2項2号）、いわゆる先使用の抗弁が認められる。

(3)　実用新案権（小特許）（特許法）

①　根 拠 法
　前記のとおり、タイの特許法は、実用新案（小特許ともいうが、本書では、「実用新案」という）についても定めている。
　実用新案権は、1999 (B.E.2542) 年の特許法改正で導入された。具体的には、特許法65条の2〜65条の10の規定が追加され、特許に関する規定を準用する形で定められている。

② 保護の客体

保護客体は、特許と同じく発明（特許法3条に定義される）である。

③ 実用新案要件

ただ、実用新案要件として、新規性、産業上の利用可能性のみが要求され、進歩性は不要である（特許法65条の2）。新規性、産業上の利用可能性に関しては、特許に関する規定が準用される（同法65条の10）。

④ 特許を受ける権利の帰属、発明者人格権

特許に関する規定が準用される（特許法65条の10）。

⑤ 職務実用新案

特許に関する規定が準用される（特許法65条の10）。

⑥ 出願・審査

特許とは異なり、方式審査のみが行われ、実体審査は行われない（特許法65条の5）。

その他は、特許に関する規定が準用される（特許法65条の10）。

なお、特許と実用新案の同時出願は、認められておらず（特許法65条の3）、出願の変更のみが認められる（同法65条の4）。

⑦ 実体審査請求

特許異議に関する規定は、実用新案には準用されない。

実用新案権者および利害関係者は、発明の登録および実用新案権の付与が公告されてから1年以内に、審査官に対して当該特許が特許法65条の2の実用新案要件を満たしているか実体審査を請求することができる（同法65条の6第1項）。

その結果、審査報告書により実用新案権の実体的要件を満たしていること

が明らかになれば、当該実用新案が無効とされる可能性は小さいため、実用新案権者は自信を持って権利行使を行うことができる（ただし、権利行使に先立ってかかる審査報告書を取得することは権利行使の要件ではない）。

逆に、仮に公告後1年が経過していない実用新案権に基づく権利行使が為された場合には、権利行使の対象となった者は、自ら防御の一環として上記の実体審査を申し立てることが考えられる。

審査の結果、当該発明が実用新案要件を満たしていないと判断された場合、当該実用新案権は取り消される（特許法65条の6第4項）。

⑧ 実用新案権の効力、制限

実用新案権の存続期間は、出願日から6年間とされているが、2年間、2回の延長が可能であり最長で出願日から10年間である（特許法65条の7）。

なお、実用新案権者が権利行使をするに当たっては、（日本において必要とされている）実用新案技術評価の取得等の要件は必須ではない。

その他は、特許に関する規定が準用される（特許法65条の10）。

⑨ ライセンス

特許に関する規定が準用される（特許法65条の10）。

⑩ 実用新案権の無効

実用新案要件（特許法65条の2、または9条、10条、11条もしくは14条を準用する65条の10の規定）に違反して付与された実用新案権は無効とされる。具体的な手続については、特許と同様の規定が置かれている（同法65条の9）。

⑪ 実用新案権侵害訴訟における抗弁

特許に関する規定が準用される（特許法65条の10）。

(4) 意匠権（特許法）

① 根 拠 法

前記のとおり、タイの特許法は、意匠についても定めている。

具体的には、特許法56条～65条に意匠についての特別規定が置かれ、その他は、特許に関する規定を準用する形で定められている。

② 保護の客体

意匠とは、製品に特別な外観を与え、工業製品または手工芸製品に対する型として役立つ線または色の形態または構成をいうものと定義される（特許法3条）。

意匠権の保護の客体は、手工芸意匠を含む新しい工業意匠である（特許法56条）。

③ 意匠要件

意匠要件として、新規性および産業上の利用可能性が要求される（特許法56条）。

次の意匠は新規とはみなさない（同法57条）。

(i) 特許出願の前に、国内で他人に広く知られまたは使用されていた意匠
(ii) 特許出願の前に、国内外で文書または印刷刊行物において開示または記述されていた意匠
(iii) 特許出願の前に出願公告されていた意匠
(iv) (i)、(ii)または(iii)の意匠と外観が非常に似ているため模倣とされる意匠

また、公序または良俗に反する意匠および勅令に定められた意匠は、意匠要件を欠くものとされる（特許法58条）。

④ 特許を受ける権利の帰属、発明者人格権

特許に関する規定が準用される（特許法65条）。

⑤ 職務意匠

特許に関する規定が準用される（特許法65条）。

⑥ 出願・審査

実体審査が行われる（特許法61条1項）。

⑦ 意匠異議

原則として特許に関する規定が準用される（特許法65条）。

⑧ 意匠権の効力、制限

意匠権の存続期間は、出願日から10年間である（特許法62条）。

意匠権者以外の何人も、調査研究を目的とする意匠の使用を除き、製品の製造において意匠を使用する権利、または意匠を具現した製品を販売し、販売のため所持し、販売を申し出もしくは輸入する権利を有さない（特許法63条）。

⑨ ライセンス

特許に関する規定が準用される（特許法65条）。

⑩ 意匠権の無効

意匠要件（特許法56条、58条、または10条、11条および14条を準用する65条の規定）に違反して付与された意匠権は無効とされる（同法64条1項）。具体的な手続については、特許と同様の規定が置かれている（同条2項）。

⑪ 意匠権侵害訴訟における抗弁

特許に関する規定が準用される（特許法65条）。

(5) 著作権法

① 根 拠 法

著作権法は、最初に 1978（B.E.2521）年に制定された。その後、1994（B.E.2537）年に全面改正され、同年 12 月 9 日に公布されたものが現行法であり、その後、2015（B.E.2558）年改正（同年 1 月 31 日公布）、2018（B.E.2561）年改正（同年 11 月 11 日公布）、2022（B.E.2565）年改正（同年 2 月 24 日公布）と 3 度の改正を経ている。

2015 年改正法の主な改正点は、以下のとおりである。かねてタイにおいて問題とされていた権利侵害、特にインターネット上での権利侵害に対応する規定が追加された。

- 映画館で上映中の映画を撮影、録音することによる複製行為が著作権侵害であることを明示的に規定（著作権法 28 条の 1、同法 32 条 2 項 2 号のいわゆる侵害行為の例外規定に該当しないことを明示的に規定）
- 著作権侵害の例外規定の追加（著作物の原作品および真正な複製物の販売行為（著作権法 32 条の 1）、コンピュータシステムを利用するうえでの合法的かつ不可避な複製行為（同法 32 条の 2））
- サービスプロバイダのコンピュータシステム上での著作権侵害につき、サービスプロバイダに対する差止請求制度の新設、およびサービスプロバイダが当該差止命令に従った場合の免責（著作権法 32 条の 3）
- 実演家の人格権の新設（著作権法 51 条の 1）
- 著作権管理情報の除去、技術的保護手段の回避等の権利侵害の新設（著作権法 53 条の 1〜53 条の 5）
- 著作権侵害または実演家権を侵害し、故意に公衆に広範にアクセス可能とした場合の 2 倍を超えない賠償の新設（著作権法 64 条 2 項）

また、2018 年改正法により、障がい者団体が行う複製、翻案等について、一定の条件の下で著作権侵害の例外とする旨の規定の改正等が行われいる（従前においても同様の規定は存在したが、改正法により、より詳細な条件が定め

られた)。

2022年改正法の主な改正点は、以下のとおりである。

- 写真の著作物の保護期間の、著作者の生存中および死後50年間への延長（保護期間の例外的規定であった著作権法21条から写真の著作物が削除）
- 著作権者から著作権を侵害する表現の削除やアクセス制限を求める通知を受領したサービスプロバイダの、遅滞なく表現の削除やアクセス制限等の措置を講じ、著作権侵害の疑いのある利用者にその旨を通知する義務（著作権法43条の6および43条の7）
- サービスプロバイダが著作権侵害行為を繰り返す利用者へのサービス停止措置の告知その他の条件を遵守している場合の免責（著作権法43条の1～43条の8）
- 技術的保護手段を回避するためのサービス、製品・機器の製造、販売または流通させる行為が著作権侵害であることを明記（著作権法53条の6）

② 保護の客体

著作権のある著作物とは、その表現の態様または形式を問わず、文芸、学術または美術の分野に属する文芸、演劇、美術、音楽、視聴覚、映画、録音、音および映像の放送の著作物その他の著作物をいうものと定義される（著作権法6条1項）。

そして、著作権の保護は、着想または手順、工程、体系、使用の手法、操作、概念、原則、発見、科学的・数学的理論には及ばないものと規定されている（著作権法6条2項）。

実演家権も保護される（著作権法44条～53条）。

また①で述べたとおり、2015年改正法により、著作権管理情報および技術的保護手段についても保護されることになった。

③ 権利の発生、取得

著作物の著作者は、例外的な場合を除き、特別な手続がなくても当然に著

作権者となる（著作権法8条）。

なお、タイはベルヌ条約加盟国（万国著作権条約未加盟）であるので、多くの外国人、外国法人にも著作権専有主体性が認められる。

雇用の過程において著作者により創作された著作物の著作権（いわゆる職務著作）は、文書による別段の合意がない限り、著作者に帰属する。日本の原則とは逆に、従業員に著作権が発生することに注意が必要である。この場合でも、使用者は、雇用の目的に従い、その著作物を公衆に伝達する権利を持つものとされる（著作権法9条）。

④ 効　力

著作権者は、著作物について、次の行為につき排他的権利を専有する（著作権法15条）。

(i)　複製または翻案
(ii)　公衆への伝達
(iii)　コンピュータプログラム、視聴覚著作物、映画の著作物および録音物の原作品またはその複製物の貸与
(iv)　著作権から生じる利益の他人への供与
(v)　条件を付しまたは付さないでする、上記(i)～(iii)に述べた権利の許諾
　　ただし、その条件は、不当に競争を制限するものであってはならない。

⑤ 著作者人格権

著作物の著作者は、氏名表示権、同一性保持権、著作物の名誉および著作者の信用を損なう行為を禁止する権利を有する（著作権法18条）。また、同権利は、日本と同様、譲渡不能であるが、相続は許されており、著作権者の親族は、著作権の存続期間中これらの権利を行使できる（同条）。

また、①で述べたとおり、2015年改正法により、実演家の人格権（氏名表

示権、同一性保持権、著作物の名誉および著作者の信用を損なう行為を禁止する権利）も保護されるようになった。相続についても上記の著作者人格権と同様に許される（著作権法51条の1）。

⑥ 保護期間

著作権の保護期間は、著作物の類型に応じて**図表10−4**のとおりとなる。

⑦ 権利侵害行為

著作権侵害行為は、著作物の類型ごとに、**図表10−5**のとおり細かく定義されている。

なお、他人の著作権のある著作物を、著作権者による著作物の通常の使用を妨げず、著作権者の正当な権利を不当に害しないで使用することは、著作権の侵害とはみなされないものとされており（著作権法32条1項）、著作権侵害に該当しない例外行為が、日本をはじめとする諸外国よりも比較的広範に認められている点に注意が必要である（同法32条〜43条）。

⑧ 民事的救済

民事上の救済としては、侵害の差止請求（著作権法65条1項）および損害賠償請求（同法64条1項）が可能である。

上記①で述べたとおり、2015年改正著作権法により、著作権または実演家権を侵害し、故意に公衆に広範にアクセス可能とした場合の2倍を超えない賠償が新設された（著作権法64条2項）。典型的には、映画をインターネット上で、インターネットユーザーが無償でアクセスできるように公開する行為等が想定されており、その行為の悪質性、無償での頒布であるため損害額が低くなりがちであること、また損害額の立証が困難であること等にかんがみ、導入されたものである。

2 主要な知的財産法の概要

【図表 10 - 4】著作権の保護期間

著作物の類型	存続期間	条　文
原則	著作者の生存中およびその死後 50 年間	19 条 1 項※
共同著作の著作物	共同著作者の生存中および最終に死亡した共同著作者の死後 50 年間	19 条 2 項
著作者またはすべての共同著作者が著作物の発行前に死亡している場合	著作物の最初の発行の時から 50 年間	19 条 3 項
著作者が法人の場合	著作の時から 50 年間	19 条 4 項
変名または無名の著作者によって創作された著作物	著作物がこの期間内に発行されるときは、著作権は、最初の発行の時から 50 年間	20 条
視聴覚著作物、映画の著作物、録音物または音および映像の放送の著作物		21 条
応用美術の著作物	著作の時から 25 年間 著作物がこの期間内に発行されるときは、著作権は、最初の発行の時から 50 年間	22 条
雇用、命令または指揮の過程で創作された著作物	著作の時から 50 年間 著作物がこの期間内に発行されるときは、著作権は、最初の発行のときから 50 年間	23 条
実演家権	実演が行われた暦年の最終日から 50 年間 実演が記録されている場合は、記録がなされた暦年の最終日から 50 年間	49 条、50 条

※条文はすべて著作権法。

⑨ 刑 事 罰

　現状、タイにおいては、商標権と同様、著作権のエンフォースメントの多くが、刑事罰の発動という形でなされている。

　上記⑦で述べた著作権法 27 条～31 条の著作権侵害、同法 54 条の実演家

第10章　知的財産法

【図表10－5】著作権侵害行為

著作物の類型	存続期間	条　文
著作物全般	(i) 複製または翻案 (ii) 公衆への伝達	27条※
視聴覚の著作物、映画の著作物、録音の著作物	(i) 複製または翻案 (ii) 公衆への伝達 (iii) 著作物の原作品または複製物の貸与	28条
音および映像の放送の著作物	(i) その全部または一部であるを問わず、視聴覚著作物、映画の著作物、録音物または音および映像の放送著作物を作成すること。 (ii) その全部または一部であるを問わず、再放送すること。 (iii) 金銭の支払いその他の商業的利益を受ける反対給付として、公衆に視聴させる音および映像の放送著作物を作成すること。	29条
電気計算機のプログラムの著作物	(i) 複製または翻案 (ii) 公衆への伝達 (iii) 著作物の原作品または複製物の貸与	30条
他人の著作権侵害行為について悪意または営利目的で行う行為	(i) 販売、販売のための保持、販売の申出、賃貸、リースの申出、割賦による販売または割賦の申出 (ii) 公衆への伝達 (iii) 著作権者に損害を生ぜしめうる態様における頒布 (iv) 自己輸入または注文による輸入	31条

※条文はすべて著作権法。

権侵害行為、ならびに同法53条の1～53条の5の著作権管理情報の侵害および技術的保護手段の回避について罰金の刑事罰が定められている（著作権法69条、69条の1、70条および70条の1）。これらの侵害行為が営利目的である場合、刑罰が加重され、懲役刑または罰金刑の一方または両方が科される（上記各条2項）。

違反者が刑罰を受けた後5年以内に、再び著作権法違反の罪を再犯した場

合、2倍の刑を科するものとされている（重犯処罰、著作権法73条）。

　法人も刑事処罰の対象となる。そして、著作権法違反で処罰を受ける者が法人である場合、法人の理事または支配人の全員は、法人の違反行為について知らず、またはその同意なしに法人に違反行為があったことを立証することができないときは、原則として法人と共犯になるとみなされる（両罰規定、著作権法74条）。

　著作権または実演家の権利の侵害を構成する物品で、タイ国内で作成またはタイ国内に輸入された物品、および違反行為に供用された物品は、すべて没収される（著作権法75条1項）。また裁判所の裁量により、侵害者の費用負担で、当該物品を使用不可能または破棄する命令が下される（同条2項）。

　著作権または実演家権侵害罪の判決により科せられた罰金の2分の1は、著作権者または実演家権者に支払われる。なお、著作権者または実演家権者の受領した罰金を超える額の損害賠償を求める民事訴訟を提起する権利を留保される（著作権法76条）。このように刑事罰による罰金は、民事的救済の性質も有する。

⑩　著作権登録制度

　著作権登録は、権利の発生要件や保護要件とはされていない（無方式主義）。

　DIPにおいて任意に著作権を登録する制度がある。ただ、中国等と同様、裁判および刑事実務において、著作権を保有する事実を一応証明するための証拠として、著作権登録の登録証が用いられており、特に刑事捜査機関は、事実上、登録がなければ事件を受理しない点に注意を要する。

(6)　営業秘密保護法

①　根　拠　法

　営業秘密保護法は、2002（B.E.2545）年に制定され、同年4月12日に公布された。同法は、2015年に改正され、同年2月5日に公布され、翌日から

施行されている（営業秘密保護法2条）。

2015年改正法における主な改正内容は、以下のとおりである。
- 営業秘密委員会に関する規定の改正（営業秘密保護法16条〜20条）。なお営業秘密委員会は、営業秘密の保護に関する政策等の提言、営業秘密に関する紛争の調停および和解等を行う機関である（同法21条）
- 一部刑事罰（図利目的での開示・使用（営業秘密保護法34条））、同法の執行に基づき営業秘密の内容を取得した者、またはこれらの者から公務執行、事件捜査または訴訟において営業秘密を取得した者の開示行為（同法35条）の厳罰化

なお、タイには、日本の不正競争防止法2条1項1号および2号の規定に類似した周知・著名表示を保護する特別法は存在しない。ただし、例外的にいわゆる passing off（詐称通用）の場合には、商標未登録の表示であっても、差止めおよび損害賠償請求権を行使しうる（商標法46条2項参照）。passing off によって未登録の著名商標の保護が認められた判例として、タイ最高裁判例5269/2542号（1999年）Chako Paper Co., Ltd. v. Mr. Somchai Jirawattanachai 事件判決がある[8]。

② 保護の客体

営業秘密とは、一般に知られていない商業データ、または当該データに関係しない限り一般民衆が理解するところに至らない商業データで、秘密であることにより商業的利益のあるデータ、かつ秘密保持のためにふさわしい手

---

[8] 同事案において、日本法人であるチャコペーパー株式会社ほか1名の原告は、"NAYAGOPEPA Na" という商標を登録したタイ人被告に対して、被告による当該商標権の使用は passing off（詐称通用）に該当するとして、CIPITC に、商標法に基づき当該商標権の取消し、および被告による当該商標の使用の差止めおよび損害賠償を請求した。訴訟手続の中で、原告らは、出願日前の当該商標のタイにおける使用の事実を証明することに成功し、CIPITC は、被告の商標権は、需要者に混同を生じさせるほど、原告らの商標に酷似しているものとして passing off（詐称通用）であると認定し、被告の商標権の取消しを命じるとともに、当該商標の使用の差止め、および損害金の支払いを命じた。最高裁判所も、当該判断を是認した。

段により商業上の秘密を管理する者のいるデータを意味すると定義され（営業秘密法3条）、ここにいう商業データとは、内容、事柄、事実関係等を知らせるため、方法、形にかかわらず意味を伝達する物を意味し、プログラム、方法、テクニック、または製法工程に含まれる、または構成するフォーミュラ、モデル、業務も含むと定義される（同条）。

すなわち、日本、その他多くの国と同様、営業秘密に該当するための要件は、非公知性、有用性および秘密管理性の3要件（TRIPs協定39条参照）である。

③ 保護の要件

営業秘密は発生とともに特段の手続を経なくても保護を受けることができ、当該営業秘密の管理者が秘密保持のための適切な方法を採っている限りにおいて、その保護に期限はなく継続する（営業秘密保護法3条）。

④ 営業秘密の侵害行為

営業秘密の侵害行為は、当該営業秘密所有者から承諾を得ずに営業秘密の公開、持出し、使用となる、相互に誠実な商業行為に反する形態を有する行為を故意に行うことと定義されている（営業秘密保護法6条1項）。ここにいう相互に誠実な商業行為に反する形態を有する行為とは、契約違反、相互に信認してきた秘密への侵害、または意図的な侵害行為、贈収賄、脅迫、詐欺、盗難、故買または電子上の方法やその他の方法を使用したスパイ行為も含むものと定義とされる（同条2項）。

また、権利侵害の推定規定もあり、営業秘密の保有者が侵害者の製造した製品が自己の営業秘密である製造法を使用して製造した製品と同じ内容であることを証明した場合には、反証がない限り、侵害者は当該製品の製造でその営業秘密を使用したものと推定するものとされている（営業秘密保護法12条）。

⑤ 民事的救済

営業秘密保護に対する民事的な救済として、営業秘密を侵害されたまたは侵害されるおそれのある営業秘密の保有者は、侵害者に対して、当該営業秘密の侵害の仮の差止め、中止、差止め、補償金の各請求を行う請求権を有する（営業秘密保護法 8 条）。また、営業秘密の被侵害者は、営業秘密委員会に対し営業秘密に関する紛争の調停を申し立てることができる（同法 9 条）。

⑥ 刑事罰

また、刑事罰として、加害目的での営業秘密の故意の公衆への開示（営業秘密保護法 33 条）、図利目的での開示・使用（同法 34 条）、同法の執行に基づき営業秘密の内容を取得した者、またはこれらの者から公務執行、事件捜査または訴訟において営業秘密を取得した者の開示行為（同法 35 条）等について禁固刑および罰金刑が定められており、法人の両罰規定もある（同法 36 条）。

3 知的財産権のエンフォースメント

(1) CIPITC の概要

CIPITC は、1996（B.E. 2539）年 10 月 25 日に公布された知的財産権および国際貿易裁判所設置法（IP&IT 法）[9]に基づき、1997 年 12 月 1 日にバンコク市郊外に設立された。

CIPITC は、以下の知的財産関連事件等について専属的に管轄する第一審の裁判所である（知的財産権および国際貿易裁判所設置法 7 条）[10][11]。

・商標、著作権、特許（実用新案および意匠を含む）に関する刑事事件

---

[9] Act for the Establishment of and Procedure for Intellectual Property and International Trade Court, B.E. 2539（1996）.

- 刑法271条～275条に関する公訴および私訴刑事事件
- 商標、著作権、特許、技術移転またはライセンス契約に起因する紛争に関する民事事件
- 集積回路の回線配置、商号、地理的表示、営業秘密、植物新品種等に係る刑事および民事事件

CIPITC の判決に不服がある当事者は、専門控訴裁判所に控訴可能であり、同裁判所の判決に不服がある当事者は、さらに最高裁判所に上訴することができる（三審制）。

CIPITC での審理は、2人の職業裁判官と1人の補助裁判官（Associate Judge）から構成される3人の合議体が担当する。補助裁判官は、知的財産権、国際貿易または特定の技術分野についての技術的知見を有する外部の専門家であり、専門的見地を提供することが期待されている。

(2) 刑事手続

前述のとおり、現状では、刑事告訴がタイにおける知的財産権のエンフォースメントにおいて重要な役割を依然として果たしている。過去CIPITC に申し立てられた刑事事件数は**図表10－6**のとおりだが、知的財産に関する刑事事件につき専属管轄権を有する CIPITC の取扱事件の約70%が刑事事件である。

すでに述べたとおり、特許、実用新案、意匠、商標、著作権等幅広い権利が、保護の対象とされている。

公的刑事訴追は、警察等の捜査機関に告訴状を提出することにより開始さ

---

10) 知的財産権および国際貿易裁判所設置法上、CIPITC（同法5条）のほか、Regional Intellectual Property and International Trade Court（RIPITC）が設立される予定であり（同法6条）、それまでの間は、同法7条各号所定の知的財産関連事件について CIPITC が管轄するものとされている（同法47条）。本章執筆時点で、RIPITC は設立されておらず（現状その予定もない）、タイにおいては、CIPITC が上記知的財産権事件を専属的に管轄する状況が続いている。

11) 本章で説明のとおり、タイにおいては知的財産権に関する行政訴訟は存在しないため、知的財産権に関するすべての訴訟を専属的に管轄することになる。

れ、警察等の捜査機関は、裁判所から必要な令状を得ることにより、必要な捜索を行い、必要があれば差押えや侵害者の逮捕を行う。続いて、当該事件は、検察官に送致され、検察官は、侵害者をCIPITCに起訴するかどうかを決定する。事案の性質や規模に応じて、通常の警察ではなく、経済犯罪に特化した経済サイバー警察（ECD：Economic and Cyber Crime Division）、また大型の事件に特化した特別捜査機関（DSI：Department of Special Investigation）に捜査を求めることも多い。

ECDは、2005年6月、タイ警察に設置された知的財産権を始めとする経済犯を扱う特別の捜査機関であり、国内における被害額50万バーツ以下の知的財産権侵害について扱う。DSIは、2002年に、特別捜査法に基づき法務省に設立された特別な捜査機関である。特別捜査機関は、大型の知財事件（被害額50万バーツ以上の事件、国際的な事件）のほか、国家の安全等にかかわる刑事犯罪、国際犯罪、組織犯罪、消費者保護、環境保護等に関する犯罪を所轄している。

刑事摘発では、権利侵害の確認手続に、代理人だけでなく権利者自らが立

【図表10－6】CIPITCに申し立てられた刑事事件数

(年)	2018	2019	2020	2021	2022
商　標	2,478	1,877	1,249	779	706
著作権	677	677	531	517	491
特　許	21	8	5	9	9
刑　法	64	45	61	105	73
その他	22	24	17	20	28
計	3,262	2,631	1,863	1,430	1,307

※CIPITCのウェブサイト参照。

ち会う必要がある、摘発までに長期間を要する、1回の摘発での押収量が限られるといった課題も多く、費用対効果も考慮して戦略的に活用する必要がある。

一方、私的刑事訴追という制度も認められている。この手続は、警察または検察官の関与がなく、私人が、CIPITCに対し直接刑事告訴状を提出することによって開始される。裁判所は、まず、初期的な尋問を行い、審問手続を行うに足る理由があるかどうかを判断する。ただしこのような私的刑事訴追は、犯罪行為を証明するに足りる証拠をすべて自らの責任で行う必要があり現実的でない。

過去5年間の関連当局における知財関連事件摘発事件数は**図表10－7**のとおりである。

【図表10－7】関連当局における知財関連事件摘発事件数

(年)	2018	2019	2020	2021	2022
Royal Thai Police					
商標法違反事件	3,936	2,786	1,270	920	544
著作権法違反事件	1,930	1,079	527	438	517
特許法違反事件	18	5	0	23	9
計	5,884	3,870	1,797	1,381	1,070
DSI (Department of Special Investigation)					
商標法違反事件	25	4	4	4	9
著作権法違反事件	0	－	0	0	0
特許法違反事件	0	－	0	0	0
計	25	4	4	4	9
The Customs Department	1,029	1,006	1,541	484	498
総　計	6,938	4,880	3,342	1,869	1,577

※ DIPのウェブサイト参照

(3) 民事手続

民事訴訟は、主として、刑事訴追が不可能もしくは困難であるか、または被侵害者が侵害者に対して損害賠償もしくは差止めを請求しようとする場合に選択され、刑事事件と比較して少数であるが、徐々に手続や運用等も改善されており、利用が広がりつつある。

刑事訴訟同様に特許、実用新案、意匠、商標、著作権等幅広い権利について差止請求および損害賠償請求が可能である。

審理期間は、もちろんケースバイケースであるが、第一審の CIPITC での審理におおむね 1 年半から 2 年程度、最高裁判所に上告した場合にはさらに 3 年から 4 年かかるといわれている。

仮命令処分命令申立て、アントンピラー命令類似の制度についても、法律上の定めはあるが、要件が厳しく、実務上稀にしか利用されない。

(4) 税関における水際取締り

タイ関税法および輸出入法を根拠に、タイ税関に申し立てることにより商標権および著作権侵害品の輸入または輸出の差止めができる（特許、実用新案、意匠、集積回路配置等のその他の知的財産権は、法令の定めはあるが、現状実施細則がないため水際取締りは実施できない）。

4 実務上の重要論点

(1) 冒認登録された第三者の権利の無効および取消しの可否

タイにおいても、近年、日本の企業が正当な権利を有しているが、タイにおいて商標登録されていない商標について、無関係の第三者が商標出願する事例が増えている（いわゆる冒認出願）。

商標法の概説部分で述べたとおり、冒認出願された商標については、DIP

の商標委員会または CIPITC に対して、取消請求が可能な場合があるが、仮に日本を含む外国で周知・著名であっても、タイであまり使用されていない商標の取消しがただちに認められるわけではない点に注意を要する。

具体的な手続として最初に検討されるのは、登録決定日から5年以内の優先的権利による取消請求（商標法67条）である（上記2(1)⑩参照）。同条にいう優先権が何を意味するのかが問題となるが、当該冒認商標のタイにおける出願日前から、タイの国外で真の権利者が当該商標を使用しており、タイ国外で商標として登録されており、当該商標が外国で周知・著名であったことを証明した場合には、冒認出願者は、悪意（bad faith）で出願したものと推定され、当該商標につき冒認出願者に優先する権利を有すると解釈される余地がある。タイ最高裁判例 3044/2551 号（2008年、J. Lindeberg AB v. Mrs. Manee Choterungruangkorn）では、「J. Lindeberg」との商標につき、スイスの服飾会社である J. Lindeberg AB（原告）の創業者の氏名であること、当該商標がスイス等外国で一定の周知性を獲得していることが重視され、原告は、被告（タイにおける冒認商標権者）よりも当該商標に優先する権利を有しているとして商標の取消しが認められた。

この取消請求は、登録決定日から5年以内に、直接 CIPITC に提訴できる（DIP の商標委員会の決定には、法的安定性がないといわれており、最終的に CIPITC の判断を仰ぐ必要がある事例が多いため、CIPITC に直接提訴できることは権利者にとってメリットが大きい）。

次に冒認商標の登録日から5年以上が経過している場合には、公序良俗違反に基づく取消請求（商標法62条）を検討することになる。ただ、先願主義のもと、外国における周知・著名商標をタイで商標出願する行為がただちに公序良俗に反するともいいきれず、同法67条に基づく請求に比してより一層難易度が高い。同請求は、商標委員会に請求し、その決定に不服がある場合には CIPITC に提訴できる。

CIPITC 判決 No. Tor.Por.8/2547（2004年1月21日、Sergio Rossi S.p.A. v. Mr. Santi Sansaneeyakiat）は、イタリアの高級皮革製品のメーカーである原告が、

タイの個人が登録した「SERGIO ROSSI」という商標について、商標法62条に基づき取消請求を行った事案について、商標委員会の公序良俗に反しないとの決定を覆し、商標を取り消すべきとの判決を下した事案である。

なお、上記の取消請求を行う場合には、同時に自ら商標出願を行うことが重要であることである（これにより取消しに成功した場合に自らが登録できる地位を確保できるからである（商標の委員会による決定には時間を要するが、その間当該出願をペンディングにできる））。

(2) 職務発明の取扱い

近時、タイに研究開発拠点を設ける製造業者が増加し、また、労働者の権利意識も高まっており、職務発明・職務著作についての体制の整備の必要性が高まっている。

職務発明制度（職務実用新案および職務意匠も同様）については、上記２(2)⑤に詳細に述べたとおりであり、職務発明は原則として使用者に帰属するが、使用者は相当の対価を支払う義務を負っている。

この相当対価請求権を、従業員との契約または就業規則といった特約により排除することは許されない。また、職務発明契約において、報酬の金額を定めることはできるが、かかる定めを設けていたとしても、従業員がこの報酬に不服がある場合には、特許法12条4項に基づき、DIP長官に対し、報酬額を定めるように請求することが可能である。DIP長官の決定に不服がある場合には、CIPITCに提訴できる。

当該請求が為された場合、DIP長官は、従業者の賃金、発明の重要性、当該発明から派生したかまたは派生が見込まれる利益および省令に規定する他の状況を斟酌して従業者に適当と思われる報酬額を定める権限を有し（特許法12条4項）、その際、①当該従業員の職務内容、②従業員が発明を創作するために供した労力および技能、③共同発明者およびその他の従業員の貢献、④使用者の貢献等、⑤当該発明または意匠の実施を他者に許諾すること（他者への特許の譲渡を含む）によって従業者が得たかまたは得ることが見込

まれる利益、⑥共同発明者の総数が考慮される（特許法に基づく省令第24号（B.E.2542（1999））8条）。したがって、職務発明契約や職務発明規則において報酬の金額を定める場合には、上記の要素を考慮したうえで金額を定める必要があり、使用者がかかる法令を遵守せずに報酬を支払った場合、追加の報酬の支払いを命じられるリスクがあると考えられる。

なお、DIP長官に対して上記に基づき報酬請求がなされた例は、本章執筆時点で少なくとも1件存在するようであるが、その結果については公開されていない（決定前に取り下げられた模様）。

また、職務発明契約または職務発明規則においては、発明の定義、発明に係る権利の保有者、権利の移転、報酬、報酬の支払期間および支払条件、秘密保持等についても留意し、これらの事項について明確に定めることが推奨される。そして、上記のとおり従業者から争われた場合には有効性に疑義はあるものの、これまで争われた例がないことも考慮すれば、日本や中国で行われているのと同様に、使用者における職務発明規則あるいは労働契約において、あらかじめ報酬の金額や計算方法を定めておき、特段問題がない限りかかる基準に従って報酬を支払うことが有益であると考えられる。

タイの産業は、賃金上昇の伸び悩みにより、労働インセンティブベースから知的財産インセンティブベースへ継続的に変化を遂げつつあるといわれており、現在のところ、職務発明に関する裁判例は存在しないが、多くのタイの企業、政府調査機関および大学は、特許出願や特許権のライセンスが行われる場合等に、職務発明の対価として、従業者に対し報酬を支払いはじめている。ただその相場は、発明の重要性にもよるが、発明1件当たり5,000～5万バーツ程度にとどまっているようである。

以上から、タイでは、現状、日本やその他の国において採用している職務発明制度、職務発明報奨制度をベースに、タイの法律および実情に合わせた職務発明制度、職務発明報奨制度を設け、あるいは労働契約を締結して、これに基づいて職務発明の対価を支払うことが最も合理的な選択肢であると考えられ、そのように対応することが推奨される。

(3) ライセンス契約、技術支援契約締結上の留意点

日本からタイの法人に特許（実用新案、意匠も同様）やノウハウのライセンスや技術支援を行う例が増加している。本項では特許やノウハウのライセンス、技術援助を行う際の留意点について述べる。これらの契約において留意すべき法令は、特許法、営業秘密保護法のほか、前述の特許法に基づく省令第25号（B.E.2542（1999））である。

① ライセンス契約の登録に関する条項

特許に関するライセンス契約はDIPに登録しなければならない（特許法41条1項）。したがって、ライセンサーに対し登録に必要な書類を提供することをライセンシーに義務付けるべきである。この登録を怠った場合、ライセンス契約が私法上無効と判断されるリスクがある。かかる登録義務は、ライセンサーが負う（特許法に基づく省令第25号5条1項、ライセンシーが登録義務を負う中国等と異なるので注意が必要である）。以上から、ライセンス契約上、ライセンサーに対して、当該登録に協力する義務を課す条項が必要となる。

② 改良技術に関する条項

特許法39条1項によれば、ライセンス技術が特許として登録された場合、ライセンサー（特許権者）は、ライセンス契約において、不当に反競争的な条件、制限またはロイヤルティに関する規定を設けてはならないとされており、同条に違反する規定は無効とされる。また、「不当に反競争的」な規定を含む技術ライセンス契約については、DIP長官により、ライセンス契約としての登録が拒絶されるリスクもある（特許法41条2項。もっとも、契約書の全体の登録が拒絶されるわけではなく、「不当に反競争的」な規定のみの登録が拒絶される）。

他方、ノウハウ等、ライセンス技術が特許として登録されない場合には、

上記法令は適用されず、上記のような規制を受けることはない。

具体的に問題となる条項は、**図表10－8**のとおりである。

③ ライセンサーによるライセンス技術の実施可能性の保証の要否

タイの法令においては、ライセンサーがライセンス技術の実施可能性を保証しなければならないという規定は存在しない。したがって、このような規定を設けなかったとしても、ライセンサーが法令違反に問われることはなく、またこのような保証義務を負うこともない。

ただし、技術指導等を含む技術ライセンス契約である場合には、技術指導義務の債務不履行等を主張されることはありえるので、指導の範囲や内容、特定の結果の保証の有無について明確に規定することが望ましいことはいう

【図表10－8】ライセンス契約・改良技術契約締結で問題となる条項

技術の改良禁止	ライセンシーに技術の改良を禁止する規定は不当に反競争的な条項とみなされる可能性が高い（3条2項8号および4条3号[※]）。
アサインバック・ライセンスバック（改良技術をライセンサーに帰属させ、ライセンスさせる旨の規定）	ライセンサー（特許権者）が改良技術をライセンシーに適切な報酬を支払うことなく排他的に実施することを認める規定は、不当に反競争的であるとみなされる可能性が高い（4条3号）。ただし、有償での改良技術の譲受け、ライセンスバックは禁止されない。 また、ライセンシーに改良技術の実施を禁止することも上記条項に反し、不当に反競争的であると認められる可能性が高い。
改良技術をライセンサーと共有とするよう定めることの可否	タイの法令においては、改良技術をライセンサーと共有させる旨定めることは禁止されていない。
第三者への実施許諾を制限するよう定めることの可否	タイの法令においては、改良技術についてライセンシーによる第三者への実施許諾を制限する規定を設けることは禁止されていない。

[※]条文はすべて特許法に基づく省令第25号（B.E. 2542（1999））。

までもない。また裁判例・先例はないものの、ライセンス技術が特許として登録された場合であって、ライセンス技術の実現可能性の保証を行わない旨を契約書に明記した場合には、規定ぶりによって「不当に反競争的」であるとして登録を拒否され、または後に無効とされるリスクも否定できないため注意が必要である。

④　ライセンサーによる特許保証の要否
　タイの法令においては、いわゆる特許保証（ライセンサーがライセンス技術を実施した場合に第三者の特許等の知的財産権を侵害しないことの保証）を行うことを義務付ける規定は存在しない。
　もっとも、技術ライセンス契約において、ライセンサーからライセンシーに対し技術指導を行われることが規定されている場合には、実務上、債務不履行としてライセンシーから特許保証を求められるリスクがある。また裁判例・先例はないものの、ライセンス技術が特許として登録された場合であって、ライセンス技術の実現可能性の保証を行わない旨を契約書に明記した場合には、規定ぶりによって「不当に反競争的」であるとして登録を拒否され、または後に無効とされるリスクも否定できないため注意が必要である。

⑤　ライセンス契約期間満了後におけるライセンシーによるライセンス技術継続使用について、制限することの可否
　ライセンス契約の期間満了後、ライセンシーが技術を継続して使用できないと定めることは可能である。なお、特許法に基づく省令第25号4条4号によれば、ライセンス技術が特許として登録されている場合は、実施権者がライセンス対象特許期間満了後も、許諾された発明の使用について対価を支払うよう要求することは許されないことに留意する必要がある。

⑥　ライセンス契約により、ライセンシーが、ライセンス技術と類似した技術または競合する技術をほかの供給元から取得することを制限することの

可否

特許法に基づく省令第 25 号 3 条 2 項 9 号に照らし、ライセンシーに対し、第三者の技術を取得することを制限する規定を設けることは、かかる第三者の技術がライセンス技術に類似しまたは競合しているかを問わず、不当に反競争的とされる可能性が高い。

⑦　紛争解決条項における注意点

紛争解決条項においては、準拠法、紛争解決の方法・場所・言語、（仲裁の場合は）仲裁人の数等について規定を設けることが重要である。

仲裁を紛争解決の方法とすることも可能である。もっとも、タイはニューヨーク条約の加盟国であり、外国での仲裁判断を執行することができるが、敗訴当事者が仲裁判断に任意に従うことを拒否する場合には、勝訴当事者は仲裁判断の執行のためタイの裁判所に改めて訴訟提起をする必要がある点に留意が必要である。

一方、日本とタイの間には判決執行に係る条約は締結されておらず、日本の裁判所を管轄裁判所として定め、勝訴判決を得ても、タイでは執行することはできない。したがって、日本の裁判所を合意管轄裁判所とすることは避けるべきであろう。

Chapter 11 労働法

第11章

第11章 労働法

第11章では、タイにおける労働法制について解説する。タイに進出する日系企業が現地において直面する法律問題の中でも、雇用や労務に関する問題は最も身近に起きるものの1つである。

本章では、まずタイの労働法令や関連する官庁、裁判所を概観し、次に雇用、解雇、再編に伴う事象といった、日系企業にとって特に関心の高い事項を取り上げる。また、労働者団体および労使紛争の手続に加え、賃金、労働時間、休日、休暇等の雇用条件の規律についても触れる。最後に、タイで勤務する日本人にとって重要な外国人就労規制についても取り上げる。

1 概　　要

(1) 主要法令

タイの主要な労働関係法令としては以下のものが挙げられる。

① 民商法：575条から586条までが雇用契約について定めている。

② 労働者保護法：雇用、賃金、手当て、労働時間、解雇等の労働条件について定めている。

③ 労働関係法：労使紛争の手続、労働組合、労働者委員会等について定めている。

④ 国営企業労働関係法：国営企業における労使関係について定めている。

⑤ 労働安全衛生環境法：使用者の安全配慮義務、安全管理者の任命等について定めている。労働者保護法の一部を分離する形で成立した。

⑥ 障がい者支援法：障がい者の雇用促進等について定めている。

⑦ 労働裁判所法：労働裁判所の設置や労働訴訟の手続について定めている。

⑧ 社会保険法：社会保険基金や疾病、出産、障がい、死亡、児童手当て、老齢年金および失業保険の支給について定めている。

⑨ 労働者災害補償法:労災基金や労災補償金の支給について定めている。
⑩ 外国人就労の管理に関する緊急勅令:外国人の就労許可等について定めている。

(2) 監督官庁

労働法令の所轄官庁は労働省であり、以下の4つの部局を有している。
① 労働福祉保護局
② 雇用局
③ 技能開発局
④ 社会保険事務所

(3) **労働裁判所**

　労働裁判所は、労働事件に関する専門裁判所であり、当該地方の通常の第一審裁判所は労働裁判所が管轄する事件を審理することができない(労働裁判所法8条～10条)。

　労働裁判所の裁判官には、裁判官のうち労働問題に知見のある者が任命される(労働裁判所法12条)。また、使用者側および労働者側のそれぞれの立場に立つ補助裁判官(同法14条)が審理および判決に加わる。労働裁判における専門の裁判官、使用者側の補助裁判官、および労働者側の補助裁判官は、それぞれ同数でなければならない(同法17条)。

　労働裁判所の裁判手数料は無料である(労働裁判所法27条)。

　原告は労働裁判所への訴訟提起を口頭で行うこともできる。その場合、労働裁判所は必要な質問を行って原告の主張を記録し、原告に読み上げて署名させる(労働裁判所法35条1項・2項)。

　労働裁判所は、労使関係が原則として友好的に維持されるべきであることにかんがみ、まず和解のための調停を行わなければならない。そして、和解が成立しない場合に、裁判を行う(労働裁判所法38条1項・3項)。

労働裁判所は、重要な場合を除き、休廷せずに連続して審理を行わなければならず、休廷する場合でも1回につき7日を超えてはならない（労働裁判所法45条3項）。

労働裁判所は、審理終了の日から3日以内に判決または命令を言い渡さなければならない（労働裁判所法50条1項）。

労働裁判所の判決に対しては判決または命令の日から15日以内に専門控訴裁判所に控訴することができる（労働裁判所法54条1項）。控訴判決に不服がある場合、最高裁判所から許可を受けた場合に限り、最高裁判所に上告をすることができる（同法57/1条、民事訴訟法247条）。

上記のような労働者個人による訴訟提起の容易さ、および迅速性により、労働裁判所における裁判は労働者にとって利用しやすいものとなっている。

2　雇　用

(1)　定　義

①　雇用契約

雇用契約とは、書面によるか口頭によるかを問わず、明示的または黙示的に、労働者が使用者のために労働することに合意し、使用者が労働させた時間につき賃金を支払うことを合意した契約をいう（労働者保護法5条）。

②　使用者

使用者とは、賃金を支払って、労働者を雇用することに同意した者をいい、(i)使用者から委任を受け、使用者を代理して働く者、ならびに、(ii)使用者が法人の場合、法人を代理する権限を有する者およびその者から法人を代理するよう委任を受けた者を含む（労働者保護法5条、労働関係法5条）。

③ 労働者

労働者とは、名称のいかんにかかわらず、賃金を受領して使用者のために労働することに同意した者をいう（労働者保護法5条、労働関係法5条）。

(2) 雇用契約の種類

① 期間の定めのない雇用

期間の定めのない雇用契約とは、雇用期間の終了時期が明確に定まっていない契約をいう。

後述のように、期間の定めのない雇用の場合に解雇するためには、原則として、解雇予告、解雇補償金の支払い、有給休暇の買取り、および解雇が不公正でないことが必要となる。

② 有期雇用

明確に期間の定まっている雇用契約をいう。

期間の定めがあっても使用者の自由解約権がある場合や単に試用期間の定めがあるだけである場合には該当しない。

期間の満了により雇用契約は当然に終了し（労働者保護法17条1項）、解雇予告は不要である。また、期間満了による契約終了は、不公正解雇（後述）には該当しない。ただし、解雇補償金の支払いは原則として必要である。

③ 特定有期雇用

有期雇用のうち、以下の(i)から(iii)の条件をいずれも満たすものについては、解雇補償金の支払義務は発生しない（労働者保護法118条3項・4項）。

(i) （通算の雇用）期間が2年以内であること
(ii) 以下のいずれかに該当すること

(a) 通常の事業・取引ではない特別の事業に関する業務[1]

(b) 臨時的業務

(c) 季節的業務

(iii) 使用者と労働者が雇用開始時に上記(i)(ii)を文書で合意したこと

④ 試用期間

試用期間の定めのある契約は、期間の定めのない雇用契約とみなされる（労働者保護法17条2項）。

そのため、試用期間中または満了時に本採用をしない場合には、解雇予告、有給休暇の買取り、解雇補償金の支払いおよび不公正解雇でないことといった通常の解雇と同様の手続や条件が必要となる[2]。

ただし、不公正解雇との関係については、タイ最高裁判所は、試用期間中の労働者の業務評価は使用者の権利であり、業務成績が不十分であることを理由とする解雇は、不公正解雇には当たらないとしている（タイ最高裁判例13896/2555号）。

⑤ 派遣労働者

事業者が、就職あっせんを業とする者ではない者に労働者を派遣させ、その派遣された者を、事業者が責任を有する生産過程または事業の一部に従事させる場合、派遣を受けた事業者が当該派遣労働者を監督・管理するか、また賃金支払いについて責任を有するかを問わず、事業者は当該派遣労働者に対する使用者としての責任を負う（労働者保護法11/1条1項）。

事業者における本来の生産過程・事業ではない業務に従事する者（たとえば、警備会社から派遣されてきた警備員、清掃会社から派遣されてきた清掃員、

---

1) もっとも、通常の事業・取引は広く解されているため、(ii)(a)に該当する場合はきわめて狭くなり、現実にはあまり適用されないようである。

2) 解雇補償金の支払いを避けるため、実務上、試用期間は119日以下に設定することが多い（後述のとおり、法定の解雇補償金請求権が発生するのは勤続日数120日目からである）。

会計事務所から派遣されてきた会計スタッフ）に対しては、当該規制は適用されないと解される。

　派遣労働者が、派遣を受けた事業者と直接雇用契約を締結している労働者と同様の労働を提供している場合、派遣を受けた事業者は、当該派遣労働者に対しても通常の労働者と同様の、公平な権利と福祉を与えなければならない（労働者保護法 11/1 条 2 項）。違反した場合、10 万バーツ以下の罰金の対象となる（同法 144/1 条）。

　タイ最高裁判例（22326-22404/2555 号）では、事業者は給与や賞与のみならず、諸手当を派遣労働者にも平等に支払う責任を負うものとされた。また、派遣会社は責任を負わない（すなわち、派遣を受けた事業者のみが責任を負う）ものと判示した点にも注意が必要である。

(3)　障がい者雇用

　障がい者支援法 33 条に基づく労働省令により、使用者は、労働者 100 人につき 1 人の割合で障がい者を雇用する義務を負う[3]。

　この障がい者雇用義務を満たさない使用者は、障がい者生活水準促進向上基金に一定の納付金[4]を支払わなければならない（障がい者支援法 34 条）。もっとも、この障がい者雇用義務を満たす意思も基金への納付金も支払う意思もない使用者は、代替措置として、障がい者生活水準促進向上委員会の定める基準および方法に従い、障がい者に対して許可の付与、物品販売またはサービスを行うための場所の提供、一時雇用、職業訓練等の提供をすることもできる（障がい者支援法 35 条）。

---

3) 従前は労働者 200 人につき 1 人であったが、2011 年 4 月の労働省令で引き上げられた。
4) 具体的には不足人数分の前年分の最低賃金相当額。

第 11 章 労働法

3 解　雇

(1) 解雇の意義

　解雇とは、雇用契約の終了によるか否かにかかわらず、使用者が、労働者に勤務を継続させず、賃金の支払いを継続しない行為をいい、雇用契約の解除によると否とを問わない（労働者保護法 118 条 2 項参照）。
　したがって、「自主退職」を強要することも、解雇に当たりうる。また、使用者が事業を継続できないため、労働者が労働せず、賃金を受け取らない場合を含む（労働者保護法 118 条 2 項参照）。

(2) 解雇の要件

　使用者が労働者を解雇するには、原則として以下の 4 つの要件をいずれも満たすことが必要となる[5]。
　① 解雇予告を行ったこと（期間の定めのない雇用の場合）
　② 解雇補償金を支払ったこと
　③ 有給休暇の買取り
　④ 解雇禁止事由（個別の明文規定または不公正解雇）に該当しないこと
　以下、それぞれの要件について説明する。

(3) 解雇予告

　期間の定めのない雇用契約の場合、解雇の要件として、1 給与期間以前の書面による解雇予告が必要となる（労働者保護法 17 条 2 項）[6]。
　この点、日本の労働基準法 20 条 1 項では、解雇予告期間は少なくとも 30

---

[5] 実務上は、解雇に伴う金銭支払いに際して、労働者から使用者に対する債権がその他にはないことの確認書を取得しておくことが望ましい。
[6] ただし、1 給与期間が 3 か月以上の場合は、3 か月前の解雇予告でよい旨規定されている。

3 解　雇

【図表 11 − 1】解雇予告日と解雇日の関係

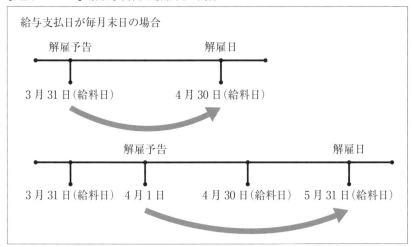

日とされているが、タイの場合には、仮に給与が月払いであるとすると、日本よりも長い解雇予告期間を要する可能性がある。

すなわち、上記の**図表 11 − 1** では、給与支払日が毎月末であるとした場合[7]、解雇予告を 3 月 31 日に行えば、4 月 30 日には解雇できることになる。しかし、解雇予告をたとえば 4 月 1 日に行った場合には、原則として 5 月 31 日まで解雇できないことになる。

もっとも、以下の 2 つの場合には、例外的に解雇予告を行うことなく即時に解雇することができる。

まず、1 給与期間分の給料を前払いすることにより、1 給与期間の経過を待たずに即時解雇することが可能である（労働者保護法 17 条 3 項）。

また、労働者保護法 119 条 1 項、民商法 583 条所定の非違行為[8]があったことを理由とする場合には、解雇予告をせずに即時解雇することが可能であ

---

7) タイでは毎月末が給与支払日である例が多く見受けられる。
8) 後記(4)①参照。

る（労働者保護法 17 条 4 項、119 条 1 項・2 項）。

なお、労働者保護法 119 条 1 項、民商法 583 条所定の非違行為があったことを理由とする（即時）解雇の場合に労働者に交付する解雇通告書には、解雇理由および解雇理由に該当する事実を記載する必要がある（労働者保護法 17 条 4 項、119 条 3 項）。

(4) 解雇補償金の支払い

① 解雇補償金支払いの要否

使用者は労働者の解雇に際して、当該労働者の勤続期間に応じて、最終賃金の一定日数分に相当する金額（severance pay）を支払わなければならない（労働者保護法 119 条 1 項）（金額については後記図表 11 - 2 のとおり）。また、有期雇用契約が期間満了により終了する場合であっても、解雇補償金の支払いは必要である点に留意が必要である[9][10]。他方、労働者が自ら辞職した場合には、解雇補償金の支払いは不要である。

なお、使用者が社内規程により任意に設けている退職手当てについては、解雇補償金とは別個であるため、法定の解雇補償金と任意の制度による退職手当てについては、いずれかを支払ってもなお他方を支払う必要がある。

もっとも、前述のとおり、所定の条件を満たす特定有期雇用の場合には、例外的に解雇補償金の支払義務は発生しない（労働者保護法 118 条 3 項）。

また、労働者保護法 119 条 1 項所定の非違行為があったことを理由とする（即時）解雇の場合にも、例外的に解雇補償金の支払義務は発生しない[11]。

労働者保護法 119 条 1 項所定の非違行為は以下のとおりである。

---

[9] その意味では、「解雇」補償金との訳語は適切でないようにも思われるが、他方で、「退職」補償金等と訳すと、辞職の場合には支払いの対象とならないことからやはり適切でないように思われる。

[10] なお、就業規則に基づいて定年退職する場合には、解雇とみなされ、解雇補償金の支払いが必要となる（タイ最高裁判例 2504/2525 号）。

[11] 解雇通告書には解雇理由および解雇理由に該当する事実を記載する必要がある（労働者保護法 119 条 3 項）。

(ⅰ) 職務上の不正を行い、または、使用者に対し故意に刑事犯罪を犯したこと
(ⅱ) 使用者に対して故意に損害を与えたこと
(ⅲ) 使用者に対して過失により重大な損害を与えたこと
(ⅳ) 使用者が文書で警告を行ったにもかかわらず、就業規則、規律または使用者の適法で正当な命令に違反した場合。ただし、違反が重大である場合には警告を要しない。警告書は違反行為から1年間有効である。
(ⅴ) 合理的な理由なく、間に休日があるか否かにかかわらず、3労働日連続で職務を放棄したこと
(ⅵ) 確定判決により懲役刑を受けたこと。ただし、過失または軽犯罪の場合には、使用者に損害を与えたことを要する（労働者保護法119条2項）。

② 解雇補償金の計算

勤続期間には、休日や休暇、使用者の許可または命令により休んだ日も含む。

他方、ここでいう賃金には、手当ては原則として含まれない。ただし、税逃れなどのため手当名目で実質的に給与を支払っている場合は含まれうる。解雇補償金の具体的金額は、**図表11－2**記載の基準により計算される（労

【図表11－2】勤続期間と解雇補償金の関係

勤続期間	解雇補償金（最終賃金を基準とする）
120日以上～1年未満	30日分
1年以上～3年未満	90日分
3年以上～6年未満	180日分
6年以上～10年未満	240日分
10年以上～20年未満	300日分
20年以上	400日分

働者保護法 118 条 1 項)。

③　事業所移転による労働者による雇用契約解約の場合の補償金

　事業所の移転が労働者または家族の日常生活に重大な影響を与える場合には、使用者は、事業所の移転日より 30 日以上前に移転の対象となる労働者、移動場所、移転日等を当該事業所の労働者に通知する必要があり、当該通知を事業所内の見やすい場所に移転日までの間継続して掲示しなければならない（労働者保護法 120 条 1 項）。事業所の移転の意義について、従前はタイ最高裁判例により、現在の事業所が閉鎖され、新設の事業所へ移転する場合のみと解釈されてきたが、2019 年 4 月の労働者保護法改正により、新設の事業所へ移転する場合のほか、既存の他の事業所に移転する場合も含まれることとなった。そして、事業所の移転により自身またはその家族の生活に重大な影響が生じる労働者は、使用者に対して雇用契約の解約を通告することができる。この場合、（労働者側からの解約ではあるものの）労働者は解雇の場合と同額の補償金を受け取る権利を有し、使用者は、この補償金を事業所移転の日から 7 日以内に支払う必要がある（同法 120 条 3 項）。

　なお、使用者が事前通知を怠ると、さらに 30 日分の賃金相当の補償金を支払う必要が生じる（労働者保護法 120 条 2 項）。

④　機械化・技術革新移転に伴う解雇の場合の補償金

　機械化や技術更新に伴い、組織、生産工程、サービス提供方法などを変更して、労働者数を減少させる必要があることを理由とする解雇の場合には、使用者は、60 日以上前に労働監督官および労働者に解雇予告を行う必要がある（労働者保護法 121 条 1 項）。

　使用者は、解雇予告を行わない場合、通常の解雇補償金に加え、60 日分の特別な解雇補償金を上乗せして支払う必要がある（労働者保護法 121 条 2 項）。

　また、上記に加え、勤続期間 6 年超の労働者には、360 日分の範囲内で、

勤続1年当たり15日分の特別な解雇補償金（1年に満たない部分は180日を超えるときは切上げ）を支払う必要がある（労働者保護法122条）。

(5) 明文規定による個別の解雇禁止事由

以下の場合には、労働法令の明文規定により、使用者は労働者を解雇できないものとされている。

① 妊娠を理由とする解雇（労働者保護法43条）
② 労働者委員会の委員の解雇。ただし、裁判所の許可を得れば解雇できる（労働関係法52条）
③ 集会開催、要求書の提出、訴訟提起、証言・証拠提出等、またはそれらを行おうとしていることを理由とする解雇（労働関係法121条1号）
④ 労働組合員であることを理由とする解雇（労働関係法121条2号）
⑤ （労働争議の前提手続となる）要求書提出に関係した労働者の、労働条件協約または仲裁判断の有効期間中における解雇

ただし、労働者が以下の行為を行った場合は除く（労働関係法123条）。

(i) 職務上の不正を行い、または使用者に対し故意に刑事犯罪を犯した場合
(ii) 使用者に対して故意に損害を与えた場合
(iii) 就業規則、規律、または使用者の適法で正当な命令に違反し、かつ、使用者が文書で警告を行った場合。ただし、違反が重大である場合には警告を要しない
(iv) 合理的な理由なく、間に休日があるか否かにかかわらず、3労働日連続で職務を放棄した場合
(v) 労働協約または労働争議仲裁判断に違反するよう扇動、支援または誘導を行った場合

(6) 不公正解雇の労働裁判所による制限

① 概　　要

　労働裁判所は、不公正解雇と認めた場合、元の賃金による職場復帰を命令することができる（労働裁判所法49条本文）。

　ただし、労働裁判所は、使用者と労働者が協力して労働を継続できないと判断した場合、職場復帰に代えて、損害賠償金の支払いを命令することもできる。損害賠償金の算定に当たり、労働裁判所は、労働者の年齢、勤続年数、解雇による困窮の度合い、解雇理由、解雇補償金を考慮するものとされている（労働裁判所法49条ただし書）[12]。

　しかし、いかなる場合に不公正解雇となるかの基準は、法令に定められておらず、労働裁判所の個別判断による。

② 不公正解雇とされた事例

　タイ最高裁判所が不公正解雇と判断した事例には、たとえば以下のようなものがある。

　(i)　会社のコスト削減だけを目的とした解雇（4099/2561号）
　(ii)　適切な警告等を経ずに行われた解雇（部下に対して厳しい管理をしたことを理由としたもの（3431/2525号）、勤務時間中の酒気帯びによる職務放棄を理由としたもの（2476/2537号）、上司の口頭注意を無視した労働者同士の喧嘩を理由としたもの（4055/2558号））
　(iii)　労働契約に違反しない、勤務時間外の兼業を理由とする解雇（1253/2526号）、勤務時間外の喧嘩を理由とする解雇（8854/2547号）
　(iv)　使用者と意見が食い違ったことを理由とする解雇（1347/2525号）
　(v)　重大ではない命令違反を理由とする解雇（会社命令に反して勝手に注文

---

[12]　実際の労働裁判所の損害賠償金の算定の傾向としては、勤続年数1年につき最終賃金の1か月分（たとえば勤続年数5年であれば最終賃金の5か月分）を基本とすることが多いようである。

書を作成して上司の署名を得たことを理由としたもの（328/2543 号））
(vi) 就業規則改定に反対したことを理由とする解雇（6098/2551 号）
(vii) 組織再編のために解雇理由、必要性、並びに、対象者選択の基準および方法を未告知で行った整理解雇（8484-8485/2559 号）、希望退職制度に応募しなかった労働者の解雇（14098/2557 号）
(viii) 一定の部署の事業譲渡に伴う当該部署の労働者の解雇（6000-6040/2544 号）
(ix) 利益の減少があっても、依然として利益を計上しており、事業閉鎖や事業縮小の必要に迫られていない場合の整理解雇（7602/2541 号、1850/2547 号、7083/2548 号）

なお、上記(ix)の事例に照らし、日本の親会社が損失を計上し事業縮小が必要な場合であっても、親会社の損失や事業縮小のみを理由にタイ子会社がその労働者を解雇することは、不公正解雇に該当するであろうという見解が、タイ弁護士の間では有力である。

③ 不公正解雇ではないとされた事例

他方、タイ最高裁判所が不公正解雇ではないと判断した事例には、たとえば以下のようなものがある。

(i) 経歴・資格詐称を理由とする解雇（574/2526 号、2017/2527 号、6075/2549 号）
(ii) 社用車を私的に使用したことを理由とする解雇（1930/2557 号）
(iii) 健康状態が勤務に耐えられないことを理由とする解雇（大腸がんで入院し 60 日以上欠勤したことを理由としたもの（3634/2525 号）、糖尿病で適当な仕事がないことを理由としたもの（1849/2529 号））
(iv) 部署の責任者として業績が上がらず、同等の職位への配置転換を拒絶したことを理由とする解雇（609/2525 号、4105-4108/2550 号）
(v) 職場でのギャンブル禁止に違反したことを理由とする解雇（8587-8591/2550 号、10507/2557 号）

第11章　労働法

　(vi)　損失計上による部署の縮小に伴う整理解雇（233/2524 号、2124/2555 号等）
　(vii)　合併により職位が減少し、能力に応じ選別した整理解雇（667/2544 号）
　(viii)　違法薬物使用・所持を行うことにより就業規則に違反したことを理由とする解雇（6924/2557 号、5912/2546 号）
　(ix)　（間に休日があるか否かを問わず）3 労働日連続して職務放棄したことを理由とする解雇（4105-4108/2550 号、1764-1797/2556 号）

(7)　人員整理の方法

　以上、解雇に関するタイの法制度について概観したが、事業運営上の理由により人員整理（削減）が必要となる場合について、実務上はタイでもまずは（整理）解雇以外の方法で人員整理を試みることが多い。具体的には、退職勧奨や希望退職制度の実施である。これらの方法が効を奏しなかった場合に初めて整理解雇を実施することになる。

① 退職勧奨

　退職勧奨は、使用者が個別の特定の労働者に自主的な退職を促すものである。
　この場合、あくまで労働者の任意の退職となるので、使用者には法定の解雇補償金の支払義務は発生しない。しかし、使用者は、労働者の任意の退職合意を得るために、解雇補償金相当またはそれに一定程度上乗せした金額（Separation Package）を別の名目で支払うことを提案し、労働者に自主退職をしてもらうのが一般的である。
　ただし、解雇補償金であれば、賃金の 300 日分以内かつ 30 万バーツ以内までは非課税（財務省令 217 号）なのに対し、Separation Package の支払いは、全額が労働者の個人所得税の課税対象となる点に留意が必要である。

② 希望退職制度

　希望退職制度は、通常は一定の上乗せ退職金等を提示して、全労働者ないし一定部署の労働者に対し、退職希望者を募るものである。多数の人員を円満に整理しうる一方、相応の時間を要したり、予定していた退職人数を確保できない場合もある。

　また、実務上は労働者代表や労働組合との協議、あるいは労働者への説明会の実施などの対応も重要となる。

③ 整理解雇

　整理解雇の場合、前述のとおり、不公正解雇として労働裁判所により解雇が無効とされうる点に留意が必要である。

　なお、50人以上の労働者を1度に解雇する場合、労働検査官に1か月前以上の事前通知が必要となる（労働福祉省[13]告示。もっとも違反に対する制裁は定められていない）。

4　事業再編に伴う労働者の承継

(1) 事業譲渡の場合

　使用者は、労働者の同意を得て、雇用契約上の地位を第三者に譲渡することができる（民商法577条1項）。

　したがって、事業譲渡において労働者を譲受会社へと承継させるには、労働者の個別の同意が必要となる。もし労働者が同意をしなかった場合には、使用者と雇用者との間で従前の雇用契約が継続することになる。

　なお、雇用契約を承継させる場合には、特に別途の合意がない限り、解雇補償金の金額の計算の基礎となる雇用期間も承継されることになると考えら

---

13) 労働福祉省は労働省の旧名である。

れている。

　また、事業譲渡ではないが、関連会社への転籍命令について、タイ最高裁判所は以下のように判示している（タイ最高裁判例9487/2551号）。

　すなわち、A社は事業を閉鎖し、労働者に関連会社B社への転籍を命令したが、当該労働者は拒絶した。そのため、A社は当該労働者を解雇した。裁判所は、当該労働者は雇用契約においていかなる勤務地への異動命令にも同意をしていたが、労働者の転籍命令の拒絶は雇用契約違反ではないとして、A社による労働者への転籍命令は、民商法577条に違反すると判示した。

(2) 合併の場合

　従前、合併14)等の包括承継の場合には、労働者は元の使用者に対して有していた権利を継続して保有し、一方、新しい使用者は、当該労働者に対して労働者が有していた権利義務を（労働者の個別の同意がなくとも自動的に）承継するとされていた。しかし、2019年4月の労働者保護法改正により、事業譲渡と同様、合併においても、対象労働者の個別の同意が必要とされた（労働者保護法13条）。

5　労働者団体

(1) 労働組合

　労働組合は、10人以上の発起人たる労働者が任意に組成するものであり（労働関係法89条）、規約を作成して労働省ないし県知事に登録し、法人格を得る必要がある（同法87条）。

---

14) 従前、タイにおいては新設合併しか認められていなかったが、2023年2月の民商法改正により、吸収合併が創設された（第3章7参照）。

発起人は同一の使用者のもとで労働するかまたは同一の業種で労働する労働者で、成年のタイ国籍保持者でなければならない（労働関係法88条）。

また、組合員は、発起人と同一の使用者のもとで労働するかまたは同一の業種で労働する15歳以上の労働者でなければならない[15]（労働関係法95条）。よって、外国人であっても組合員資格を得られる。

なお、同一の使用者のもとで労働するかまたは同一の業種で労働する組合員で構成される2以上の労働組合は、労働組合間の良好な関係を促進し、労働組合の利益を守るため、共同して労働組合連合を設立して登記することができ（労働関係法113条）、登記したときに法人となる（同法115条）。

また、15以上の労働組合または労働組合連合は、教育および労働関係の事項を促進するため、労働評議会を設立することができる。労働評議会は登記しなければならない（労働関係法120条）。

(2) 労働者委員会

労働者委員会は、労働者50人以上の事業所において任意に設置することができるものであり、福利厚生、就業規則、労働者の苦情および事業所内の和解および紛争解決について使用者と労働者である委員[16]とが定期的に協議を行うものである（労働関係法45条1項、50条1項）。

使用者は、3か月に1回以上、加えて労働者委員会の過半数または労働組合が要求した場合に、労働者委員会と協議を行う必要がある（労働関係法50条1項）。

(3) 福祉委員会

福祉委員会は、労働者50人以上の事業所において設置が強制されるもの

---

[15] 近年はタイの工場等においてカンボジア、ミャンマー、ラオスからの出稼ぎ労働者が増加しているが、それらの非タイ国籍労働者は、現行法上は労働組合に加入できないことになる。
[16] 労働者委員会の委員の人数は、当該事業所の労働者の人数に応じて、5人から21人までの間で定められている（労働関係法46条）。

であり、労働者である5人以上の委員で構成される（労働者保護法96条1項）。福祉委員会は、労働者の福利厚生等について雇用者と定期的に協議し、また監視を行う（同法97条）。

雇用者は3か月に1回以上（さらに福祉委員会の合理的な請求により）福祉委員会と協議する必要がある（労働者保護法98条）。

6 労使紛争の手続

労使紛争を実力で解決する方法として、労働関係法ではストライキとロックアウトが認められている。

ストライキは、労使紛争が生じたときに、労働者が協働して一時的に労働を行わないことと定義されている（労働関係法5条）。また、ロックアウトは、労使紛争が生じたときに、労働者が労働することを使用者が一次的に拒絶することと定義されている（同条）。労働者側がストライキを合法的に行う場合または使用者がロックアウトを合法的に行う場合には、まず、要求書の提出から労働調停に至る以下の一連の手続を踏むことが必要となる。

これらの手続を怠ってストライキやロックアウトを行った場合には、当該労働者または使用者は民事責任（賃金不払いや労務提供の不履行といった雇用契約違反等）および刑事責任を免責されないことになる（労働関係法99条1項2号参照）。

(1) 要求書の提出

労働条件協約[17]の締結または変更をするには、まず相手方に対して要求書を提出する必要がある（労働関係法13条1項）。

労働者側が要望書を提出する場合には、要求に関係する労働者の総数の

---

[17] 20人以上の労働者を有する事業所では、労使の合意により書面で一定の雇用条件について労働条件協約を締結しなければならないが、労働条件協約の存在が確認できない場合には、就業規則の内容が労働条件協約であるものとみなされる（労働関係法10条）。

15%以上の氏名および署名が必要となる（労働関係法13条3項）。

また、労働組合の組合員数が当該使用者の労働者総数の20%以上である場合には、労働組合は労働者を代表して要求書を提出することができる（労働関係法15条1項）。

(2) 交　　渉

使用者および労働者側は、要求書が受理された日から3日以内に交渉を開始しなければならない（労働関係法16条）。

交渉がまとまれば、労使間の合意内容を記載した労働条件協約を作成して署名することになる（労働関係法18条）。

他方、要求書が受理されてから3日以内に交渉が開始されなかった場合、または交渉が開始されたものの交渉がまとまらなかった場合、労使紛争が発生したものとみなされ、要求書を提出した側は、要求書が受理された日から3日経過した時点から24時間以内、または労使が合意に至らなかった時点から24時間以内に、労働調停官に書面で通知を行わなければならない（労働関係法21条）。

(3) 調　　停

労働調停官は、通知を受けてから5日以内に合意が成立するように調停を行う（労働関係法22条1項）。

調停により合意に至れば、労使は合意内容を記載した労働条件協約を作成して署名することになる（労働関係法22条2項、18条）。

調停によっても労使が合意に至らなかった場合には、合意不能の労使紛争とみなされ、使用者および労働者は、労使紛争仲裁に付託するか、または、使用者はロックアウト、労働者はストライキを行うことができる（労働関係法22条3項）。

使用者および労働者は、それぞれロックアウトまたはストライキを行う24時間以上前に、労働調停官および相手側に書面で通知を行う必要がある

第11章 労働法

(労働関係法34条2項)。

7　賃金および手当て

(1) 概　要

　賃金[18]とは、①雇用契約に基づき時間、日、週、月その他の通常の勤務期間の労働の対価として、②通常の勤務時間の労働の成果に基づき、または③労働者保護法に基づき休日または休暇中について労働者が受領する権利のある、使用者から労働者に支払われる金銭をいう（労働者保護法5条10号）。
　上記定義から、時間外手当て、休日労働手当て、賞与等は、賃金には含まれない。
　他方、休日または休暇についての支払いも賃金に含まれうることになる。労働者保護法56条は、週休日（日給制、時給制、出来高払い制の場合を除く）、祝日および年次有給休暇も、使用者は労働日と同額の賃金を労働者に支払わなければならないとしている。
　労働の質および量が同等である場合、使用者は労働者に対し、男女の区別なく、賃金、時間外手当て、休日手当ておよび休日時間外手当てを支払わなければならない（労働関係法53条）。

(2) 支払方法

　使用者は、労働者の同意がない限り、賃金、時間外手当て、休日労働手当て、休日時間外手当てその他の雇用に関する金銭的利益を、タイの通貨（バーツおよび補助通貨としてサタン[19]）で支払わなければならない（労働者保護法54条）。

---

[18] 賞与については、法律上は使用者に支払義務はなく、就業規則その他社内規程や雇用契約等で定められていない限り、使用者の裁量によることとなる。
[19] 1バーツは100サタンである。

また、使用者は、労働者の同意がない限り、勤務場所において賃金、上記手当てその他の雇用に関する金銭的利益を労働者に支払わなければならない（労働者保護法55条）。したがって、給料を銀行振込で行うには、労働者の同意が必要となる。

使用者は、週休日（日給制、時間給制、出来高払制の場合を除く）、慣習的な休日および年次有給休暇日についても、勤務日と同様の賃金を労働者に支払う必要がある（労働者保護法56条）。

賃金および上記手当等の遅延利息は、労働者保護法上、年利15%と定められている。さらに、もし使用者が合理的な理由なく故意にそれらを支払わなかった場合には、追加で7日ごとに15%の遅延利息支払義務が生じる（労働者保護法9条）。

(3) 控除の制限

使用者は、以下の場合を除き、賃金、時間外手当て、休日労働手当ておよび休日時間外手当てから控除を行ってはならない（労働者保護法76条）。

① 支払義務のある所得税（源泉税）およびその他法律で定められた支払い[20]
② 労働組合の規約に基づく労働組合費
③ 労働者の事前の同意を得た場合、貯蓄協働組合もしくは貯蓄協働組合と同様の性質を有する協働組合に対する負債の支払い、またはもっぱら労働者の利益のための福利厚生のための負債
④ 労働者保護法で認められる保証金または労働者の故意もしくは重過失により使用者が損害を被った場合で、当該労働者の同意がある場合
⑤ 積立基金に関する合意に基づく積立金[21]

また、上記による控除額は、労働者側の同意がない限り、それぞれにつき

---

[20] 社会保険料や労災保険料等が該当する。
[21] プロビデントファンド（退職積立基金）等が該当する。

賃金および上記手当ての10%以下、また②〜⑤の合計につき賃金および上記手当ての20%以下でなければならない。

(4) **最低賃金**

最低賃金は賃金委員会が随時定める（労働者保護法79条1項3号）。

賃金委員会は、労働事務次官を委員長とし、内閣から任命される政府側代表者4人ならびに使用者側代表者5人および労働者側代表者5人で構成される。また、労働大臣が任命する労働省職員が事務局を務める（労働者保護法78条1項）。

従前は地域（県）別の最低賃金が定められていたが、賃金委員会は2013年1月に当時のインラック政権の方針のもと、全国一律に1日当たり300バーツへと引き上げた。

その後、直近では、2022年9月の賃金委員会の告示により、2022年10月から最低賃金が改定され、タイの全77都県のうち県別に1日当たり354バーツ（3県）、353バーツ（バンコク都および5県）、345バーツ（1県）、343バーツ（1県）、340バーツ（14県）、338バーツ（6県）、335バーツ（19県）、332バーツ（22県）および328バーツ（5県）に最低賃金が引き上げられた。

また、賃金委員会は、上記の地域別の最低賃金のほかに、一定の業種の技術者・技能者について上記よりも高い習熟度に応じた職能別最低賃金を定めている。

使用者がこれらの最低賃金または職能別最低賃金の支払いを遵守しなかった場合、6か月以下の禁錮もしくは10万バーツ以下の罰金またはそれらの併科の対象となる（労働者保護法90条1項・144条）。

8 労働時間、休憩および休日

(1) 労働時間

　1日の労働時間は、原則として8時間を超えてはならない。また、1週間の労働時間は、原則として48時間を超えてはならない。もっとも、ある1日の労働時間が8時間より短い場合、使用者と労働者はその8時間に満たない部分を他の労働日の労働時間に加える旨合意することができる。ただし、1日当たり9時間を超えてはならず、かつ1週間に48時間を超えてはならない。なお、日給制、時給制または出来高払い制の場合には、合算した部分が8時間を超えたときは、その超過部分については通常の賃金の1.5倍を支払わなければならない（労働者保護法23条1項・2項）。なお、労働者の健康または安全を害するおそれのあるものとして労働省令で定める業務[22]については、1日の労働時間は7時間を超えてはならず、また1週間の労働時間は42時間を超えてはならない（同法23条1項）。

(2) 休　　憩

　使用者は労働者に対し、原則として、1労働日当たり1時間以上の休憩を、5時間以内の連続勤務の後に与えなければならない。使用者と労働者の合意により、休憩時間を1時間未満にして分割することも可能であるが、その場

---

[22] 労働者保護法に基づく労働福祉省令第2号（1998年8月19日付）には以下の業務が指定されている。
　① 地下、水中、洞窟内、トンネル内および通気性の悪い場所における業務
　② 放射線に関する業務
　③ 金属の溶接
　④ 危険物の運搬
　⑤ 危険化学物質の製造
　⑥ 危険な振動を生じさせ労働者に有害な機械または機器を使用する業務
　⑦ 危険な高温または低温の場所における業務

合にも1労働日当たりの休憩時間の合計は1時間以上でなければならない（労働者保護法27条1項）。

休憩時間は原則として労働時間には入らない。ただし、休憩時間の合計が1日に2時間を超える場合には、2時間を超える部分は労働時間に入る（労働者保護法27条3項）。また、通常勤務に続く時間外勤務が2時間を超える場合、使用者は労働者が時間外勤務を開始する前に20分以上の休憩時間を与えなければならない（同法27条4項）。もっとも、業務の性質および状況により連続して労働する必要がありかつ労働者の承諾を得た場合、または緊急の業務については、労働者保護法27条1項および4項は適用されない（同条5項）。

(3) 休　　　日

使用者は、原則として、休日に労働者に労働をさせてはならない（労働者保護法25条1項）。

もっとも、業務の性質または状況から、連続して遂行することが必要で、休止により業務に支障が生じる場合または緊急の場合には、使用者は必要な範囲で労働者に休日労働をさせることができる（労働者保護法25条1項ただし書）。また、ホテル、娯楽場、運送、飲食店、倶楽部、協会、医療機関またはその他労働省令で定める場合には、使用者は労働者に休日労働をさせることができる（同条2項）。

使用者は、労働者に対して1週間に1日以上の週休日を与えなければならない。また、週休日と次の週休日との間隔は6日以内でなければならない（労働者保護法28条1項）。もっとも、ホテル、運送、林業、へき地での労働およびその他労働省令で定める場合については、使用者は労働者との間で、週休日を累積させまたは繰り延べることを事前に合意することができる。ただし、その場合も、週休日と週休日の間隔は連続した4週間以内でなければならない（同条2項）。使用者は、公休日や宗教的または地域の慣習的な祝日を考慮のうえで、労働大臣が指定する国民労働日（5月1日のメーデー）を含め

て、13日以上の祝日を定め、労働者に公示しなければならない（同法29条1項・2項）。日本と異なり、法律が一律に定めるのではなく、一定の制約がありつつも、使用者が祝日を定めることになる。

また、祝日や週休日が同日となった場合には、使用者は翌労働日を振替休日として労働者に与えなければならない（労働者保護法29条3項）。

タイの一般的な祝日には現在、**図表11－3**のようなものがある。

(4) 時間外労働および休日労働

タイでは、日本と異なり[23]、使用者が労働者に時間外労働、休日労働または休日時間外労働を行わせるには、原則として労働者の個別の同意が必要である（労働者保護法24条1項）。

もっとも、業務の性質または種類から連続して遂行することが必要で休止により業務に支障が生じる場合、緊急の場合またはその他労働省令で定める場合には、使用者は必要な範囲内で労働者に時間外労働を行わせることができる（労働者保護法24条2項）。

また、時間外労働、休日労働および休日時間外労働の時間の合計は、労働省令に定める時間（1週間に36時間まで）[24]を超えてはならない（労働者保護法26条）。

なお、前記の労働者の健康または安全を害するおそれのあるものとして労働省令で定める業務については、時間外労働および休日労働は認められない（労働者保護法31条）。

(5) 時間外手当て、休日労働手当ておよび休日時間外手当て

使用者は、労働者に時間外または休日に労働させた場合、前記のとおり労

---

[23] 日本では、労働基準法36条に基づくいわゆる36協定（サブロク協定）を使用者と労働組合（労働組合がない場合には労働者の過半数の代表者）の間で締結し、労働基準監督署に届け出ていれば、使用者は労働者に原則として法定労働時間や法定休日を超えて労働させることができる。

[24] 労働者保護法に基づく労働福祉省令第3号（1998年8月19日付）。

第11章 労働法

【図表11－3】タイの祝日

名　　称	日付または時期	備　　考
元日	1月1日	
マーカブーチャー（万仏節）	2月頃の満月の日	陰暦3月15日
チャクリー王朝の日	4月6日	
タイ正月（ソンクラーン）	4月13日〜15日	
国民労働日（メーデー）	5月1日	
農耕祭	5月	日付は年により異なる。官公庁の公休日であるが、私企業は一般に営業日とする。
ウィサーカブーチャー（仏誕節）	5月頃の満月の日	陰暦6月15日
王妃誕生日	6月3日	現国王の王妃スティダー王妃の誕生日
アーサーラハブーチャー（三宝節）	7月頃の満月の日	陰暦8月15日
カーオパンサー（入安居）	三宝節の翌日	官公庁は公休日であるが、私企業では営業日とする場合も多い。
国王誕生日	7月28日	現国王ワチラーロンコーン国王の誕生日
太后誕生日（母の日）	8月12日	前国王の妃であるシリキット太后の誕生日
チュラーロンコーン大王の日	10月23日	ラマ5世の崩御の日
ラマ9世誕生日（父の日）	12月5日	ラマ9世の誕生日
憲法記念日	12月10日	
大晦日	12月31日	

【図表11－4】時間外手当て・休日労働手当て・休日時間外手当て

時間外・休日勤務の種類		賃金の追加支払い	手 当 て	合計追加支払額
時間外勤務		なし	1.5倍	1.5倍
休日勤務	月給制など有給の場合	なし	1倍	1倍
	無給の場合	あり	1倍	2倍
休日時間外勤務		なし	3倍	3倍

働者に手当てを支払う必要がある。具体的には図表11－4のようになる（労働者保護法61条～63条)[25]。

もっとも、以下の場合にはこれらの手当てを受領する権利を有しない（労働者保護法65条）。

① 雇用、賞与支給、または解雇について使用者を代理する権限のある者[26]の場合
② 商品の移動販売または営業を行う場合で、使用者が販売手数料を支払う場合
③ 鉄道業務に従事する場合（鉄道の乗務員および運行補助）
④ 水門および排水門の開閉に従事する場合
⑤ 水位および水量の測定に従事する場合
⑥ 消防または公害防止の業務に従事する場合
⑦ 業務の性質または条件上、事業所の外で業務を行う必要がある場合で、労働時間を明確に定めることができない場合

---

[25] 日本の場合には手当てではなく割増賃金となるが、法定労働時間外の労働につき1.25倍、深夜（22時～5時）労働につき0.25倍、法定休日労働につき1.35倍であるため（労働基準法37条）、タイのほうが相当に割高になるといえる。

[26] 人事権を有する一定の管理職が該当することになる。なお、日本の場合には、労働基準法41条2号では監督もしくは管理の地位にある者とのみ定められているが、厚生労働省の通達により、①当該労働者の地位、職務内容、責任および権限からみて、労働条件の決定その他の労務管理について経営者と一体的な立場にあること、②勤務態様、特に自己の出退勤をはじめとする労働時間について裁量権を有していること、かつ、③一般の労働者に比してその地位と権限にふさわしい賃金等の処遇を与えられていること、が必要とされている。

⑧ 場所または財産の監視に従事する場合で、当該業務が労働者の通常の業務でない場合

⑨ その他労働省令で定める業務に従事する場合

(6) 在宅勤務

2023年4月の労働者保護法改正により、在宅勤務制度の導入自体は義務とされていないものの、在宅勤務制度を導入する場合には、使用者は労働者との間で以下の事項について書面または電子的な方法により合意をする必要があるものとされた（労働者保護法23/1条1項・2項）。

① 在宅勤務制度の適用期間
② 労働日、労働時間、休憩時間、時間外労働
③ 時間外労働および休日労働に関する基準（休暇の区分を含む）
④ 労働者の業務範囲および使用者による業務の管理監督
⑤ 業務用の道具や設備の提供義務（業務上の必要経費を含む）

事前に合意した労働時間が終了し、または使用者から割り当てられた業務が終了した以降は、労働者は、原則として使用者や監督者等と連絡をとることを拒否することができるとされている（労働者保護法23/1条3項）。

9 休　暇

(1) 年次有給休暇

満1年以上継続して勤務した労働者は、1年につき6労働日以上の年次有給休暇を取得する権利を有する（労働者保護法30条1項）。使用者は勤続年数に応じて6労働日を超える年次有給休暇を与えるといった措置を採ることももちろん可能であるが、必ずしも増加させる必要はない（同条2項参照)[27]。

また、労使間の事前合意により、未使用の年次有給休暇を次年度に繰り越

すことができる（労働者保護法 30 条 3 項）。

　使用者は、勤務期間が 1 年未満の労働者につき、勤続期間に比例して年次有給休暇の日数を定めることができる（労働者保護法 30 条 4 項）。

(2) 疾病休暇

　労働者は病気である場合、疾病休暇を取得することができる。ただし、3 日以上連続して欠勤するときは、使用者は労働者に対し、1 級の資格を有する現代医学の医師または公立病院の診断書の提出を求めることができる。労働者は、診断書を提出できない場合、使用者に対して説明を行わなければならない（労働者保護法 32 条 1 項）。

　疾病休暇については、年間 30 労働日までは有給としなければならない（労働者保護法 57 条 1 項）。

(3) 不妊手術休暇

　労働者は不妊手術を受けるために、1 級の資格を有する現代医学の医師が診断書で必要と証明する期間について、不妊手術休暇を取得することができる（労働者保護法 33 条）。不妊手術休暇が認められているのは、タイ政府が以前には人口抑制策を取っていたことを背景とするものである[28]。

　不妊手術休暇については、すべての日数を有給としなければならない（労働者保護法 57 条 2 項）。

(4) 用事休暇

　あくまで就業規則に従うものであるが、労働者は、就業規則に従い、用事休暇を取得することができる（労働者保護法 34 条）。主に冠婚葬祭等への出席や役所の窓口への出頭などが念頭に置かれている。用事休暇はあくまで就

---

[27] 日本では労働基準法 39 条 2 項により勤続年数に応じて年次有給休暇の日数を増加させる必要があるのと異なる。
[28] 現在のタイはむしろ少子化傾向にある。

業規則の定めによってはじめて認められるものであるが、実務上は就業規則により年間数日の用事休暇を労働者に認めている例が多い。以前は用事休暇の日数について法律上定められていなかったが、2019年4月の労働者保護法改正により、労働者は少なくとも年に3日の有給の用事休暇の取得が認められることとなった。

なお、就業規則では、他にも出家休暇などを任意に設けることがある。出家休暇については、タイの男性仏教徒には一生のうちに数日から1週間程度出家する習慣があることを尊重したものである。

(5) 兵役休暇

労働者は、兵役に関する法律に基づく検査、軍事訓練または軍事演習のために、兵役休暇を取得することができることができる（労働者保護法35条）。タイは男子のくじ引きによる徴兵制を採っていることを背景とする。兵役休暇については、年間60日までは有給としなければならない（同法58条）。

(6) 研修休暇

労働者は、労働省令に従い、研修または技能開発のために研修休暇を取得することができる（労働者保護法36条）。

これを受けて、労働省令第5号は、以下の場合に研修休暇が認められるとしている。

① 労働および社会福祉のため、または労働者の業務効率を高めるための技能および専門性を高めるため
② 政府が主催または認可する試験を受験するため

また、労働省令は、労働者が研修休暇を取得するためには、労働者は使用者に対し、7日以上前に、理由を明確にし、かつ資料（もしあれば）を提出して使用者に通知しなければならないとしている。

(7) 出産休暇

妊娠中の女性労働者は、1回の出産につき 98 日まで出産休暇を取得することができる。この 98 日には休日も含まれ、また、出産前の検診のための休暇も含まれる（労働者保護法 41 条）。

出産休暇については、98 日のうち 45 日までは有給としなければならない（労働者保護法 59 条）[29]。

なお、タイには法制度としての生理休暇[30]、育児休業および介護休業はなく、また使用者が任意に設けている例もあまり一般的でない。

(8) 労働組合の委員の活動のための休暇

労働組合の委員である労働者は、労働者を代表しての交渉、労使紛争の調停および仲裁、ならびに政府機関が指定する会議の出席のため、有給の休暇を取得することができる（労働関係法 102 条）。

10 就業規則および労働条件協約

(1) 就業規則

10 人以上の労働者を有する使用者は、労働者が 10 人以上になった日から 15 日以内に、就業規則をタイ語で作成して、労働者に公表し、事業所に備え置いて労働者の閲覧に供しなければならない[31]（労働者保護法 108 条）。

就業規則の必要的記載事項は以下のとおりである。

---

[29] 日本の労働基準法が出産休暇中の賃金支払いを使用者に義務付けておらず、主に健康保険等の出産手当金が対応していることと異なる。
[30] 場合によっては疾病休暇として認められる場合もあると考えられる。
[31] 以前、労働者への公表の日から 7 日以内に、労働福祉局長または同局長が委任する者（当該地域を管轄する労働事務所の長）に就業規則の写しを提出しなければならないとされていたが、2017 年 4 月の労働者保護法の改正により、この義務は廃止された。

① 労働日、通常の労働時間および休憩時間
② 休日、および休日の取得に関する規則
③ 時間外労働および休日労働に関する規則
④ 賃金、時間外手当て、休日労働手当て、休日時間外手当ての支払日および支払場所
⑤ 休暇、および休暇の取得に関する規則
⑥ 規律および懲戒手続
⑦ 苦情申立て
⑧ 解雇、解雇補償金および特別解雇補償金

前述のとおり、労働条件協約の存在が確認できない場合には、就業規則の定めが労働条件協約の内容であるものとみなされる（労働関係法10条3項）。したがって、使用者は、労働者の同意なくして就業規則を労働者の不利益に変更することはできない（タイ最高裁判例2127/2555号、2664/2556号）。

(2) 雇用契約

前述のとおり、雇用契約は口頭でも成立しうるため、法律上は雇用契約を締結する必要は必ずしもない。

もっとも、多くの場合には使用者・労働者間の権利義務を明確化するために、雇用契約書を作成することが多い。

雇用契約には、賃金等の一般的な労働条件のほか、在職中のみならず退職後の競業避止義務等を規定することがある。このような退職後の労働者の競業避止義務等の存続規定が、不公正契約法等に違反しないかという問題がある。タイ最高裁判決は、退職後の競業避止義務について、業務の内容と地理的範囲が合理的に制限されている場合には、退職後2年の範囲で競業避止義務を課していた事例について有効であるとしている（タイ最高裁判例3892/2557号）。

また、最近の中央労働裁判所の判決は、退職後18か月の間、半径20km以内で使用者の事業（スパおよび美容）と競合してはならないという点につ

いては、なお合理的であると判断した。しかし、当該労働者は役員ではなく、また特に営業秘密を有していたわけでもなかったことから、不公正な制限であるとして中央労働裁判所は労働者側を支持した。

11 外国人就労

(1) 外国人就労禁止職種

外国人の就労が禁止される職種を定める勅令(Royal Decree Prescribing Works relating to Occupation and Profession in Which an Alien Is Prohibited to Engage, B.E.2522 (1979))により、外国人は以下の 39 職種に就労することが禁止されている。

① 肉体労働[32]
② 農林水産業(特殊技能を用いる場合、特殊分野および農地管理を除く)[33]
③ 煉瓦職人、大工またはその他の建設作業
④ 木彫
⑤ 機械力で推進するかまたは非機械力で推進する乗り物の運転(国際線のパイロットを除く)
⑥ 店員
⑦ 競売
⑧ 会計管理、会計監査またはその他の会計業務(臨時の内部監査を除く)
⑨ 宝石の切削および研磨
⑩ 理髪師、理容師および美容師
⑪ 手織物の製作
⑫ 葦、藤、麻、藁または竹を材料とするマットまたはその他の製品の製作

---

[32] ラオス人、カンボジア人、および、ミャンマー人が従事することが許されている。
[33] 前掲注 32) 参照。

⑬ 手すき紙の製作
⑭ 漆器の製造
⑮ タイ式楽器の製作
⑯ 黒金製品の製作
⑰ 金、銀または金銅合金製の製品の製作
⑱ 石を用いた鍛冶
⑲ タイ人形の製作
⑳ マットレスおよびキルト掛布団の製作
㉑ 托鉢用の鉢の製作
㉒ 絹手工芸品の製作
㉓ 仏像の製作
㉔ ナイフの製作
㉕ 紙製または布製の傘の製作
㉖ 靴の製作
㉗ 帽子の製作
㉘ 仲介または代理（国際取引の仲介または代理を除く）
㉙ 土木建設に関する設計、計算、組成、調査、計画、検査、監督または助言（特殊技能による業務を除く）
㉚ 建築の設計、製図、評価、建設管理または助言
㉛ 服の仕立て
㉜ 陶磁器の製造
㉝ 手巻きタバコの製造
㉞ 観光ガイドまたは添乗員
㉟ 行商
㊱ タイ文字のタイピング
㊲ 絹製糸業
㊳ 事務員および秘書
㊴ 法律および訴訟に関する業務

(2) 就労ビザおよび外国人就労許可の概要

　外国人がタイにおいて就労するためには、タイの在外公館等から就労ビザ（non-immigrant visa B（Work））を取得してタイに入国・滞在したうえ、労働省雇用局等から外国人就労許可証（ワークパーミット、様式 Tor. Thor.11）を取得する必要がある（外国人就労の管理に関する緊急勅令 8 条）[34]。

　ワークパーミットの発給要件は、労働省雇用局の規則によって定められており、使用者の形態等によって異なるが、使用者がタイで設立された法人の場合には、原則として払込済資本金が外国人 1 人当たり 200 万バーツ以上あることなどが要件とされている。

　また、就労ビザを入国管理局で更新するには、使用者は原則として外国人 1 人につきタイ人 4 人以上を雇用していることや、一定の給与（国籍により異なるが日本国籍の場合には月額 5 万バーツ以上[35]）を受領していることなども要求される。

　なお、特に新設会社においてはタイ人雇用（あるいはそれを証する社会保険料納付書）が間に合わないことからワークパーミットの取得について支障が生じていた。この点については、タイ人雇用が間に合わない旨の合理的な理由等を説明することにより、担当官の裁量によるが、通常より短い有効期間のワークパーミットが取得できることがあり、実務上、以前よりワークパーミット取得について条件が緩和されることがありうる。

　もっとも、これらの資本金要件やタイ人雇用要件は、BOI から投資奨励を受けている場合には適用されず、当該 BOI 事業に必要と認められる人数分の就労許可が発給される。

　外国人がワークパーミットを取得・保持せずに就労した場合、当該外国人は、5 千バーツ以上 5 万バーツ以下の罰金またはその併科の対象となる（外

---

34) 特定の産業に従事する高度技術専門家、投資家、上級管理職、スタートアップ企業の起業家向けのスマートビザを取得した場合、ワークパーミットの取得義務が免除される。
35) タイ王国警察の指令による。

国人就労の管理に関する緊急勅令 101 条)。なお、以前は禁固刑も定められていたが、現在は罰金刑のみである。また、当該外国人を雇用した使用者は、外国人 1 人当たり 1 万バーツ以上 10 万バーツ以下の罰金の対象となる(同令 102 条)。

(3) 「就労」の意味

外国人就労の管理に関する緊急勅令において、「就労」とは、労働者であるか否かを問わず、職業的行為を行うこと(外国人事業許可保有者としての行為を除く)をいうとされているが(同令 5 条 2 項)、タイ労働省雇用局は、2015 年 3 月、同令における「就労」に該当しない行為に関する通達[36]を出した。

上記通達によると、以下の行為については外国人就労の管理に関する緊急勅令の「就労」に該当しない。つまり、これらに該当すれば、就労ビザや外国人就労許可証の取得は不要ということになる。

① 会議(コンファレンス)またはセミナーへの出席
② 展示会または見本市への出席
③ 企業視察または商談への出席
④ 特別講演または学術講演への出席
⑤ 技術研修の講義またはセミナーへの出席
⑥ 展示会における商品の購入
⑦ 取締役会への出席

この点、この通達の基礎となった 2014 年の国家評議会答申は、外国人が会議もしくはセミナー「主催者」の従業員または請負人の立場で会議・セミナーを実現するための活動を行う場合、外国人就労の管理に関する緊急勅令の「就労」に該当するとしていること、また、外国人が企業視察および商談

---

[36] The Annoucement of the Department of Employment Subject : Activities Not Counting as Works under the Work of Aliens Act B.E.2551(AD.2008).

を「設定する者」の従業員または請負人の立場で企業視察および商談を行う場合にも、「就労」に該当するとしていることに留意が必要である。

さらに、①にいう会議は、何らかのテーマについての講演会や討論会のようなものが想定されており、直接業務遂行にかかわるような打合せ等は含まれない可能性があると思われ、留意が必要と思われる。

(4) 緊急業務届出

移民法に基づき必要かつ緊急の業務を15日以内のタイ滞在で行う場合には、雇用局に緊急業務届出（様式 Tor. Thor.10）を提出して受領印を得ることにより、例外的に外国人就労許可証の取得が不要となる（外国人就労の管理に関する緊急勅令59条）。また、2018年外国人就労の管理に関する緊急勅令の改正により、緊急業務届出を行った業務について、15日で業務が完了しなかった場合、15日間の就労期間延長の申請をすることが認められた（外国人就労の管理に関する緊急勅令（第2版）61条）。

典型例として、タイ国内で修理できるものがいない機械が故障した場合に、当該機械を修理できる外国人がタイに入国して修理を行うような場合が挙げられる。他方、たとえば機械のメンテナンスなど発生することが予測可能な業務については、緊急業務とはみなされないようである。

なお、緊急業務届出対象業務について、当該届出を行うことなく就労した場合、5万バーツ以下の罰金の対象となる（外国人就労の管理に関する緊急勅令119条）。

Chapter 12

現地事業運営

第 12 章

1 契約法制

　民商法の第2巻債権の第2編に各契約類型に共通するルールを定める契約総論に関する規定があり、第3巻に売買、贈与、賃貸借、雇用などの各種契約の契約各論の規定がある。以下、契約に関する基本的な事項について取り上げる。

(1) 契約の成立

　民商法に明示的な規定はないものの、契約は2人以上の者の間における申込みの意思表示と承諾の意思表示の合致により成立する。

　承諾の期間を定めない面前でなされた申込みの意思表示に対しては、その申込みがなされた時間および場所においてのみ承諾の意思表示を行うことができるとされている（民商法356条）。また、隔地者との契約は、承諾が到達した時に成立するとされている（同法361条）。

(2) 契約の有効性

① 要式行為

　不動産または5トン以上の船舶等の売買において、書面を作成せず、また、登記を行わなかった場合は無効となる。ただし、不動産または5トン以上の船舶等の売買契約または売買予約契約において、当事者によって署名がなされた書面がある、または、手付金を支払っている、もしくは、債務の一部を支払っている場合には、訴訟において当該契約の無効を主張することができないとされている。また、2万バーツを超える動産の売買契約の場合も同様である（民商法456条）。

② 公序良俗

　法律の内容と異なる行為であっても、それが公序良俗に反しない限り、有

効である（民商法151条）。すなわち、当事者は、原則として、契約の内容を自由に決定することができる。ただし、法律で禁止されている行為もしくは公序良俗に反する行為を目的とした契約または法律の形式に反する契約は無効となる（同法150条）。

③　行為能力

人の行為能力に関する法律に反する行為は取り消しうる（民商法153条）。行為能力は、私法上の法律行為をする能力をいい、たとえば、未成年者（原則として20歳未満の者（同法19条））または制限行為能力者は、行為能力が制限されている。

④　意思表示の瑕疵

また、意思表示に瑕疵があった場合の効力については、日本の民法と近い考えを採っている（**図表12－1参照**）。

(i)　心裡留保

表意者がその真意とは異なることを知りながらした意思表示は有効である。ただし、相手方が表意者の真意を知りうる場合は無効である（民商法154条）。

(ii)　虚偽表示

相手方と通じてした虚偽の意思表示は、無効である。ただし、この虚偽の意思表示の無効は、善意の第三者に対抗することができない（民商法155条）。

(iii)　錯　　誤

法律行為の要素に錯誤がある意思表示は無効である（民商法156条）。そして、法律行為の要素に錯誤がある場合とは、法律行為の形態に関する錯誤（たとえば、賃貸借契約を締結すべきところ売買契約を締結した場合）、法律行為の当事者に関する錯誤（たとえば、契約当事者でない者を当事者と勘違いし、契約を締結した場合）および法律行為の対象となる財産に関する錯誤等をいう。

また、人または財産の性質に錯誤のある意思表示は取り消すことができる（同法157条）。タイ最高裁判例（2349/2531号）によれば、買主が工場建設の目的で土地を購入しようとし、その目的を売主が知っていた場合で、土地が公有であり、建物の建設が禁止されているものであったとき、土地の性質に錯誤があり、当該契約は取り消しうるとした。

ただし、上記のいずれの錯誤の場合にも、表意者が錯誤をしたことについて、重過失がある場合には、表意者は保護されない（民商法158条）。

(iv) 詐　欺

詐欺によってなされた意思表示は取り消すことができる（民商法159条）。なお、取り消しうる詐欺は、その詐欺がなければ、当該意思表示が行われなかった程度である必要がある。また、第三者（契約当事者以外の者）の詐欺により行われた意思表示は、契約の相手方が詐欺を知っていたまたは知りえたときに取り消すことができる。ただし、詐欺による取消しは、善意の第三者に対抗することができない（同法160条）。

【図表12－1】意思表示の効力

	法的効果	相手方保護	第三者保護
心裡留保	有効	相手方が表意者の真意を知りえたときは無効	―
虚偽表示	無効	―	第三者が善意である場合は、対抗不可
要素の錯誤	無効	―	―
性質の錯誤	取消可	―	―
詐　欺	取消可	第三者により行われた詐欺を知っていたまたは知りえたときは取消可	第三者が善意である場合は、対抗不可
強　迫	取消可	―	第三者が強迫者である場合であっても取消可

(v) 強　　迫

　強迫を受けたことによってなされた意思表示は取り消すことができる（民商法164条）。取り消しうる強迫は、危険が差し迫っており、その強迫がなければ、当該意思表示が行われなかった程度である必要がある。なお、強迫については、第三者が強迫者である場合であってもなお取消しが可能であるとされている（同法166条）。

(3) **債務不履行**

　債務履行期限の定めがない、または、定めがないと推測される場合、債権者は債務者に対してただちに債務の履行を請求することができる（民商法203条）。そして、債務の履行期が到来し、債権者が債務の履行の請求をしたにもかかわらず債務者が債務の履行をしない場合、債権者が催告をすることにより、債務者は履行遅滞の責めを負う。他方、履行期限が確定している場合には、履行期限を徒過したときに、債権者の催告なくして、債務者は履行遅滞の責めを負う（同法204条）。

　履行遅滞の場合、債務者は①履行を強制するために、裁判所に訴訟提起をすること、②損害賠償を請求すること、および③解除をすることができる（民商法213条、215条、216条、387条）。

　上記①について、債務の性質上、履行を強制することができない場合、または債務が作為を目的とする場合、債権者は債務者の費用で第三者にこれを行わせるよう裁判所に請求することができる。また、債務が不作為を目的とする場合、債権者は債務者の費用で債務者の作為を是正し、また将来のため適当な処分を行うよう裁判所に請求することができる。なお、訴訟手続については、**第 15 章紛争解決制度**を参照されたい。

　上記②について、債権者は、債務者が債務の本旨に従った履行をなさなかったとき、損害の賠償を請求することができる（民商法215条）。

　また、債務の履行遅滞により、債務の履行が債権者にとって無価値となった場合、債権者は債務者による債務の履行を拒絶し、それに代えて損害賠償

を請求することができる(民商法216条)。さらに、履行遅滞中に履行不能になった場合または債務者の責めに帰すべき事由により履行不能になった場合、債務者は債務不履行によって生じた損害の賠償をしなければならず、履行不能が債務の一部である場合、履行可能な債務の部分の履行が債権者にとって無価値となったとき、債権者は債務者による債務の履行を拒絶し、債務全体について損害賠償請求をすることができる(同法217条、218条)。

債務者は、債務不履行により生じた損害のうち、原則として通常損害に関してのみ賠償責任を負う。ただし、債務者が予見していたとき、または、事前にその事情を予見できたときには、特別損害についても損害賠償請求ができる(民商法222条)。なお、タイ最高裁判例(252/2548号、1496/2548号、4330/2554号)によれば、いわゆる「損害賠償の予定」(Liquidated Damages)は民商法上の違約金として扱われている。そして、違約金が不当に高額であると裁判所が判断した場合、その裁量の下、当事者が被ったあらゆる損害を考慮し、合理的な金額に引き下げることができるとされている(同法383条)。

Column1

新型コロナウイルス(COVID-19)の感染拡大と「不可抗力」

新型コロナウイルス(COVID-19)の感染拡大により、運送遅延による工場操業停止などをはじめ、事業運営に大きな被害または影響を被った事業者が多い。そのような状況において、新型コロナウイルスの感染拡大やそれに起因して生じた事象が「不可抗力」に該当するか否かが議論の対象となるケースが多く見受けられた。

実務上の対応としては、まずは①契約条項および②事実関係を確認の上、③②の事実関係を①の契約条項にあてはめた場合に当該条項の適用を受けるか、を検討する必要がある。具体的には、①契約条項について、(i)新型コロナウイルスの感染拡大またはそれに伴って生じた遅延・不履行の直接の原因が契約上定められている「不可抗力」の文言に該当するか、(ii)不可抗力条項

において、不可抗力発生以外に遅延・不履行について免責を認めるための手続・条件がないか（たとえば、一定期間内の相手方への通知）、(ⅲ)不可効力事由の発生による効果は何か（たとえば、免責の範囲）を確認する。また、②事実関係について、遅延・不履行が新型コロナウイルスの感染拡大に起因するものといえるか、合理的な因果関係の範囲内といえるか、などを確認する必要がある。

そして、上記に加え、契約に基づく主張とは別途、タイ法に基づいて主張することのできる権利がないかを検討する必要がある。この場合、タイ法上の「不可抗力」の意義を考慮する必要があり、タイ法上の「不可抗力」とは、その事象に遭遇した、または、そのおそれのある者が、その立場および状況にいる者としてしかるべき注意を払ったとしても、その発生または悪い結果を防止できない事由とされている（民商法8条）。本稿執筆時点において、コロナ感染拡大が「不可抗力」に該当するかどうかを明示的に判断した最高裁判例は把握していないが、基本的な考え方として、ある事象の「不可抗力」の該当性は、(a)問題となっている取引における債権債務の種類・性質や、(b)当該取引との関係で、コロナ感染拡大に起因して生じている具体的な事象（たとえば、政府の閉鎖命令の対象事業か感染防止のための自主的な閉鎖か）などといった要素にも依拠すると考えられ、一概には判断し難いと思われる。ただし、類似裁判例として、鳥インフルエンザに起因する政府当局による鶏殺処分命令により鶏を納品する義務を履行することができなくなった事例において、当該政府当局による命令があったことが不可抗力とされた事例があることからすれば、当該債務の履行不能が政府当局によるコロナ感染拡大防止に関する命令等に直接的に起因する場合には、それが不可抗力と認められる可能性はあると思われる。

(4) 解　　除

当事者間の合意による解除のほか、契約または法律の規定に従い、一方の当事者が契約の解除権を有する場合、当該解除は相手方に対する意思表示により行われ、一度行った解除の意思表示は取り消すことができない（民商法386条）。

解除の方法として、催告解除または無催告解除が設けられている。催告解除について、当事者の一方がその債務を履行しない場合、相手方は相当期間を定めてその履行を催告し、その期間に履行されなかったとき、契約の解除を行うことができる（民商法387条）。また、無催告解除について、契約の性質または当事者の意思表示により一定の期間内に履行が行われなければ契約の目的を達することができない場合に、当事者の一方が債務を履行せず、その期間を経過したときは、相手方は催告をすることなく解除することができる（同法388条）。さらに、履行の全部または一部が不能となったとき、債権者は無催告解除をすることができる（同法389条）。

また、解除の効果として、各当事者は相手方を原状に復させる義務（原状回復義務）を負う（民商法391条）。返還すべき対象物が金銭である場合には、利息を付さなければならず、また、行為または提供物の使用の場合には、正当な対価を支払う方法により返還する。そして、原状回復に伴う債務の履行は、相手方が有する債務の履行を提供するまで自己の債務の提供を拒むことができる（同法392条、369条）。

なお、解除権を有する者が自己の故意または過失により契約の目的物を毀損もしくは返還できないようにし、または加工もしくは改造により他の物に変化させた場合、解除権は消失する（民商法394条）。

(5) 瑕疵担保責任

売買の目的物が滅失もしくは減価した、または、通常の使用もしくは契約上の利益に適合しない場合、売主は瑕疵について知っているか否かにかかわらず、責任を負う（民商法472条）。当該責任は、買主が瑕疵を知ってから1年間とされている（同法474条）。ただし、①買主が売買時に瑕疵を知っていたとき、または、通常の判断能力を有する者が相当の注意をした場合に当該瑕疵を知りえたとき、②引渡時に瑕疵が明白であり、買主が留保なく引き受けたとき、③競売によって売買が行われたときは、売主は瑕疵担保責任を免除される（同法473条）。また、この瑕疵担保責任は、当事者間の別途の合意

1　契約法制

により担保責任を定めた場合には適用されないと解釈されている（同法483条参照）。

(6)　契約言語

契約言語については、原則として自由であり、タイ語以外の言語のみで契約をさせること、および、タイ語以外の言語を優先言語とすることも可能である。ただし、契約がタイ語を含む複数言語で作成されている場合で、複数言語が一致しておらず、また、当事者が優先言語を定めていないとき、タイ語が優先言語とされる（民商法14条）。

Column2

電子契約および電子署名

新型コロナウイルス（COVID-19）の感染拡大により、海外渡航やオンサイトミーティングが困難となり、また、テレワーク・在宅勤務の広がりが見られる。そのような動きに伴い、国際契約のみならず、タイ国内においても、電子契約や電子署名の需要がさらに高まっている。

タイ法において、電子契約および電子署名は Electronic Transactions Act, B.E. 2544 (2001)（以下「タイ電子取引法」という）により有効であるとされている。また、電子契約および電子署名は、家族および相続事項に関する文書を除き、法律上明示的に禁止されていない。しかし、実務上、政府機関に登録・提出する必要がある契約について、当局が電子契約および電子署名による登録・提出を受け付けない場合、電子契約および電子署名を使用することができない。たとえば、土地局に登録する必要がある不動産賃貸借契約書や土地の売買契約について、現在の実務では、土地局は、電子署名の文書による登録を受け付けておらず、書面および署名が必要になる。したがって、政府機関に登録・提出する必要がある契約については、当局が電子契約および電子署名による登録等を受け付けるかについて事前に確認する必要がある。

2　消費者保護法制

(1)　消費者保護法制の概要

　タイの消費者保護法制においては、消費者保護法が基本的なルールを定めている。また、消費者保護法による実体法上の規制とは別に、消費者事件については、消費者保護の観点から、民事訴訟法の定める原則的なルールの特則が消費者事件手続法に定められている。

　消費者保護法に基づき、消費者保護分野を所管する執行機関として、消費者保護委員会が設置されている。同委員会は、委員長を務める内閣総理大臣ならびに一定の省庁の事務次官等および内閣が任命する8名以内の有識者（技術部門、公共部門および事業者それぞれから最低2名以上の有識者が指名される）によって構成され（消費者保護法9条）、消費者保護分野における法執行を担っている。消費者委員会内部には、広告委員会、商品・役務安全委員会（2019年の消費者保護法改正により新設）、表示（ラベル）委員会、契約委員会の4つの専門委員会が設置されている（同法14条）。

(2)　消費者保護法

　消費者保護法は、①広告、②表示（ラベル）、③契約、④商品および役務の安全性のそれぞれについて規制している。以下、それぞれ解説する。

①　広　　告

(i)　不当広告の禁止

　広告は、消費者の消費行動に大きな影響を与えるものであり、また、不当な広告がなされた場合には消費者に不利益を生じさせる。そのため、消費者保護法は、事業者による広告について、以下の規制を設けている。

　すなわち、広告は、商品または役務の状態、品質もしくは内容および配

送、調達もしくは使用のいずれに関するものであるかを問わず、(a)消費者に対して不公正な印象を与える内容、または(b)社会に害を与える内容を含むものであってはならない（消費者保護法22条）。

以下の表現については、(a)または(b)に該当する広告とみなされ、禁止される（消費者保護法22条）。

・虚偽または誇張表現
・商品または役務の重要な部分に関して誤導的な表現（虚偽または誇張された技術報告、統計その他の使用・参照の有無を問わない）
・直接もしくは間接に法令もしくは道徳に反する行動を促進する表現、またはタイ王国の文化を退廃させる表現
・公衆の団結を阻害する表現
・その他省令に定める表現

(ii) 広告委員会による命令

広告委員会は、消費者に害を及ぼす可能性があると判断した商品等については、一定の要件の下で、当該商品の使用方法または危険性に関する警告文等を広告に記載する旨、または当該商品の広告を制限または禁止する旨の命令を行うことができる（消費者保護法24条）。

また、広告委員会は、商品または役務に関して、その条件、状態その他の事項を消費者が知る必要があると判断した場合には、当該事項を広告に記載することを事業者に対して命令することができる（消費者保護法25条）。

上記(i)記載の不当広告がなされた場合、または消費者保護法23条、24条1号または25条に基づく命令に反する内容の広告がなされた場合には、広告委員会は、当該広告の修正、禁止等を命じることができ、また、訂正広告を命じることもできる（消費者保護法27条）。

事業者は、消費者保護法27条に基づく命令（消費者保護法28条が定める不実証広告規制（広告の合理的根拠となる資料の提出命令に対して、そのような合理的根拠資料を提出できなかった場合に、不当広告であるとみなす制度）に基づき不当広告とみなされた場合を含む）に対しては、当該命令の受領日から10

日以内に、消費者保護委員会に対する不服申し立てを行うことができる（消費者保護法43条、44条）。

② 表示（ラベル）

（i）工場に関する法令の適用を受ける工場が販売用に製造した商品もしくはタイ国内に輸入された商品（官報上で例外指定を受けた商品を除く）、または(ii)表示（ラベル）委員会が官報上で指定した商品については、表示規制を受ける（消費者保護法30条）。

表示規制の適用を受ける商品の表示は、事実に沿った記載である必要があり、当該商品について消費者に誤解を与える内容であってはならない。

また、かかる商品の表示には、製造者または輸入者の商号または商標、製造場所または輸入者の事業所の場所、および商品の内容（輸入品である場合、製造国を含む）が表示されなければならない。

さらに、価格、量、使用方法、推奨する事項、警告、使用期限等、消費者の権利を保護するために必要な事項について、表示委員会の定める規則に従った表示をしなければならない（消費者保護法31条）。

表示委員会は、以上の規制に反する表示については、使用中止命令または是正命令を行うことができる（消費者保護法33条）。

③ 契　　約

事業者と消費者の間で締結される消費者契約については、対等な当事者間同士の契約と異なり、情報やリソースの非対称性が存在するため、民商法により規律される通常の契約と異なる特別の制限等が存在する。

契約委員会は、法令の規定に基づき書面による契約が必要となる場合、または慣習上書面による契約が通常である場合、当該契約を契約規制業種として指定することができる。契約規制業種としては、クレジットカード業、コンドミニアム販売業、携帯電話サービス業、二輪・四輪車の割賦販売業等が

指定を受けている 1)。

契約規制業種に指定された事業を営む場合、事業者と消費者の間で締結される契約は、必ず書面で締結されなければならず、また、契約委員会の定める規則に従い、(i)消費者に不合理な不利益を生じさせる事態を回避するために必要となる条項を規定しなければならず、また(ii)消費者にとって不公平な条項を規定してはならない（消費者保護法35条の2）。なお、契約委員会は、事業者に対して、常に一定の書式を用いて契約を締結すべき旨要請することも可能である。契約委員会が指定した契約条件が、事業者が実際に締結した契約書に反映されていなかった場合であっても、契約委員会が指定した契約条件が契約書に記載されていたものとみなされる（同法35条の3）。

また、契約委員会は、支払受領に係る証憑規制の対象となる事業を指定することができる（いかなる商品または役務でも指定対象とすることができる（消費者保護法35条の5））。これまでに、中古自動車販売業、自動車整備業や保証金を要求する液化ガス販売業が指定を受けている。

かかる指定を受けた場合、事業者は、消費者から支払いを受けるに際して、当該受領に係る証憑を作成、交付しなければならず、また、当該証憑は、契約委員会の定める規則に従い、上記(i)および(ii)の要請を満たすものとしなければならない（消費者保護法35条の5）。

④　商品および役務の安全性

商品・役務安全委員会は、消費者の生命、身体、健康、衛生または精神に危害を及ぼす疑いのある商品または役務を発見した場合、事業者に対して、当該商品または役務に係る試験または調査を命令することができ、また、当

---

1) 消費者と事業者との間の不公正な契約内容の有効性を定めるものとして、不公正契約法がある。不公正契約法は、上記の消費者保護法に基づき契約委員会が指定する契約規制業種に関する契約以外の契約であっても、消費者と事業者との間の契約や事業者がその事業で一律に使用するひな形契約における条項は、具体的事案において公平かつ合理的な限りでのみ有効であると定めている（不公正契約法4条）。

該試験または調査が完了するまでの間、当該商品または役務の販売・提供を一時的に差し止めることができる（消費者保護法29条の8）。

上記試験または調査の結果、商品または役務が消費者に危害を及ぼす可能性が高い（かつ、商品については、表示（ラベル）規制によって当該危険を防止することができない）場合、消費者保護委員会は、事業者に対し、当該商品の販売もしくは役務提供の禁止、商品の回収もしくはリコール、商品または役務を消費者に無害なものに変更すること、輸入商品の国外への再輸出、商品の廃棄、商品もしくは役務の危険性についての消費者への情報開示等を命令することができる（消費者保護法29条の9）。

なお、従前、上記のような商品・役務の安全性に関する処分は消費者保護委員会それ自体が行っていたが、2019年の消費者保護法改正により、下部組織である商品・役務安全委員会が商品・役務の安全性に関する業務を所掌することとなった。

(3) 消費者事件手続法

消費者事件手続法は、消費者事件について民事訴訟法の定める原則的ルールの特則を定めている。同法の適用対象となる「消費者事件」とは、(i)商品または役務の消費に起因して発生する権利義務に関する消費者（または消費者事件手続法19条その他法令の定めにより消費者のために訴訟を提起する権限を有する者）と事業者の間の民事訴訟、(ii)非安全商品によって発生した損害に係る責任についての民事訴訟、(iii)上記(i)もしくは(ii)に関連した民事訴訟、または(iv)法令により、消費者事件手続法に定める手続の対象とすべきものとされた民事訴訟をいう（消費者事件手続法3条）。

① 訴訟提起に関する特則

まず、管轄に関して、事業者側が消費者を被告として訴訟を提起する場合には、原則として、消費者の住居所在地を管轄する裁判所にのみ提起することができるものとされており、消費者が遠隔地で応訴する負担が回避されて

いる（消費者事件手続法17条）。

　また、消費者が事業者に対して消費者事件に係る訴訟を提起する場合には、通常の書面による訴訟提起に加え、口頭での訴訟提起が可能とされており、消費者側からの訴訟提起が容易化されている（消費者事件手続法20条）。

　次に、消費者事件の場合、被害総額が大きくとも、消費者1人当たりの被害額が小さく、各消費者が事業者に対して訴訟を提起することを期待できない場合も存在することから、消費者保護委員会、ならびに消費者保護委員会の認証を受けた協会または団体（適格消費者団体）は、消費者の利益のために、消費者に代わって訴訟を提起することができるものとされている。実際にも、消費者保護委員会が、保険金請求権の発生の有無を争う生命保険の特定の受益者を代置して保険会社を提訴し勝訴した事例（タイ最高裁判例2295/2545号）や、大規模小売店舗の駐車場における車両盗難による損害について被害者を代理して一定の駐車場設置管理義務を負う大規模小売店舗事業者を提訴し勝訴した事例（タイ最高裁判例5800/2553号）等が存在する。

　なお、消費者保護委員会または適格消費者団体が消費者を代理して提起した訴訟の取下げに際しては、関係する消費者の同意が必要であり、また、裁判所は、当該取下げによって消費者全体への不利益が生じない場合に限り、当該取下げを許可することができる（消費者事件手続法19条）。

② 審理に関する特則

　消費者事件の場合、情報が事業者側にのみ偏在することも多く、消費者側の立証が困難な場合が存在する。そのため、消費者事件手続法は、商品の製造、組立て、デザイン、内容、役務の提供その他の行為に関する事実について、事業者側のみが一方的に情報を有すると裁判所が判断する場合には、当該事実に関する立証責任は事業者側が負担する旨、立証責任の転換規定を設けている（消費者事件手続法29条）。

　また、裁判所は、消費者事件の判決確定後、同一事業者に対して同一の請求原因に基づく消費者事件が再度提起された場合、前訴の証拠が十分である

と判断すれば、後訴について証拠調べを行わずに前訴と同じ判断をすることができる（消費者事件手続法 30 条）。さらに、裁判所は、当事者から申請がなくとも職権により証拠・証人調べを行うことも可能である（同法 33 条、34 条）。

さらに、消費者事件の期日は連続して行う必要があり、やむを得ない場合の延期も 1 回につき 15 日以内の範囲に限定される（消費者事件手続法 35 条）。

③ 裁判所の判断に関する特則

消費者事件については、裁判所の判決内容についても、民事訴訟法の特則が定められている。

まず、原告の請求額が実損より低額である、または原告の請求内容を認めるのみでは被害回復に不十分であると裁判所が判断した場合には、裁判所は、原告の請求の範囲を超える、または原告の請求内容と異なる判決を下すことができる（消費者事件手続法 39 条）。

また、裁判所は、事業者に故意、重過失等が存在すると判断した場合には、懲罰的損害賠償を命じることもできる。具体的には、裁判所が認定した実損額が 5 万バーツを超える場合にはその 2 倍まで、実損額が 5 万バーツ以下の場合にはその 5 倍までの懲罰的損害賠償を命じることが認められている（消費者事件手続法 42 条）。

さらに、製品の欠陥に関する事件の場合には、損害賠償や瑕疵修補のほかに、当該製品を同種製品と交換する旨を命じる判決を下すことができる（消費者事件手続法 41 条）。また、生命、身体または健康に危害を及ぼしうる商品が販売され、または市場に残存している場合で、他の措置を講じることができないときは、当該商品のリコールまたは廃棄を命じる判決を下すこともできる（同法 43 条）。

3 製造物責任

　タイにおいても、日本でいう製造物責任法に相当する法律として、非安全商品責任法が 2009 年に施行されている。

　民商法上、第三者から損害を被った場合、不法行為に基づく損害賠償を求めるには、加害者の故意・過失等を被害者側が立証する必要がある。この点、非安全商品責任法は、主に消費者保護の観点から、製造者等の事業者は、故意・過失の有無にかかわらず、製造上の欠陥、設計上の欠陥または指示・警告上の欠陥がある商品によって被害者に損害が生じた場合、その故意・過失を問わず連帯して損害賠償責任を負う旨規定している（非安全商品責任法 5 条）。

　そして、被害者側は、事業者の製品を通常の方法により使用または保管したことにより損害が生じたことを証明すれば足り（非安全商品責任法 6 条）、後述のとおり欠陥の有無に関する立証責任は事業者側に転換されている。

(1) 責任主体

　非安全商品責任法上の責任主体について、一次的には製造者、製造委託者および輸入者であるが、販売者も上記の者を明らかにできない場合には責任を負う。また、製造者、製造委託者または輸入者であるかのような表示をした者も責任を負う（非安全商品責任法 4 条）。複数の事業者が製造・流通に関与した製品に欠陥が存した場合には、各事業者は被害者に対し、連帯責任を負う（同法 5 条）とされている。

(2) 対象商品

　同法の対象となる「商品」は、販売するために製造・輸入されたすべての動産が含まれ、農産物や電気も含まれる（非安全商品責任法 4 条）。

(3) 損害賠償の範囲

非安全商品責任法に基づく損害賠償の範囲として、慰謝料請求も含まれうる（非安全商品責任法11条1号）。また、安全でない商品であることにつき、故意、重過失、または製造・輸入・販売後に知ったにもかかわらず適切な措置を講じなかった場合、裁判所は、被害者が被った実際の損害額の2倍を限度（実損害額が5万バーツ以下の場合は実損の5倍を限度（消費者事件手続法42条））とする懲罰的損害賠償を命じることができる（同条2号）とされている（実損害額と懲罰的損害賠償を合わせて、実損害額の2倍または5倍まで）。

(4) 免　　責

非安全商品責任法上の損害賠償責任を免責される場合として、製品に上記の欠陥がないこと、製品に上記の欠陥があることを使用または購入前に被害者が知っていたこと、または被害者が誤使用もしくは誤った保管を行ったことが挙げられている（非安全商品責任法7条、これらの立証責任は事業者側にある）。免責要件については、日本の製造物責任法とは異なり、当時の科学または技術によっては欠陥がなかったことを知ることがなかったという、いわゆる開発危険の抗弁が認められていないことに注意が必要である。

上記のとおり、商品の流通に関与する事業者の連帯責任が定められていること、農産品なども対象とされていること、欠陥の有無の立証責任が事業者側に転換されていること、懲罰的損害賠償が可能であること、そして開発危険の抗弁が認められていないこと等が、特に日本の製造物責任法と比較した場合におけるタイ非安全商品責任法の特徴と言えるであろう。

(5) 最近の事例

2009年の施行以降、必ずしも活発な運用がされてきたとは言い難い非安全商品責任法であるが、2015年の民事訴訟法改正で導入された集団訴訟（クラスアクション）を用いて製造物責任が問われた最近の事例を参考までに紹

介したい(ただし、下記の事例は第一審である地方裁判所判決の内容であり、本件のその後の推移や最終的な判決・和解等の帰結は明らかでないことに留意いただきたい)。なお、クラスアクション制度については、**第 15 章 2**(4)を参照されたい。

2017 年 9 月 18 日、4 名の被害者を原告および 39 人の被害者をクラス構成員として、美白クリーム製造者に対して、美白を謳った美容商品により外見を損なう損害が生じたとする集団訴訟が提起された。管轄の第一審地方裁判所は損害の同一性等や、被告が当該商品をソーシャルメディアを通じて消費者一般に宣伝していたことから、被害者には共通の権利・利益がある等として、集団訴訟手続により本件を受理することを承認した(タイにおいて消費者訴訟として集団訴訟による手続が認められた最初の事例である)。具体的な損害としては、当該製品に含まれている成分により皮膚に完治しない傷・火傷の症状が生じたものであり、その後の保健省食品医薬品局の検査により、化粧品として禁止されている成分が含まれていたことが判明している。2018 年 12 月 27 日、裁判所は被告に対し、原告およびクラス構成員に対する損害賠償の支払と製品のリコールおよび破棄を命じた。原告およびクラス構成員に対する損害の内訳としては、①これまでに生じた治療費、②今後の治療費として 1 人当たり最大 20 万バーツ、③逸失利益(日々の収入の喪失)として 1 人当たり 2 万 7 千バーツ(300 バーツ×90 日分)、④精神的損害について 1 人当たり 20 万バーツとした。さらに、裁判所は、被告に対し、原告およびクラス構成員に対する懲罰的損害賠償として、20 万バーツの支払を命じた[2]。

また、別の訴訟として、2018 年 3 月 29 日、9 人の自動車の所有者を原告として、自動車販売会社(商標権者)、自動車部品製造者および自動車製造会社に対して、エンジン振動および加速に関して欠陥があるとして、集団訴訟が提起された。2023 年 3 月 28 日、裁判所は、原告の主張する欠陥がある

---

2) 当該金額が、全体の合計額かそれとも 1 人当たりの金額かについては、判決の文言上明確ではない。

と信じるに足る理由があるとし、被告である自動車販売会社に対し、特定期間に製造された自動車のリコール、および、当該欠陥の問題が解消するまでの間、当該モデルの販売禁止を命じた。また、自動車販売会社が自動車の修理費用を負担すること、かつ、精神的損害について1人当たり3万バーツ、修理期間の損失として1日につき1人当たり1,800バーツの支払いを命じた。なお、本件の被告となった自動車販売会社は、原告である当該自動車所有者が締結した自動車売買契約の当事者ではなかったものの、親会社である自動車製造会社から商標権を得ていたことから、(販売者としてではなく)製造者であるかのような表示をした者として、責任を負うこととなった。

4 債権回収

　タイに限られたことではないが、取引相手方が債務の履行をしない、または、履行を遅延している場合に、どのような対処方法があるかを把握しておくことは重要である。そこで、以下では、主要な債権回収方法およびその流れを概観する。まず、執行・保全手続に入る前の債権回収の一般的な方法について触れたうえで(下記(1))、強制執行・保全手続の概要を説明し(下記(2))、さらに、それでも債権回収が困難な場合に最終的に倒産手続に到達することとなるが、この点は第16章の倒産を参照されたい。

(1) 任意の債権回収または裁判外の手続による債権回収

　一般的な任意の債権回収手段は、一定の期間を定めて債務の支払いを書面にて催告し、交渉や協議を経て、交渉・協議がまとまらなければ、訴訟や仲裁などの紛争解決機関に申立てを行うことを検討するというものであり、日本やその他の諸外国とそれほど異なるものではない。なお、タイでは、日本における強制執行認諾文言付公正証書に相当する制度(すなわち、債務者が義務を履行しない場合にただちに強制執行に服する旨認諾する文言の記載された書面を作成し、訴訟を経ずして強制執行を申し立て、競売を行う制度)は存在し

ない。

　また、債務に質権などの担保権が設定されている場合には、担保権の実行も検討されるが、担保権の実行方法は担保権の種類によって異なるため、**第6章**の各担保権の実行手続に関する記述を参照されたい。

　さらに、債務者が債務の支払いを行わない場合に、債権者が債務者に対して債務を負担しているときは、2つの債務を相殺する方法により債権回収を図ることも考えられる。相殺は、原則として、2つの債務が互いに同種の目的を有し、弁済期にある場合で、当事者双方が相殺を行うことに異議がない場合や相殺禁止の特約を定めていない場合に、一方の債務がその性質上それを認めない場合を除き、行うことができる（民商法341条）。相殺に関しては、通貨の異なる自働債権（相殺をしようとする者が有する債権）と受働債権（相手方が有する債権）を「同種の目的を有する債権」として相殺することができるかが実務上問題となることがある。この点、一方の債権が日本円などの外貨建てであり、他方の債権がタイバーツ建てである場合、少なくとも自働債権がタイバーツ建てであれば相殺可能と解される。なぜなら、外国通貨で指定されている金銭債務をタイ通貨で支払うことができるとされているためである（同法196条1項）。なお、レート換算日は、支払地・支払時の通貨換算レートを使用するとされている（同条2項）。

(2)　**債権回収のための強制執行および保全手続**

① 　**総　　論**

　債権者は、債務者が履行期に債務の履行をしない場合であっても、私的に債務の履行を強制させることはできない。そこで、まず債務者に対して支払いを求める訴えを提起し、勝訴判決を得たうえで強制執行を申し立て、競売等によって債権回収を行う必要がある。訴訟手続一般については後記**第15章**を参照されたいが、以下では、債権回収に密接に関連する、強制執行と民事保全手続の概略を説明する。

② 強制執行

勝訴判決や仲裁判断が確定したにもかかわらず、未だ債務者が債務の履行をしない場合、判決債権者が裁判所に執行の申立てを行うことにより、強制執行手続に移ることになる。強制執行の申立ては所定の執行期間内に行われなければならないところ、執行期間は、判決・訴訟上の和解の場合は判決の言渡し・和解の成立から 10 年（民事訴訟法 274 条）、仲裁判断の場合はその仲裁判断のときから 3 年である（仲裁法 42 条）。判決債権者が裁判所に対し、執行官選任の申立てを行った場合（民事訴訟法 275 条）、裁判所は差押えや競売のために執行官選任令状を発付する（同法 278 条参照）。そして、判決債権者は、この令状を附属書類として、法務省の内部部局である民事執行局（Legal Execution Department）に対して執行の申立てを行い、執行費用を支払う。なお、判決債権者は、執行の申立てを行う際に、執行対象財産を特定しなければならない。裁判所から選任を受けた執行官は、その後、判決債務者の財産の差押えを行い（同法 296 条）、当該財産は競売により売却され、売却代金が判決債権者に支払われる。

③ 民事保全

民事保全の方法としては、仮差押え、差止命令、登記官等による処分、被告の身体拘束などが挙げられる（それぞれの概要を、下記(i)～(iv)として列挙する）（民事訴訟法 254 条）。当事者が裁判所に保全処分の申立てを行うと、面接日に裁判所は申立てに関する質問を行い、申立てに正当な理由があり、十分な根拠が認められる場合、裁判所は保全命令を発付する。また、緊急を要する場合には、通常の保全処分の申立てとともに、緊急仮処分の申立てを行うことができ、緊急仮処分の申立てがなされた場合には、裁判所は申立書を直ちに審査し、申立てに正当な理由があり、十分な根拠が認められるとき、直ちに命令を発付する（同法 266 条～270 条）。

なお、実務上よく指摘される点として、タイでは、保全処分の制度が存在するものの、本案が民事訴訟の場合には、保全処分の申立てを本案訴訟の提

起前に行うことができないという制約が挙げられる（民事訴訟法254条参照）。そのため、現状、タイでは、たとえば、本案の訴訟提起前の段階で、債務者の主要な財産の仮差押えの申立てを行って執行逃れを防止するという対策を取ることができない。他方、実務上の利用状況は別論として、法文上は、仲裁を本案とする仮処分については、仲裁手続中に限らず、仲裁手続に先立って申立てを行うことも認められている。

(i) 仮差押え

債務者である被告に対する判決の執行を遅延もしくは妨害する目的で、または、原告に不利益を与える目的で、被告が所有する財産もしくは紛争の対象物の全部または一部を裁判所の管轄外に移転させるまたは譲渡もしくは贈与するなどのおそれがある場合、または、裁判所が合理的と判断するその他の必要性がある場合に、判決言渡し前にその財産を保全する手続である。

(ii) 差止命令

判決確定前または裁判所が別途指定した日までに、(a)債務者である被告が不法行為または契約違反などを繰り返す、または、続ける場合、(b)原告が被告の責任により、迷惑や損傷を被る場合、(c)被告が所有する財産または紛争の対象物が無益となるおそれ、または、損傷もしくは譲渡されるおそれがある行為をする場合などに、裁判所が当該行為を停止する決定を行う手続である。

(iii) 登記官等による処分

紛争対象物やその他紛争に関連する財産について、債務者である被告が登記、または登記の変更もしくは取消しの手続を行う可能性などがある場合に、裁判所が登記官等に一時的に登記を行う命令を行うことにより、財産を保全する手続である。

(iv) 被告の身体拘束

被告が逃亡するおそれ、被告の不利となる財産の全部もしくは一部または証拠を隠滅もしくは処分するおそれがある場合に、被告を拘束するため、裁判所が令状を発付する手続である。

Chapter 13 個人情報保護法

第13章

第13章　個人情報保護法

　タイにおける個人情報保護規制に関する一般法は、2019年に制定された個人情報保護法（Personal Data Protection Act, B.E. 2562（2019））である。

　これまで、タイにおける個人情報保護に関しては、通信・金融・証券等の一部の特別な分野の業法に個別の規定が存在し、また、一部行政機関に関する情報管理に関する法制として法律が存在していたのみであり、基本的には一般法である民商法や刑法の範囲で保護される形であった。

　この点、個人情報保護法の施行により、今後はタイにおいても個人情報の保護の必要性が高まるとともに、下記に述べるとおり、同法の違反行為に対しては刑事罰・行政罰や、懲罰的損害賠償を含む損害賠償責任も明記されていることから、企業として個人情報保護に関する適切な体制・対策を採る必要がある。

　なお、詳細は下記で解説するとおり、個人情報保護法の多くの規定で、欧州連合（EU）の個人情報保護規制であるGDPRを基にした、または参照したと思われる規定は数多く見受けられ、日本の個人情報保護法に比しても厳格なルールが定められている場面がある点についても注意が必要である。

1　個人情報保護法の効力発生について

　2009年から幾多の草案の作成・その修正や取下げを経て、2019年2月28日付で立法議会（National Legislative Assembly）にて承認され、その後2019年5月27日付で官報に掲載され、その翌日である同年5月28日付で正式に施行となった。

　ただし、個人情報保護法の事業者に適用される規定は効力の発生が延期されていたところ、複数回の延期を経て、2022年6月1日付で全面的な施行・効力発生となった。

　本書執筆時点では、当該義務や基準などの詳細を定める下位規則・ガイドラインが順次公表・施行されている状況であり、今後もこれらの内容を踏まえながら、個人情報保護法の遵守対応を進めることとなる。

以下、同法の主要な内容を紹介する。

2　個人情報とは

　個人情報保護法において、「Personal Data（個人情報）」とは、直接・間接を問わず、一定の自然人を特定しうる自然人に関する情報をいう、と定義されている（同法6条）。ただし、故人の情報は除く。同法においては、個人情報の定義についてこれ以上の詳細な記載は置かれていない。
　また、個人情報の中でも、人種、民族、政治的意見、カルト・宗教または哲学的信念、性的行動、犯罪歴、健康情報、障がい、遺伝情報、労働組合情報、生体データ（その他個人情報保護法で定めるのと同様にデータ主体に影響を与える可能性のある事項）に関する情報は、「センシティブ個人情報」として、より限定的な例外的な場合を除いて対象者の明確な同意なしに収集することが禁止される等（同法26条）、より厳格な保護の対象とされている。

3　規制の適用対象

　個人情報保護法の規制の対象となる主体は、以下の2つである（個人情報保護法6条）。
・「Data Controller（「情報管理者」）」：個人情報を収集、使用および開示する権限を有する個人または団体
・「Data Processor（「情報処理者」）」：情報管理者に代わってまたはその指示の下、個人情報を収集、使用および開示する個人または団体

4　地理的適用範囲

　個人情報保護法が適用される地理的な範囲としては、GDPR類似の規定が置かれており、以下の2つの場合に同法が適用されることとなる（同法5

条)。
① タイ所在の情報管理者・情報処理者が、個人情報の収集、使用または開示をする場合(タイ国内で行うか否かを問わない)
② タイに拠点のないタイ国外所在の情報管理者・情報処理者が、以下の行為をする場合
　(i) タイ所在のデータ主体にサービス・商品を提供する場合
　(ii) タイ国内におけるデータ主体の行動の監視を行う場合

したがって、仮にタイ国内に事業所等を一切設置していない場合であっても、タイ国内での経済活動に関連する事業を行っている場合には、上記②の適用の有無について慎重に検討を行う必要がある。

5　通知と法的根拠

　個人からの情報の収集・使用・開示に当たっては、原則として、事前または収集時に、本人に対し以下の事項を書面または電磁的方法により通知する必要がある(個人情報保護法23条)。
① 情報収集の目的
② 対象個人情報の種類・保管期間
③ 個人情報が開示される第三者の情報
④ 情報管理者に関する情報およびその連絡先
⑤ データ主体の個人情報保護法上の権利(同意撤回権、自己の個人情報へのアクセス権、削除請求権等)
⑥ データ主体が、法令や契約の遵守・契約の締結のために個人情報を提供しなければならない場合であること(かかる個人情報を本人が提供しないことの効果を含む)

　通知に関して、個人情報保護委員会が2022年9月に通知に関するガイドラインを発行している。同ガイドラインにおいては、個人情報保護法19条および24条に基づき、情報管理者がデータ主体に対して個人情報取得の目

的や詳細を通知する際に考慮すべき要素が規定されている。たとえば、公平性（データ主体は情報処理目的を通知されるべきであり、当該目的はデータ主体が容易に理解可能なものであること）や目的の限定（データ主体に通知した目的の範囲外でデータを使用してはならないこと等）が挙げられている。

　情報管理者は、個人情報保護法または他の法律の規定により許される場合を除き、データ主体の事前の同意がない限り、個人情報の処理をすることができない。同意は、その性質上できない場合を除き、書面または電子的手段により明示的に行われなければならない（個人情報保護法19条）。同意の取得方法について、個人情報保護法および2022年9月に発行されたガイドラインのもとにおいては、いわゆるオプトアウトの方法（プライバシーポリシー等を通知し、本人から異議がなければ個人情報の処理等について同意したものとみなす方式）は認められず、明確に同意を取得する必要があると考えられている。また、その同意の取得についても、取り扱う個人情報の類型や取得目的が複数ある場合は、少なくとも取得目的ごとにチェックボックス等を作成し、個別に同意をとることを志向すべきと考えられている。すなわち、取得目的や取得予定の個人情報を一緒くたにリストアップし、まとめて「同意する／同意しない」というチェックボックスをクリックするといった方法では取得方法として不十分であるとされる可能性がある点に留意が必要である。

　上記原則の例外として、本人の同意なく情報を収集できる場合は以下の場合である（個人情報保護法24条1号〜6号）。

① 歴史文書の準備、公共の利益の探求、または研究・分析・統計に関する目的のためであって、個人情報に関する適切な保護基準が施されている場合
② 生命・身体・健康に対する危険の予防・阻止する場合
③ 本人が当事者である契約を遵守するため、または当該契約を締結する前に本人の要望に対応するために必要な場合
④ 公共の利益に関する情報管理者の義務履行のため、または情報管理者

に授権された公的な権利の行使のために必要な場合
⑤　情報管理者または情報管理者以外の第三者の正当な利益のために必要な場合（ただし、当該正当な利益が本人の個人情報に関する基本的権利より重要でない場合はこの限りでない）
⑥　情報管理者の法令遵守のために必要な場合

なお、センシティブ個人情報については上記よりもより厳格な規制が適用され、特に正当な利益を根拠とするセンシティブ情報の処理は許されていない点は留意が必要である。

6　本人の権利

個人情報保護法上定められている本人の権利としては、以下のものが挙げられる。

いずれも、GDPRの内容をベースに規定されたものと思われる。

①　個人情報へのアクセス・謄写請求権（個人情報保護法30条）
②　データ・ポータビリティ権（個人情報保護法31条）：個人情報を一定のフォーマットで受け取って他の管理者に移転する、または直接に管理者から他の管理者に移転させることを求めることができる権利である
③　個人情報の収集等に対して異議を述べる権利（個人情報保護法32条）
④　情報の削除請求権（個人情報保護法33条）：利用目的に鑑みて保管の必要がなくなった場合、同意が撤回された場合、不法に収集等された情報である場合の、自らの情報の削除、破棄、匿名化を要求できる権利である（いわゆる「忘れられる権利」）
⑤　個人情報使用の制限請求権（個人情報保護法34条）
⑥　情報管理者に対し、情報の正確性・更新・完全性、誤解を招かない情報であることを求める権利（個人情報保護法35条、36条）

7　情報管理者・情報処理者の義務

　情報管理者・情報処理者の義務のうち主要なものとして、以下のものが挙げられる。
　①　無権限者による個人情報へのアクセス・改変・開示を避けるための適切なセキュリティ対策（appropriate security measures）を施す義務（個人情報保護法37条、40条）
「適切なセキュリティ対策」の具体的な基準・内容については、すでに施行された下位規則において、事業者が最低限備えるべきデータ保護措置のコンセプト（秘匿性・完全性・可用性から成る CIA Triad）が定められている。
　②　記録保持義務（個人情報保護法39条、40条1項3号）
　情報管理者は、原則として、収集した個人情報について、少なくとも以下の事項を本人・個人情報保護委員会の確認・検査のために書面または電子的方法で記録する必要がある（ただし一定の小規模事業者については一定の場合に本義務は免除される）。

・収集した個人情報
・各種個人情報の収集の目的
・情報管理者に関する情報
・収集保持期間
・個人情報にアクセスできる権利・手段およびアクセス権者の条件
・同意取得以外の要件により個人情報を開示・使用した場合
・本人のアクセス権やデータ・ポータビリティ権等に対して拒否した場合
・適切なセキュリティ対策（個人情報保護法37条）に関する説明

　また、情報処理者も、個人情報の処理行為に関する記録を保持する必要がある（個人情報保護法40条1項3号、その詳細は下位規則による）。
　③　情報保護責任者（Data Protection Officer、通称「DPO」）の任命義務（個

人情報保護法41条）
以下の3つのいずれかに該当する場合に任命が義務付けられている。
　（ⅰ）　公的団体である場合（詳細は下位規則による）
　（ⅱ）　中心的事業の性質上、センシティブ個人情報の取扱いが見込まれる団体
　（ⅲ）　大量の個人情報の取扱いが業務の性質上見込まれるため定期的な管理者による検証が必要となる団体（「大量」の基準は下位規則による）
　この点、情報保護責任者については、一定の専門性を持ち、かつ情報管理者である会社とは一定の独立性をもって活動する必要があることから、GDPRにおいてもその適任者を見つけることは容易ではないものとして対応企業のネックになっているものである。タイについても、個人情報保護委員会とのやり取りもその1つの任務として求められており、適任者を見つけることは必ずしも容易でないことが想定されるため、上記の下位規則によるその詳細には特に留意を要するものと思われる。
　④　データ侵害時の報告等義務
　情報管理者は、個人情報の侵害が本人の権利および自由に対するリスクにつながる可能性が低い場合を除き、個人情報の侵害事象を認識してから72時間以内に当該データ侵害について委員会に報告する義務がある（個人情報保護法37条4号）。また、個人情報の侵害が本人の権利および自由に対する高いリスクにつながる可能性がある場合、情報管理者は、個人情報の侵害および改善策をデータ主体に対しても遅滞なく通知しなければならない（同号）。具体的な報告事項や72時間のタイムラインに遅れての報告となる例外の規定等の詳細は、2022年12月に発効した下位規則によって定められている。
　上記以外に、情報管理者の主要な義務として、タイに所在しない情報管理者であって、大量のまたはセンシティブ個人情報を取り扱う場合には、タイ国内に代理人（Agency）を選任する義務が課せられている（個人情報保護法37条5号）。この点は、GDPRよりも代理人の選任義務が課されている範囲

は狭いものと評価できる。

また、情報管理者が情報処理者を利用する場合には、情報処理者との間で情報処理に関する条項を規定した契約を締結する必要がある（個人情報保護法40条3項）。

8　第三国への移転

(1)　原則的なルール（個人情報保護法28条）

個人情報保護法における個人情報の国外移転のルールとしては、原則として当該移転先の国において「個人情報保護のための十分な基準を満たしている」場合には、移転に関する本人の同意の取得は不要であるとされている（同法28条）。この基準の具体的内容は下位規則で定められるとされており、現状その詳細は明らかでない。

当該第三国が個人情報保護のための十分な基準を満たしていない場合については、本人に対し、移転先の国が個人情報保護のための十分な基準を満たしていないことを通知し、本人の同意を得られれば、移転が可能であるとされている。

(2)　海外グループ会社間等での移転・共有の場合（個人情報保護法29条）

上記の原則ルールの例外として、タイに所在する情報管理者・情報処理者が、海外に所在する情報管理者・情報処理者に対して個人情報を移転する場合に、当該移転先が共同事業を営む同一の企業グループ・同一の関係事業に属する者であり、その間で情報保護委員会が承認した「個人情報を移転するに際しての情報保護に関するポリシー」を施している場合には、同法の原則ルールの適用を受けずに、情報移転が可能であるとされている。

個人情報保護委員会の承認が前提となっており、GDPR上のBCR（拘束的企業準則）に近いような枠組みであるとの評価ができると思われるが、この

「共同事業を営む同一の企業グループ・同一の関係事業」の範囲や「ポリシーに関する委員会の承認手続・基準」等、上記例外に関する詳細は今後の下位規則によるものであり、現時点でその詳細は明らかでない。

(3) 上記のいずれにも該当しない場合の例外（個人情報保護法29条3項）

　上記原則的なルールに関する当局の判断が出ておらず、また上記ポリシーが置かれていない場合については、本人の権利行使が確保され、かつ効果的な法的な救済対策が含まれた、個人情報保護委員会が定めるルール・手続に沿った適切な個人情報保護措置が設けられているという条件を満たした場合に、同法の適用を受けずに情報移転が可能であるとされている。これは、GDPR上のSCC（標準的契約条項）に近いような枠組みを想定したものである可能性があるが、詳細は今後の下位規則によるものであり、現時点でその詳細は明らかでない。

9　責任と罰則

　個人情報保護法の違反行為については、以下のとおり、民事責任、刑事責任、行政罰が規定されている。

(1) 民事責任（懲罰的損害賠償請求権を含む）（個人情報保護法77条・78条）

　情報管理者または情報処理者が個人情報保護法に反し、情報所有者に損害が生じた場合には、その故意・過失に関わりなく、損害賠償責任が生じるとされている。また、裁判所は、実損害額のほか実損害額の2倍を限度とする懲罰的損害（すなわち、実損害額と懲罰的損害賠償額を合せて実損害額の2倍まで）の賠償義務を課すことができる。

　上記のとおり、故意・過失に関わりなく責任を負いうることとされており、その責任を免れるには、①不可抗力であったこと、情報所有者の作為・不作為に帰責性があること、または②当局の合法的な命令に従った行為であ

ることを立証できた場合に限り損害賠償責任を免れることができるとされている点に注意が必要である。

なお、個人情報保護法違反による損害賠償責任は、タイの民事訴訟法上の集団訴訟の対象となる。

(2) 刑事責任（個人情報保護法79条～81条）

また、一定の重要な義務の違反については、刑事罰が定められている。趣旨としては、センシティブ個人情報に関する重大な義務違反について刑事罰の対象とし、厳罰に処すという姿勢がうかがえる。

―センシティブ個人情報収集時の同意取得義務、目的内使用義務の違反（個人情報保護法27条1項・2項、26条） ―センシティブ個人情報の第三国への移転に関する義務違反（それにより本人の名誉等に損害が生じる場合）（同法28条、26条）	6か月以下の禁固 50万バーツ以下の罰金 （またはその併科）
―上記義務違反について、「当人または第三者の不法な利益のため」に行った場合	1年以下の禁固 100万バーツ以下の罰金 （またはその併科）

また、法人が違反者の場合、法人のみならず、取締役等の指示や義務を怠った場合は、当該取締役等の責任者についても同様の罰則が適用される。

(3) 行政罰（個人情報保護法82条～90条）

さらに、行政罰も規定されており、その行為類型に応じて以下のような過料が定められている。

―情報管理者によるセンシティブ個人情報収集時の同意取得義務、目的内使用義務の違反（個人情報保護法27条1項・2項、26条） ―情報管理者によるセンシティブ個人情報の第三国への移転に関する義務違反（同法28条、26条）　など	500万バーツ以下の過料

—目的外の情報収集（同法22条） —本人以外からの情報収集義務違反（同法24条） —情報漏えいに対する適切な対策の構築義務違反（同法40条）	300万バーツ以下の過料
—情報管理者による目的等の未通知（同法23条） —情報管理者による収集済情報・目的・期間等の記録懈怠（同法39条1項） —情報保護責任者の選任懈怠（同法41条1項）　など	100万バーツ以下の過料

10　日系企業の対応策

　本章の冒頭で述べたとおり、個人情報保護法は複数回の延期を経て、2022年6月から全面適用・施行がされており、タイで事業を営む企業にとって、同法の遵守対応は待ったなしの状況となっている。同法の詳細や手続を規定する下位規則・ガイドラインも順次当局から公表・施行がされており、当局としての本気度も窺える。

　企業としては、まずその事業において、取引先や消費者などの対外的に処理している個人情報は勿論のこと、従業員などの対内的に取得・処理している個人情報についても整理し、その取扱う個人情報の種類・量などについて整理をし、必要な対応策を理解するデータマッピングを実施することが望まれ、実際に多くの企業が（同法の本格施行前から）こういった検討を進めている。

　実際の対応策の実施については、すでにGDPR等に準拠したプライバシーポリシーやデータ処理記録、同意書等が整理されていれば、これを活用しつつタイ固有の手当てをしていくことが考えられる。特に第三国への情報移転の際のルールに関して現時点でまだ明確でないことや、情報保護責任者の適任者の選任等、日系企業においてもタイ固有の対応や考慮が求められると思われる規定もあることから、これまでのGDPRや日本の個人情報保護

法への対応をベースに、タイ固有のルールへの対応を検討して行くことになると思われる。GDPRと同様に、日本が情報移転先の第三国として「個人情報保護のための十分な基準を満たしている」国として認定されるかを含め、今後の当局の動向に特に注意が必要である。

Chapter 14

汚職防止法制

第14章

第14章 汚職防止法制

本章においては、タイにおけるコンプライアンスの分野で重要な法令として、汚職防止法制について取り上げる。本章では、特に、タイの汚職防止法制に関し、日系企業が直面することが多いと思われる贈賄処罰のルールの概要について述べる。

1 汚職防止法制の近時の動向

2014年5月の軍事クーデターにより発足したプラユット暫定政権は、「汚職の撲滅」を重要政策の1つとして掲げ、2015年7月には反汚職法が改正され、汚職防止法制が強化された上、2018年7月にも複数の点についての改正が行われた。もっとも、タイにおいては依然として贈収賄が蔓延しているといわれており、NGO団体のトランスペアレンシー・インターナショナルが公表する腐敗認識指数においては、2020年は、180か国中104位、2021年は110位まで順位を下げて、2022年も101位の順位に留まっており、汚職防止法制の強化にかかわらず、実際の効果がまだ出ていないという懸念を国民から持たれているように見受けられる。タイのいくつかの政府機関は、利用可能なサービスをオンラインプラットフォームに移行し、国民と公務員の直接の接触を減らすことで、このような状況に対処しようと試みている。しかし、政府機関の中には、公務員の裁量に大きく依存するところもあり、一定の分野では、なお汚職が依然として存在しうる。

たとえば、憲法および反汚職法に基づき設立された独立機関である国家汚職防止委員会が発表した2021年の年次報告書によれば、2021年に国家汚職防止委員会が処理した贈収賄事件は179件、その他の政府機関が処理した贈収賄事件は149件である。また、これらの贈収賄事件には、複数の政府プロジェクトが関わっており、全プロジェクトの総額は110億3,300万バーツに上るとされている。

2 公務員贈賄規制の概要

　タイにおいて公務員に対する贈賄を取り締まる基本的な法律は、刑法および反汚職法である。なお、談合防止法においても、入札に関する贈賄が規制されている。

(1) 公務員贈賄罪の要件

　刑法は、公務員（competent official）、国会議員、地方議員に対し、作為もしくは不作為または遅延をするよう誘導する目的で、財物その他の利益を供与し、供与を申し出、または約束する行為を禁じている（刑法144条）。また、反汚職法は、公務員（public official）、外国公務員、国際機関の職員に対し、作為もしくは不作為または遅延をするよう誘導する目的で、財物その他の利益（benefit）を供与し、供与を申し出、または約束する行為を禁じている（反汚職法176条1項）[1]。

　「公務員」とは、刑法においては、「法律上公務員とされる者、または、常勤・非常勤を問わず、報酬を得るか否かを問わず、公務を行う者」（刑法1条16号）と定義されており、反汚職法ではそれよりも広く、政治的地位にある者等を含み、国家公務員・地方公務員、国営企業で職務を遂行する者、地方行政官、地方議会議員等を含むものと定義されている（反汚職法4条）。

　そのため、タイにおいては、国営企業（state enterprise）で職務を遂行している者等、刑法上は公務員に含まれない者との関係でも贈賄罪が成立しうることに留意する必要がある。

　そして、国営企業民営化法3条および同条が引用する予算手続法4条は、「国営企業」を以下のように定義しており、国営企業に含まれうる企業の範

---

1) 刑法および反汚職法ともに、贈賄罪は、実際の利益の供与に至らなくとも、公務員に対して供与の申出を行えば、贈賄罪が成立しうることに留意が必要である。

囲が広い点に注意が必要である。

① 政府組織の設立に関する法律に基づく政府組織、法律により設立された国家事業体、または、政府が保有する事業体
② 政府機関または①によって、50％超の資本が出資されている非公開会社または公開会社
③ 政府機関および①または②に基づく国営企業によって、50％超の資本が出資されている非公開会社または公開会社
④ ①または②に基づく国営企業によって、50％超の資本が出資されている非公開会社または公開会社
⑤ ②に基づく国営企業によって、50％超の資本が出資されている非公開会社または公開会社

なお、司法官(裁判官、検察官、捜査官等に相当する)に対する贈賄については、刑法167条により、他の公務員に対する贈賄より重い法定刑が定められている(後記3(1)参照)。タイ最高裁判例(8181/2547号)によれば、「司法官」とは、贈賄者が便宜を受けることを企図している事件につき責任を有する公務員でなければならないとされており、仮に収賄者が当該事件につき責任を有する公務員でなかった場合、同条には該当しない(ただし、反汚職法176条および刑法144条には該当しうる)。

(2) 公務員贈賄罪の適用が除外される場合

タイにおいては、反汚職法128条1項に基づき、公務員による倫理的理由のある財産その他の利益の受領に係る規定に関する国家汚職防止委員会告示(Notification of the Office of National Counter Corruption Commission Concerning the Provisions of the Acceptance of Property or Any Other Benefit on Ethical Basis by State Officials B.E. 2563(2020)、以下「国家汚職防止委員会告示」という)の定める一定の要件を満たしている場合には、公務員が財物その他の利益を受け取ることが許容されている。ただし、国家汚職防止委員会告示の要件に該当する場合に、利益提供者も贈賄罪に問われないとは必ずしも限らないことには留意

する必要がある。

具体的に、社会的儀礼・慣習として公務員による利益の受領が許容される場合には、以下の場合がある（国家汚職防止委員会告示6条）。

① 親族以外の者から、3,000バーツを超えない範囲で利益を受け取る場合
② 一般人として贈与を受けたと考えられる状況において利益を受け取る場合

これに該当しない場合で、親善、友好または良好な人間関係を維持するために必要であるとして、利益の受領を行う際には、上司にその事実の詳細を報告しなければならず、上司から当該利益を受領してはならない旨の指示があったときは、当該利益を利益提供者に返還しなければならない（国家汚職防止委員会告示7条）。

また、首相府から、2023年1月、「国家公務員の贈答品の授受に関する規則」（Regulations of the Office of the Prime Minister re Giving or Receiving Gifts of State Officials B.E. 2565（2022））が新たに公表された。同規則は、上司が部下または部下の家族から利益を受領すること、部下および部下の家族が上司に対して利益を提供すること等の禁止を内容としているが、上記と同様に3,000バーツを超えない範囲で利益を受け取る場合は、社会的儀礼・慣習として許容されることが定められている。

(3) 外国の法人または個人による贈賄行為・外国公務員に対する贈賄行為・外国における贈賄行為

外国の法人または個人がタイの公務員に対して贈賄行為を行った場合、国内の法人または個人が当該行為を行った場合と同様に、贈賄罪が成立する。また、タイ国外において、タイの公務員に対して贈賄行為を行った場合も、贈賄罪が成立する。

次に、外国公務員（外国の立法機関、行政機関または司法機関に職を有する者、外国政府のための職務に従事する者等をいう）および国際機関の職員（国際

機関に勤務する者、または国際機関を代理して行為する者として当該国際機関により任命された者）に対する贈賄行為についても、贈賄罪が適用されることとされている（反汚職法176条1項）。

(4) **民間企業の役職員に対する賄賂・リベート供与**

タイにおいては、現在、民間の法人等・個人に対して利益を供与した場合に、これを処罰する規制は存在しない。もっとも、民間人が談合や不公正な取引方法を行った場合には、談合防止法や取引競争法等、贈賄規制法以外の法律によって罰せられる可能性がある点に留意する必要がある。

たとえば、談合防止法は、①政府系機関との契約を締結できるような取計い、②不自然な高額／低額での入札、または③入札への不参加もしくは入札の取下げのいずれかを誘導するために、他者に対し、金銭、財物その他の利益を供与し、供与を要求し、または供与を引き受ける行為を禁じているところ（同法5条）、利益の供与の主体も、相手方も、公務員に限られないことに留意が必要である。また、かかる行為が企業の利益のために行われた場合には、当該企業の代表者、当該入札の責任者等、かかる入札を行うことについて権限・責任を有している者は、自身が関与していないことを証明しない限り、共犯者と推定される（同法9条）。

3　公務員贈賄罪の罰則その他の制裁

(1) **罰則・制裁の内容**

① **個人に対する罰則**

反汚職法または刑法に違反した場合の個人に対する罰則は以下のとおりである。

(ⅰ) 刑法144条に違反した場合：違反者は5年以下の禁固、10万バーツ以下の罰金またはこれらを併科される。

3　公務員贈賄罪の罰則その他の制裁

(ii) 反汚職法 176 条に違反した場合：違反者は 5 年以下の禁固、10 万バーツ以下の罰金またはこれらを併科される。

(iii) 刑法 167 条（司法官に対する贈賄）に違反した場合：違反者は 7 年以下の禁固、14 万バーツ以下の罰金またはこれらを併科される。

(iv) 談合防止法 5 条に違反した場合：違反者は、1 年以上 5 年以下の禁固、または違反者間における最高入札額の半額もしくは落札額のうちのいずれか高い額の罰金を科され、または両者を併科される。

② 法人に対する制裁

　反汚職法は、従来の判例に基づくルールを踏まえ、法人処罰の規定を明文化しており、その処罰対象としては、タイで設立された法人だけでなく、タイで事業活動を行う外国法人が含まれることが明確化されている（反汚職法 176 条 3 項）。具体的には、タイ国内に拠点がない外国法人であっても、たとえばコンサルタントなどを通じて公務員に賄賂を提供するとき等は、贈賄罪の適用対象になりうる。

　そして、個人の行為が法人の利益のために行われたものであり、当該法人が当該違反行為を防止するための「適切な内部統制措置」を講じていなかった場合、生じた損害または当該法人に生じた利益の額の同額から 2 倍の罰金刑が当該法人に科されることとされた（反汚職法 176 条 2 項）。そして、国家汚職防止委員会は、2017 年 9 月、法人が贈賄行為防止のためにとるべき方策（すなわち法人処罰の適用を免れるために必要な「適切な内部統制措置」の具体的指針）として、「法人における贈賄行為防止のための適切な内部統制措置に関するガイドライン」[2]（以下「本ガイドライン」という）を公表した。外国法人であっても、タイにおける事業展開が想定される企業においては、法人としての処罰を免れるための「適切な内部統制措置」を具体的に講じておくことが望まれる。

---

[2] Guidelines on Appropriate Internal Control Measures for Juristic Persons.

本ガイドラインにおいては、大きく8つの指針が示されている。各指針とその重要な留意点は、以下のとおりである。

(i) トップ経営陣からの強力かつ明確な贈賄防止に対する政策・支援

トップ経営陣（取締役会、CEO等）自らが、贈賄行為に対するZero Tolerance（不寛容）な姿勢を明確に打ち出すこと、そして経営陣による積極的な関与が贈賄防止に不可欠であるとされている。

(ii) 贈賄リスクの効果的な特定・評価のためのリスク査定

贈賄行為の生じやすい場面（公務員と接する場合）は各会社の規模、構造、事業、場所等によって異なるため、会社ごとにリスクを具体的に分析することが効果的な内部統制措置の構築に寄与することが指摘されている。

(iii) ハイリスクかつ脆弱な分野に対するより強固かつ詳細な対応策

いわゆるファシリテーションペイメント、贈答や寄付等、贈賄行為が生じやすい行為について、より明確・詳細な手続（事前承認やモニタリング制度等）を規定することが奨励されている。

(iv) 事業パートナーに対する汚職防止策の適用

会社内部のみならず、会社が責任を問われうる代理人や仲介人等の第三者、および合弁事業（Joint Venture）のパートナー等についても、可能な範囲で適切な統制を及ぼすことやデュー・ディリジェンスの実施の努力が求められている。

(v) 正確な帳簿・会計記録

贈賄・不正行為の隠匿を防止するため、独立監査の実施や、正確かつ透明性のある会計システムの構築が求められている。

(vi) 汚職防止策を保管する人事管理政策

十分な研修によるコンプライアンス意識の向上、法令遵守に対するインセンティブの設定、違反行為に対する適切な規律の適用等、採用や人事評価においてもコンプライアンスの要素を取り入れることが、望ましい実務として指摘されている。

(vii) 贈賄の疑惑の報告を促す意思疎通メカニズム

会社の規模に適した内部通報システムと、報復等の恐れを取り除くための通報者の適切な保護・守秘性の確保が肝要であると指摘されている。

(viii) 汚職防止策とその効果の定期的な検証・評価

贈賄リスクの所在はビジネス環境（法改正等を含む）により常に変化するため、従前の内部統制措置の有用性にかかわらず、定期的な制度の評価と見直しの実施が求められている。

③ 海外の親会社に対する制裁

たとえば日本企業が保有するタイ子会社の役職員が贈賄行為を行った場合に、日本の親会社が処罰されるということは通常考えられない。

なぜなら、前記のとおり法人の代表者が法人を代理して行った行為については、当該法人も責任を負う場合があるが、その場合であっても当該法人と海外の親会社は別個の法主体であるためである。なお、子会社の役職員が海外の親会社も代表して贈賄行為を行った場合には海外の親会社も処罰される可能性が出てくるが、そのようなケースは通常考えにくいであろう。もっとも、海外の親会社が子会社に指示を行って贈賄を行わせたような場合には、次項の(2)において述べる教唆犯または幇助犯に当たることはありうる。

(2) 第三者を通じた贈賄行為が処罰される場合

タイにおいては、第三者を通じた犯罪行為を処罰する規定が定められている（刑法84条）。すなわち、雇用や強制、脅迫、請負、依頼、教唆、その他あらゆる手段によって他人に犯罪行為を行わせた者は、刑法上「教唆犯」に当たるとされ、教唆犯に用いられた者が贈収賄を行った場合には、教唆犯は正犯として処罰される。したがって、エージェントやブローカー、仲介者、コンサルタントまたは取引先等を通じて贈賄行為を行った者は、正犯として処罰されうることになる。他方、教唆犯により贈賄行為を行わせるための行為がなされたにもかかわらず、何らかの理由で実際には贈賄行為が行われな

かった場合には、教唆犯は法に定められた罰則の3分の1の限度でのみ処罰されうることとなる。

また、教唆犯とは別に、贈賄行為が第三者の補助や便宜によってなされた場合には、仮に贈賄行為を行う主犯者がその補助や便宜を実際に認識していなかったとしても、当該第三者は幇助犯として、法に定められた罰則の3分の2の限度で処罰されうる（刑法86条）。

4 執行手続

(1) 執行の手続

1997年、贈収賄を防止し調査する機関として国家汚職防止委員会が設立された。国家汚職防止委員会は広範な調査権限を有しているものの、訴追権限は有していないため、訴追をするためにはしかるべき訴追機関に送致しなければならない。すなわち、国家汚職防止委員会は調査を行った後に検察官に送致し、検察官は犯罪事実を立証できると判断すれば、行為者を訴追することになる。

この点、国家汚職防止委員会の2021年の年次報告書によれば、近年も、国家汚職防止委員会が取り扱っている事件のうち多くが（約7割から8割）、年度内に解決せずに次年度に持ち越されていることが確認できる。

(2) 自主申告制度

タイにおいては、本執筆時点において、捜査機関に事件が発覚する前に、贈賄を行ったことを捜査機関に対して自主的に申し出ることによって刑の減免を受ける制度は存在しない。

Column1

タイ独特の慣習「バスケット」

　タイにおいては、年末年始に、取引先等に「バスケット」と呼ばれる贈り物をする慣習がある。「バスケット」は、文字どおり、缶詰や果物等が詰め合わされた「かご」であり、大体1,000バーツから、高くても3,000バーツ程度のものが多い。税務署等、関係のある役所にバスケットを贈る民間企業も多いが、一般的には、社会的儀礼の範囲内の行為として許容されると解されているように見受けられる。

Column2

「ファシリテーションペイメント」の取扱い

　公務員の機械的な（裁量を有しない）業務の円滑化のための少額の支払いを、いわゆる「ファシリテーションペイメント」として処罰の対象外とする法域がある。タイにおいては、ファシリテーションペイメントについて明文の規定がなく、少額であっても贈賄罪の構成要件に該当しうる点に留意が必要である。この点、国家汚職防止委員会告示に基づき、3,000バーツを超えない支払いは許容されると誤解されているケースが散見される。上述のとおり、当該告示は、社会的儀礼・慣習等の理由で利益を享受した者に適用除外が認められる場合を定めたものにすぎず、便宜を図ってもらう見返りに金銭等を渡した場合は、金額の多寡にかかわらず、贈賄罪が成立しうる。

Chapter 15

紛争解決制度

第 15 章

第15章　紛争解決制度

　日系企業がタイで事業を行っていくうえで、好むと好まざるとにかかわらず、紛争に巻き込まれる事例も少なくない。ローカルの取引先や合弁相手との間の契約違反に関する紛争などさまざまな局面で紛争が生じる可能性がある。そこで、第15章では、タイにおける紛争解決について解説する。まず、1においてタイにおける紛争解決制度の概要としてその全体像を説明したうえで、2で民事裁判制度について解説する。さらに、3において、タイ国内における仲裁制度の概要と外国仲裁判断を含む仲裁判断のタイ国内における承認・執行手続について説明する。

1　紛争解決制度の概要

(1)　紛争解決方法の選択肢

　一般論として、タイで何らかの紛争が発生した場合、その解決の方法としては、以下の4つの選択肢が考えられる。

① タイ国内での裁判
② 外国での裁判
③ タイ国内での仲裁
④ 外国での仲裁

　これらの選択肢について、それぞれの概要は以下のとおりである。

①　国内における裁判

　下記2において詳述するとおり、タイの裁判制度は、同じく大陸法系である日本のものに近い。日本と同じく三審制であり、ディスカバリー(証拠開示手続)等の英米法系の制度は採用されていない。なお、裁判官による汚職事件の数は、東南アジアの中では比較的少ないといわれており、また地域ごとの裁判所の信頼性・安定性に大きな相違がないことから、特にタイ国内企業間の取引においては、民事紛争の解決手段として、裁判所による訴訟手

続が第一義的に選択されることが多い。

② 外国における裁判

下記２(3)④において説明するとおり、タイには、外国（たとえば日本）の裁判所の判決を承認し、タイ国内で執行することを可能とする制度は設けられていない。仮に、日本の企業が、日本の裁判所においてタイ企業を相手に訴訟を提起し、勝訴判決を得たとしても、当該判決は、タイ国内での裁判における証拠方法の１つとなるにすぎず、当該判決に基づいてタイ国内で当該企業に対して執行することはできない。したがって、日本企業はタイの裁判所において改めて訴訟を提起し、勝訴する必要がある。

③ 国内における仲裁

タイの国内仲裁手続は、2002年に制定された仲裁法に定められている。タイにおける常設仲裁機関としては、Thai Arbitration Institute（TAI）とCommercial Arbitration Institute of the Board of Tarde of Thailand（BOT）の２機関が有力といわれてきており、最近では、Thailand Arbitration Center（THAC）も認知度を向上させている。

④ 外国における仲裁

外国における裁判とは異なり、タイは、外国仲裁判断の承認及び執行に関する条約（ニューヨーク条約）に加盟しているため、外国での仲裁判断をタイ国内で執行することは制度上可能である。日本企業がタイ企業との契約において紛争解決地として外国仲裁を選択する場合、タイ国外の仲裁機関としては、タイと地理的に比較的近く信頼性の高いといわれているシンガポール国際仲裁センター（SIAC）が選択される場合が比較的多い。かかる外国仲裁判断の承認・執行の手続についても仲裁法に定められており、その詳細は下記３(4)において説明する。

(2) 紛争解決方法を検討する視点

　タイにおいて事業を行う際に締結する契約書において、紛争解決方法をどのように規定するかという点については、一般論としては、以下の整理が可能と考えられる。

　まず、上記(1)②の日本等の外国における裁判に関しては、タイでは外国判決の承認・執行ができないために紛争解決の実効性の観点から得策ではなく、避けたほうがよいと思われる。

　次に、上記(1)①国内における裁判に関しては、他の東南アジアの諸国と比べて裁判所の公正性に疑義があるとはいわれていないが、裁判所が場合によりタイ国民保護的な思想を判決に持ち込む可能性は否定できず、また、タイ国内裁判所ではタイ語での書面準備・証拠提出が必要となるので、結論としては、かかるリスクないし負担を勘案しても特段問題ないと判断できる場合に限って選択すべきように思われる。

　したがって、タイにおけるタイ企業との合弁契約等においては、上記(1)③国内における仲裁か、あるいは上記(1)④外国における仲裁を選択することが望ましいように思われる。特に、英語で合弁契約等を締結する場合には、紛争手続も英語で行うことが簡便であり、それに慣れたシンガポールのSIACでの仲裁が選択されることが実務上は比較的多い。

　他方、タイで事業を行っていく過程では、労働者からの労働訴訟や、契約の相手方以外の第三者からの不法行為など（たとえば、製品を購入した消費者からの製造物責任訴訟などが考えられる）を根拠とする損害賠償請求訴訟がタイの裁判所に提起されるリスクは常に存在する。そこで、以下では、まず、下記2において国内の民事裁判制度について説明したうえで、下記3において仲裁制度について説明する。

2 民事裁判制度

(1) 民事訴訟法の法源と裁判制度の概要

① 民事裁判制度の特徴と法源

　タイは、基本的に日本と同様、フランスおよびドイツの法制度に影響を受けた大陸法系であり、民商法典、刑法典等の基本法については法典が編纂されている成文法国である。

　民事訴訟法の法源は、主として 1934 年に制定された民事訴訟法であり、これが民事訴訟の手続全般を規律しているが、内容的にはドイツ法・日本法の影響を強く受けており、ディスカバリー（証拠開示手続）等の英米法系の制度は採用されていない。ただし、後記のとおり、懲罰的損害賠償の制度が限定的ながら採用されており、クラスアクション制度も 2015 年 12 月より導入されている。

　裁判官による汚職事件の数は、東南アジアの中では比較的少ないとみられ、また地域ごとの裁判所の信頼性・安定性に大きな差違がないこともあり、特にタイ国内企業間の取引においては、民事紛争の解決手段として、裁判所による訴訟手続が第一義的に選択されることが多い。

② 審級制度および裁判所の構成

　タイには、司法裁判所のほか、憲法裁判所、行政裁判所、および軍事裁判所という特別裁判所がある。通常の民事事件については司法裁判所により取り扱われる。

　タイの司法裁判所は、原則として日本と同じく三審制である。知的財産権、労働、税務、破産、少年・家庭等の専門事件については、従前二審制とされていたが、2015 年改正により専門裁判所を第一審とし、専門控訴裁判所を第二審とし、その後最高裁判所に上告できる三審制に変更された。

【図表15-1】第一審手続の概要

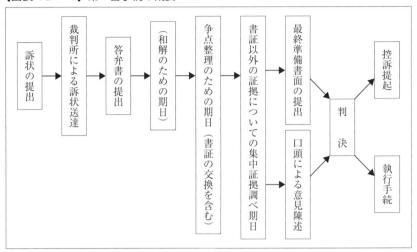

一般の民事事件については、第一審判決への不服申立て（控訴）は、控訴裁判所に対して行われ、控訴審判決に対する不服申立て（上告）は、最高裁判所へ行われる。

(2) 第一審手続の流れ

一般の民事事件の第一審手続の流れは、概要図表15-1のとおりである。裁判所における手続は原則として公開で行われる。しかし、裁判所は、法廷の秩序維持に必要な場合、公共の利害に関する場合等には、手続を非公開とすることができる（民事訴訟法36条）。手続はすべてタイ語で行われる（同法46条1項）。

以下、手続の概要と対応の注意点を述べる。

① 訴え提起および送達

タイでは、原告が訴状を裁判所に提出した後に、裁判所により被告への訴状の送達が行われる（民事訴訟法70条、173条）。訴状、裁判所の命令、判決

等の送達は、原則として、法廷での直接の交付または居住地もしくは事業所の所在地宛てに郵送することにより行われる。外国法人がタイ国内に支店または駐在員事務所を有している場合には、これらの場所が有効な送達先となる。

外国法人が弁護士に代理を委任する場合で、委任状が外国で作成される場合、タイ領事の面前で作成するか、あるいは、公証人による公証等と当該外国政府による認証手続を経ることが求められる（民事訴訟法47条）。

② 管　　轄

第一審の事物管轄は、訴額または財産の価額が30万バーツ以下の場合、地区裁判所となる。この金額を超える場合、県裁判所またはバンコクの一定の裁判所が第一審の事物管轄を有する。

土地管轄については、被告の住所地、原因となる行為が生じた場所、または係争不動産の所在地を管轄する裁判所が管轄を有することになる（民事訴訟法4条）。タイでは合意管轄は認められていない。

③ 訴訟費用の納付

裁判所に支払う訴訟費用は、訴額が5,000万バーツ以下の場合には訴額の2％（上限20万バーツ）、訴額が5,000万バーツを超える場合には、20万バーツに加えて、5,000万バーツを超える部分につき訴額の0.1％であり（民事訴訟法別紙1）、原告が訴え提起時に裁判所に納付する。

④ 答弁書の提出および争点整理手続期日の指定

被告は、訴状等の送達を受けた日から、原則として15日以内に答弁書を提出する（民事訴訟法177条1項）。もっとも、裁判所は適切と考える場合には職権または申立てにより期限を延長することが可能である（同法23条）。答弁書提出後は、原告は、裁判所の許可を得なければ、請求を取り下げることができなくなる（同法175条）。

被告が反訴を提起する場合には、答弁の中で反訴を行うことができる（民事訴訟法 177 条 3 項）。

⑤ 和解のための手続

裁判所は、審理のいかなる段階においても、当事者に和解の勧試をすることができる（民事訴訟法 20 条）。実務上は、答弁書の提出後（反訴提起がある場合にはそれに対する答弁書の提出後）に、和解期日が指定されることが多い。

⑥ 争点整理のための手続

訴状および答弁書の提出後（および和解期日が設けられて不調となった後）に、通常、15 日前までに争点整理期日が指定される（民事訴訟法 182 条）。

訴状または答弁書を変更する場合には、原則として、争点整理が行われる場合には当該争点整理が完了する前までに、争点整理が行われない場合には証拠調べ手続の実施日の少なくとも 7 日前までに行う（民事訴訟法 180 条）。タイの裁判所は、実務上、日本のように準備書面を何度も往復させることはしないことが多いといわれており、相手方の主張に対する反論を行う機会が限られていることに留意して訴訟遂行を進める必要がある。

⑦ 証拠調べ

証拠調べ手続は、争点整理のための手続が完了した後に実施される。

一般の民事事件では、裁判所の職権による証拠調べを行うことは認められておらず、当事者が証拠提出を行わなければならない。米国法におけるデポジション（証言録取）、証拠提出要請あるいはインテロガトリー（質疑応答）のような広範なディスカバリー（証拠開示）等の手続は定められていない。もっとも、裁判所の訴訟指揮により証拠の提出が促されることもある。

不動産および一定額以上の動産の売買契約や、一定額を超える金銭消費貸借契約、株式譲渡契約など、実体法である民商法等により書面によることが

方式上要求される契約（要式契約）もあり、そのような要式契約の場合には、当該要式に従った書面の提出が必須であって証人による証言で代替することができない（民事訴訟法94条）。

　書面を証拠として提出する場合には、原本を提出することとされている。もっとも、当事者の責めに帰すべきでない事情により原本が滅失したといった事情がある場合には、写しの提出が許容される場合もある（民事訴訟法93条）。

　歳入法典に従い印紙を貼付することが要求される証書については、印紙を貼付しない限り証拠能力が認められない。ただし、歳入法典上の期限を徒過して印紙を貼付しても証拠能力は認められる。

　いわゆる伝聞証拠については、原則として提出が認められていない。もっとも、性質や状況から信用性が認められる場合や、直接の見聞者が供述できない場合には、証拠能力が認められる（民事訴訟法95条、95条の1）。

　外国語で作成した書面については、証拠として提出する際にタイ語の翻訳を付すことが求められる（民事訴訟法46条3項）。タイ語を話すことができない証人については、タイ語の通訳を付さねばならない（同条4項）。

⑧　手続の終結

　証拠調べの手続が終了した後には、当事者は証拠に基づいた最終的な主張内容を明らかにする最終準備書面を提出することができる。また、当事者が要求した場合には、裁判所の裁量により、口頭による意見陳述の機会が設けられることもある（民事訴訟法186条）。

　判決までの期間を制限する規定は設けられていない。個別の事件により異なるが、第一審だけで1年から3年程度の期間を要することが多い。第一審の開始から最高裁判所の判決までに10年程度の期間を要する場合もある。

⑨　判　　決

　判決については、少額事件手続の特則が適用される場合を除いては（民事

訴訟法189条以下)、判決書が作成され (同法141条)、かつ法廷で口頭での言渡しも行われる。

判決では、当事者の請求に基づき、裁判所の裁量により、敗訴者に訴訟費用の負担が命じられる (民事訴訟法161条)。負担の対象には、裁判所に納付した訴訟費用に加えて、弁護士費用も含まれうる。ただし、弁護士費用は、原則として、第一審では訴額の5%、控訴審および上告審ではそれぞれ訴額の3%を上限とする (同法別紙6)。

判決において認められる請求には、金銭の支払いだけでなく、特定履行、行為の恒久的な差止め等も含まれる。

(3) 上訴審手続および執行手続

① 控訴審手続

控訴期限は第一審の判決言渡日から1か月である (民事訴訟法229条)。控訴事由については、訴額が5万バーツ以下である場合を除いて、事実誤認を理由とすることができる (同法224条)。控訴審は、控訴理由およびこれに対する答弁を審理するが、必要がない場合には、書面審理のみで控訴審判決を下すことができる。

控訴を行ったことそれ自体は第一審判決の執行停止事由とはならないので、控訴を行う際に別途執行停止のための申立ておよび保証金の納付を行う必要がある (民事訴訟法231条)。

② 上告審手続

控訴審判決に対する上告をするためには、一定の要件を満たし、最高裁判所からの許可を受ける必要があり、また、控訴審判決に対する上告期限は控訴審の判決言渡日から1か月である (民事訴訟法247条)。

③ 執行手続

判決執行は、裁判所の執行官を通して行われる。執行官は、財産の差押え

や換価を行うことにより、債務者からの執行手続による債権回収を図ることができる。

④ 外国判決の承認・執行

民事訴訟法上、外国判決の承認・執行の規定はなく、また、タイは外国判決の承認・執行に関するハーグ条約その他の条約にも一切加盟していないため、一般的には、裁判所は外国判決を直接承認・執行することはできないと考えられている[1]。したがって、仮に日本で勝訴判決を得ても、タイで強制執行を行うためには、再度タイの裁判所に提訴して、勝訴判決を得る必要がある。ただし、そのような場合でも、外国の勝訴判決を証拠として提出することは可能であり、事実上有利な心証形成がなされることが期待されている。

(4) **クラスアクション制度**

クラスアクション制度（民事訴訟法222条の1）は、2015年民事訴訟法改正により導入されたが、これは、米国の強い影響を受けており、内容も米国の一般的なクラスアクションの制度と類似している。

クラスアクション制度が利用できる訴えは、不法行為、契約違反その他の権利侵害となっており、広汎である。

民事訴訟法は、クラスアクションが利用可能なクラスを「共通の論点から発生する同一の権利の保有者であって、当該クラスに固有の同一の特徴を有するもの」と規定している（同法222条の1）。そのようなクラスに帰属するものは、クラスの代表者が訴えを提起した段階で通知等の手続に服する。クラスの代表者から訴えが提起された場合、裁判所は、個別の複数の訴訟の審理をするよりもクラスアクションとして統一的な解決をすることが望ましい

---

[1] なお、射程は不明であるが、タイ最高裁判所の判決例には、タイにおいても英米法と同様の先例拘束性の原則が認められるべきであると述べるものがある。

と考えた場合に、クラスアクションを許容することになる。

なお、クラスに帰属する個人がクラスアクションに加入することを望まない場合は、米国法と同様に、脱退（オプトアウト）することができる制度となっている。

2018年9月には、クラスアクション手続に基づく初の裁判所判決が出された。これは、Ford Sales and Service (Thailand) Co., Ltd. が販売した一部車両のパワーシフト・トランスミッションの不具合に基づく、300人以上の当該車両購入者（所有者）をクラスとして提起された損害賠償請求である。第一審裁判所は、被告であるフォード社に対し、291人の当該車両所有者への計2,300万バーツおよび年利7.5%の遅延損害金（原告1人につき、2,000から20万バーツ）の支払い、ならびに法令に則り原告の弁護士費用等の支払いを命じた。現在、原被告双方から控訴がなされており、裁判は終結していない。しかしながら、この裁判は、クラスアクションがタイにおける消費者救済の1つの重要な方法として、実際に利用され得ることを示す重要な試金石となったといえる。

3　仲裁制度

仲裁とは、当事者あるいは仲裁機関の選定による仲裁人ないし仲裁廷が、当事者間の紛争につき、法令ないし条理に基づき終局的かつ確定的な判断である仲裁判断を下すことにより紛争を解決する手続である。

(1) 仲裁の法源

タイの仲裁法の法源としては、2002年に制定された仲裁法（以下「仲裁法」という）があり、これは、日本の現行仲裁法と同様に、国連UNCITRAL（国連国際商取引法委員会）のモデル国際仲裁法に準拠している法令であるが、一部タイ固有の規律も見られる。また、タイは、これも日本と同様に、ニューヨーク条約の加盟国であり、この5条に基づき、外国仲裁判断はタイ

の裁判所でも承認・執行をなしうる。この点が、外国判決の承認・執行とは異なる点であり、タイにおいては外国における裁判よりも外国での仲裁のほうが紛争解決の実効性において優れているといえる。

(2) 国内仲裁と外国仲裁

前記1(2)で説明したとおり、タイで事業を行う場合、契約書に定める紛争解決手続としては、国内仲裁または外国仲裁を選択することが望ましい場合が多い。この点につき、国内仲裁のメリットとしては、外国仲裁に比し費用が低廉であることが多いこと、案件によってはタイ企業との交渉が進めやすいこと、また特に下記の Thai Arbitration Institute については、タイ国内においては裁判所の外郭団体と同様に認識されていて、信用力が高いことが挙げられる。

これに対し、国内仲裁と比較した場合の外国仲裁のメリットとしては、一般に、比較的公平かつ合理的な仲裁審理・判断が期待されることが挙げられる。

以下、まず(3)において国内仲裁機関の概要について説明したうえで、(4)において仲裁判断の承認・執行手続について説明する。

(3) 仲裁機関

タイの仲裁機関としては、従来より Thai Arbitration Institute（TAI）と Commercial Arbitration Institute of the Board of Tarde of Thailand（BOT）の2機関が有力といわれてきており、最近では、Thailand Arbitration Center（THAC）も仲裁機関として急速に認知されはじめているが、現在のところは、法務省の建物を使用し、元裁判官の仲裁人が多いなど法務省と密接な関係を有する TAI が最も有力な仲裁機関と考えられている。

(4) 仲裁判断の承認・執行の手続

　仲裁判断は、それだけで敗訴当事者の財産に対し執行ができる効力があるものではなく、別途、仲裁法に基づき、タイ国内裁判所による承認執行判決を得る必要がある。このことは、国内・外国仲裁いずれにおいても同様である。

　すなわち、仲裁法41条1項は、いかなる国での仲裁判断も当事者を拘束するものであって、裁判所において執行を求めることができる原則を宣言し、同条2項において、外国仲裁判断は、タイが加盟する国際条約や協定等に従って、タイが批准した限度で執行されるとしている。

　仲裁判断を国内裁判所で執行するには、仲裁判断書作成時から3年以内に管轄裁判所に申立てを行うことを要する（仲裁法42条1項）。裁判所の申立てには、仲裁判断書と仲裁合意書の提出が必要であり、それらが外国語で作成されている場合、タイ語の翻訳が必要である（同条2項）。

　タイ法上、仲裁判断が執行できない場合として、仲裁適格の不存在や手続保障の欠缺等の一定の除外事由が定められている（仲裁法43条）。さらに裁判所は、仲裁判断の執行が公序良俗に反すると判断する場合は、執行を拒否することができるものとされている（同法44条）。

Chapter 16 倒　産

第 16 章

第16章 倒　産

1　総　論

　タイの倒産法制では、主要な手続として、①支払不能に陥った個人・法人を清算するための手続と、②債務者の事業の維持・再生を目的とする手続の大きく2つの手続が用意されている。すなわち、タイの倒産法においては、①の手続として破産手続、②の手続として事業更生手続が定められている。前者は、日本の破産手続に類似する清算型の手続であり、後者は、日本の民事再生手続または会社更生手続に類似する再生型の手続である。

2　破産手続

　日本における破産手続は、主として債務者から破産手続開始決定の申立てがなされ、申立てを受けた裁判所が破産手続開始原因の有無を審理し、申立てに理由があると認める場合には、破産手続開始決定をする。

　一方タイにおいては、清算中の会社を除き、債務者自身からの破産宣告の申立ては認められておらず、債権者が破産宣告の申立てを行う。さらに、その申立てに理由があると認める場合でも、裁判所は、直ちに破産手続開始決定をするのではなく、財産保全命令を発令し、債務者に和議（債務者が債務の弁済につき債権者に提案し、合意する破産法上の手続のこと。後記(3)参照。）の機会を与えたうえで、債権者集会を経た後に破産宣告がなされる（**図表16－1参照**）。

(1)　破産宣告の申立て

　破産手続においては、債務者（自然人または法人）が①債務超過であり、②単独または複数の債権者に対する債務額の合計が、債務者が自然人の場合は100万バーツ超、法人の場合は200万バーツ以上であり、かつ、③弁済期到来の有無にかかわらず、債務額を確定できることが破産宣告原因とされて

いる（破産法9条）。破産宣告の申立ては、債権者が、裁判所に対して行うこととされており、日本と異なり、清算手続中に清算人が破産手続への切り替えを行う場合を除き、債務者が自ら破産宣告の申立てを行うことは認められていない。

　破産宣告の申立てを受けた裁判所は、破産原因の有無を審理する。一定の事由がある場合には、債務超過が推定されるが、反証も可能である（破産法8条）。

(2) 財産保全命令

　裁判所において破産宣告の原因が存在すると判断する場合、財産保全命令 (absolute receivership order) が発令される（破産法14条）。財産保全命令は、官報で公告される（同法28条）。

　財産保全命令の趣旨は、破産宣告前に、和議の機会を付与する点にある。

　財産保全命令が発令されると、管財人が選任される。管財人は、民事執行局に所属する公務員から選任される。日本のように、弁護士から選任されることはない。

　管財人は、債務者の財産に対する管理処分権を取得する（破産法22条1号・2号）。民事訴訟における当事者適格も、管財人が取得する（同条3号）。

　債務者においては、財産保全命令を知った後24時間以内に、管財人に対し、自身がパートナーになっているパートナーシップの有無を報告するとともに（破産法30条1項1号）、財産保全命令を知った後7日以内に、管財人に対し、自己の事業および財産、債務超過となった理由、債権者の名称、担保財産の有無および設定日等を報告しなければならない（同条1項2号）。

　破産者は、自己の財産を管財人に引き渡す義務を負い（破産法23条）、財産上の行為をなすことも禁じられる（同法24条）。その他、債務者には債権者集会への出席義務、自己の財産や事業に係る尋問における陳述義務（同法64条）等が課される。

第16章　倒　産

(3)　和　議

　債務者が破産手続によらず、債権者との合意により債務を弁済することを希望する場合、債務者は管財人に対し、和議の申立てをすることができる。この申立ては、前記(2)の管財人に対する事業および財産、債務超過等の報告から7日、または管財人が認めた日までに行わなければならない（破産法45条1項）。和議の申立ては、書面において、和議の内容、事業および財産の管理方法等を明らかにしてする（同条2項）[1]。

　和議の受け入れの可否は、債権者集会（後記(4)）で判断される。

(4)　**債権者集会**

　管財人は、裁判所に対して破産宣告を申し立てるか検討するため、できる限り速やかに債権者集会を招集する（破産法31条1項）。債務者が和議を申し立てた場合の受け入れの可否も、債権者集会において判断される。

　債権者集会で投票権のある債権者は、適法に債権届出のできる債権者であって、債権者集会前に債権を届け出た債権者に限られる（破産法34条1項）。

　債権者集会の決議は、原則として債権者集会に出席した債権者（他の者に委任して出席した債権者を含む）のうち、債権総額の半額超の債権額を有する債権者が賛成票を投じた際に成立する（破産法6条）。破産宣告を求める決議も同様である（同法61条）。

　一方で、和議を受け入れる際には、特別決議が要求され（破産法45条3項）、債権者集会に出席した債権者（他の者に委任して出席した債権者を含む）のうち、債権者の過半数かつ債権総額の4分の3以上の債権額を有する債権者が賛成しなければならない（同法6条）。

　第1回債権者集会が終了した後、裁判所は直ちに債務者の公開尋問を実施

[1) なお債務者は、破産宣告後でも和議の申立てができる。ただし、債務者の和議申立てが債権者集会で否決されたことがある場合、当該決議から少なくとも3か月が経過しなければ、再度の和議の申立てはできない（破産法63条）。

する（破産法42条1項）。この公開尋問では、債務者の事業および財産や債務超過の理由等が尋問される。債務者はこの尋問に自ら回答しなければならず、代理人による回答は認められない（同法43条1項）。

(5) 破産宣告

債権者集会が破産宣告を求めるか、または、和議を承認しなかった場合、裁判所は破産宣告をする。この破産宣告は官報および少なくとも1つの日刊紙にて公告される（破産法61条2項）。破産宣告は、財産保全命令の日に遡って効力を有する（同法62条）。

破産宣告の申立てから破産宣告までは、裁判所の繁忙状況等にもよるが、おおむね5か月～6か月の時間を要するといわれている。

(6) 債権者集会が和議を可決した場合

債権者集会が和議の申立てを承認した場合、債務者または管財人は、裁判所に対し、和議の承認を申し立てることができる（破産法49条1項）。ただし原則として、裁判所による和議申立ての審査は、債務者の公開尋問までは行われない（同法51条）。

裁判所は、和議に係る管財人の報告書をもとに、和議承認の可否を審理する。和議に反対する債権者は、裁判所に異議を申し立てることができる。この異議は、申立人が債権者集会で和議に賛成したか否かを問わず申し立てることができる（破産法52条2項）。

和議の内容が、破産債権の優先関係についての定めがないか、その内容が法律に反する場合、または和議が債権者全体の利益に反し、もしくは債権者の平等を害する場合には、裁判所は和議を承認することができない（破産法53条）。

(7) 管財人による財産管理

破産宣告後、管財人が財産の回収等を通し破産財団を管理する点は、日本

と同様である。管財人には、裁判所とともに、債務者や第三債務者、そのほか債務者の財産を隠匿している疑いのある者に対する調査権限が与えられ（破産法117条1項）、第三債務者に対する債権回収も行う（同法119条）。詐害行為等に対する否認権も与えられている（同法113条）。

(8) 弁済請求手続

　管財人は、債権者への配当を行う。配当は、破産宣告の後速やかに、管財人報酬等を控除した残額について行わなければならず、その後も原則6か月以内に配当を実施する（破産法124条）。

　配当可能な財産は、破産宣告時点の債務者の全財産から、債務者の生活保護に必要な一定の財産を除いたものである（破産法109条）。

　債権間の優劣関係は主として、①管財人費用、②破産手続開始決定申立債権者の手続費用および弁護士費用、③財産保全命令の6か月前までに弁済期が到来した租税、および財産保全命令前に発生した労働債権、④その他の債権の順であり、先順位の債権から弁済がなされ、同順位の債権の全部を弁済できない場合には、同順位の債権間で按分弁済となる（破産法130条）。

　債権者は、破産手続内で弁済請求を行い、破産配当を受けることになる。

　以下では、まず無担保債権者について、破産手続において弁済を受けるための基本的な手続の内容を概観したうえ、次に有担保債権者についても破産手続上の取扱いを明らかにする。

(9) 無担保債権者

　財産保全命令により、債権者は破産手続上の弁済手続によらなければ、債務の弁済を受けることができなくなる（破産法27条）。また、タイにおける破産手続では、金銭債権者のみが配当に参加できる点に注意を要する。

　債権者が破産手続で配当を受けるためには、財産保全命令の公告から2か月以内に、管財人に債権の内容と証拠資料を届け出なければならない（破産法91条）。これは、破産宣告を申し立てた債権者や、債務者に対し訴訟を提

起している債権者であっても同じである。ただし、債権者がタイ国外に居住している場合、届出期限が2か月を超えない範囲で延長されることがある（同条）。

債務者に対する訴訟を管財人が継受した場合であって、債権者の請求が認められたときは、この請求は、判決確定の日から起算して2か月の届出期間に服する（破産法93条）。

財産保全命令の公告日から2か月が経過した時点で、管財人は、届け出られた債権を調査するため、債務者および債権者を招集する（破産法104条）。この招集は、調査期日の7日前までに行う（同条）。

債権の届出を確認する際、管財人は、債権者または債務者を召喚し、届出債権に関する照会を行うことができる。また、管財人は、届出債権への異議申立てがあるかについても調査を行う（破産法105条）。

特段異議のない届出債権については、裁判所が弁済の許可を与える（破産法106条）。異議が申し立てられた債権については、裁判所が弁済許可の可否を判断する（同法107条）。

⑽ 有担保債権者

有担保債権者は、破産手続外で担保権を実行し、自己の債権の満足を図ることができる。ただし、管財人に、担保物件を調査させることが必要である（破産法95条）。

有担保債権者は、破産手続において自らの債権を届け出ることもできる。ただし、この届出は、①担保権を放棄した後、債権全額を届け出るか、②担保権の実行後、残額を届け出るか、③担保権者が管財人に、担保財産を競売することを申し立てた場合、残額を届け出るか、④担保財産の価格評価後、その残額を届け出る場合に限られる（破産法96条1項）。ただし法律上、債務者が担保価値を超えた責任を負わない場合には、担保権者は、これらの届出をすることができない（同条3項）。

さらに有担保債権者は、債権を届け出る際、管財人に対し、必ず担保権者

【図表 16 − 1】破産手続の流れ

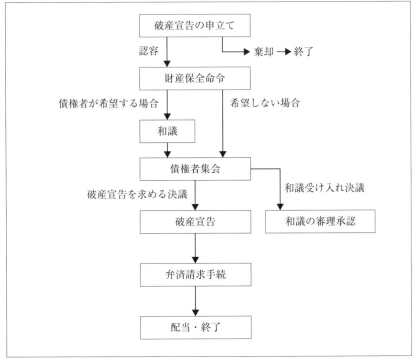

であることを宣言しなければならず、これを怠った場合、担保権は消滅する（破産法 97 条）。

(11) 破産手続の廃止および免責

　裁判所は、①返済に関する債権の届出のあった債権者に対して、財産の 50％ 以上が届出債権者に返済され（条文の文言上は「財産の 50％ 以上」と規定されているが、タイ最高裁判例 621/2510 号によれば、この要件は届出債権の総額の 50％ 以上が届出債権者に支払われたことを要する趣旨と解されている）、かつ、②債務者が不誠実でなかった場合、破産廃止命令を行うことができる（破産法 71 条 1 項）。なお、破産廃止命令は官報および少なくとも 1 つの日刊紙に

て公告される（同法76条）。そして、個人の場合、破産廃止命令、または、破産宣告から3年の経過による破産廃止により、債務者は復権し、また、租税債権および不誠実行為または詐欺的行為に起因する債務を除いた債務について免責される（同法77条、81/1条）。

3　事業更生手続

　事業更生手続の目的は、日本における民事再生ないし会社更生と同様であり、債務者の事業を継続させ、かつ債権者には、破産の場合より有利な配当を確保することで、双方にとってよりよい解決を目指すことにある。事業更生手続においては、裁判所および管財人の監督のもと、更生計画作成者が更生計画を作成し、また、債務者の財産を管理処分する。

　なおタイにおいては、2016年の破産法改正により、中小企業振興事務局に登録している一定の事業者（以下「SME事業者」という）についてのみ適用される、より迅速な事業更生制度（以下「SME事業更生手続」という）が設けられており、2つの事業更生手続が併存していることになるが、2023年3月現在、SME事業更生手続の利用は低調にとどまっているため、本書では主に通常の事業更生手続を取り扱い、SME事業更生手続は最後に簡潔に触れることにする（図表16－2参照）。

(1)　申立て要件等

　債務者（非公開会社、公開会社およびその他規則により規定された法人）が①債務超過となり、②単独または複数の債権者に対する債務額が、1,000万バーツ以上であり、③事業更生の合理的な見込みがある場合には、債権者、債務者または監督庁（タイ中央銀行、SEC（証券取引委員会）事務局、保険委員会事務局など）は、裁判所に対して、事業更生の申立てを行うことができる（破産法90/4条）。破産手続と異なり、原則として、事業更生手続であれば債務者自身による申立てが可能である。

【図表16-2】事業更生手続の流れ

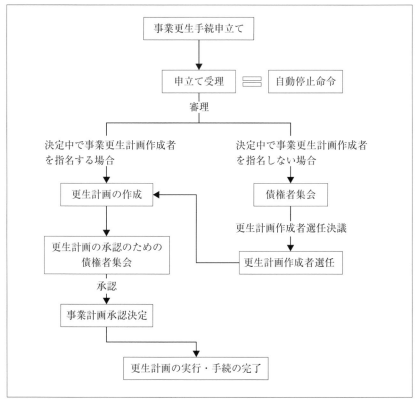

　申立ての際の申立書においては、債務者が支払不能であること等のほか、申立人が相当と思料する更生計画作成者の氏名と資格、当該候補者の書面による承諾を明らかにする（破産法90/6条）。更生計画作成者は自然人、法人等でもよく、債務者の経営者であっても構わない。

　この申立ては、裁判所の許可なく取り下げることができない（破産法90/8条）。

(2) 申立ての受理と自動停止

　裁判所が申立てを受理した場合、その時点で、債務者保護の目的から債権者による訴訟手続、債務の弁済、強制執行申立て、破産申立て、法人の解散請求、事業許認可の剥奪などの行為が禁止される（破産法90/12条）。すでに係属している訴訟手続については、停止される。

　また、通常の取引のために必要な行為を除き、債務者による物の販売・譲渡等、債務者の財産上の義務を発生させる行為や、債務弁済を行うことも禁止される（破産法90/12条）。

　この制限は、自動停止（Automatic stay）と呼ばれるものであり、債務者を一時的に債権者の追及から保護する趣旨に出たものである。

　破産手続と異なり、自動停止期間中は、裁判所の許可を受けない限り、担保権実行も禁止される。なお、自動停止期間は、事業更生計画期間満了日、事業更生計画履行完了日、事業更生申立却下日、事業更生命令取消日、債務者の財産保全命令取消日のいずれかが到来する日まで継続する。

(3) 事業更生手続開始決定

　裁判所が申立てを受理した後、裁判所は、事業更生手続開始要件が充足されているか審理し、理由があると認める場合には、事業手続開始決定を行う（破産法90/10条）。

4　更生計画作成者の選任

　更生計画作成者は、更生計画の作成を行う個人または法人であり、管財人の監督のもと、事業更生手続内における債務者の事業・財産の管理処分も行う。更生計画作成者は裁判所が選任するが、選任の流れは大きく2つに分けられる。

第16章 倒　産

(1) 事業更生手続開始決定において更生計画作成者も選任される場合

事業更生手続開始決定申立てにおいて指名された更生計画作成者の候補に対し、債務者その他債権者が別の更生計画作成者を推薦せず、かつ裁判所が申立人の更生計画作成者の候補を相当と認めるときは、裁判所は、更生手続開始決定時に更生計画作成者を決定する（破産法90/17条）。

(2) 事業更生手続開始決定において更生計画作成者が選任されない場合

上記(1)以外の場合、裁判所は管財人に対し、可及的速やかに更生計画作成者を定めるための債権者集会を招集することを命じる（破産法90/17条）。

この債権者集会においては、原則として債権額基準で債権総額の半額超を有する債権者の決議により更生計画作成者を選任する。ただし、債務者自身が更生計画作成者の候補を提案した場合には、債権者が推薦した更生計画作成者の候補が債権額基準で3分の2以上の賛成を得ない限り、前者が更生計画作成者の候補者となる（破産法90/17条）。

債権者集会での決議を受け、裁判所は、更生計画作成者を選任する。裁判所が債権者集会において決議された候補者の選任を認めない場合、債権者集会は再度、更生計画作成者の候補を決議する必要がある（破産法90/17条）。

なお、事業更生手続開始決定時に更生計画作成者が決定されない場合、債務者の事業・財産の管理処分権者が不在となる。その場合裁判所は、暫定的経営者を選任し、管財人の監督のもと、債務者の事業・財産の管理に当たらせることができる。暫定的経営者には、債務者の経営者も就任することができる（破産法90/20条）。

暫定的経営者を選任できない場合には、管財人が債務者の事業・財産の管理処分権を有することになる。

その後更生計画作成者が選任された時点で、暫定的経営者および管財人の上記権限は消滅し、当該権限は更生計画作成者に移管される（破産法90/24

条)。もっとも、上記のとおり、更生計画作成者は、引き続き管財人の監督のもと、債務者の財産の管理処分に当たることになる。

5 事業更生における弁済請求手続

　判決を得ているか否かにかかわらず、事業更生手続開始決定前の原因に基づいて債務者に対し金銭債権を有する債権者は、更生計画作成者の選任が公示された日から1か月以内に、管財人に債権届出をしなければならない（破産法90/26条）。この期限内に届け出られなかった債権は、原則として弁済を受ける権利を失う（同法90/61条）。この届出期限は延長されず、外国所在の債権者にも同様に適用されるため、注意が必要である。
　債権者の債権届出に異議がある場合には、債務者、ほかの債権者、更生計画作成者は、届出を受けた日から14日以内に管財人に異議を申し立てることができる（破産法90/29条）。
　異議がなかった債権届出に関しては、原則として管財人が弁済の許可を与えることができる。異議があった債権届出については、管財人が調査のうえ、債権届出の全部または一部を却下することがある（破産法90/30条）。この管財人の決定に対しては、その決定を知った日から14日以内に裁判所に対して異議訴訟を提起できる（同法90/32条）。

6 更生計画の策定

　更生計画作成者は、債権の届出状況や、債務者が提出した事業および財産に関する資料等を検討し、更生計画を策定する。更生計画作成者は、原則として選任の公告から3か月以内に更生計画および債権者用の写しを管財人に対し提出する。この期限は、1回につき1か月、かつ2回まで延長することができる（破産法90/43条）。

更生計画では、更生手続の理由、債務者の資産状況の詳細、弁済方法等の更生計画の方針、担保物件、保証人の取扱い、更生計画実施者（更生計画に基づき債務者の事業および財産を管理する者）、更生計画の期間（ただし5年以下）等を定めなければならない（破産法90/42条）。

更生計画においては、債権者はいくつかのグループに分けられ、同一グループに属する債権者の間では平等に債権が取り扱われる（破産法90/42条の3）。

このグループとは、①事業更生手続で届出可能な全債権の15％以上を占める有担保債権者（該当するそれぞれの債権者がそれぞれ1グループとなる）、②その他の有担保債権者（まとめて1グループとなる）、③無担保債権者であって、債権または利益の主要部分が一致しているか、同一の性質を持つもの（それぞれにつき1グループとなる）、④その他法律または契約でほかの債権者が弁済を受けた後に弁済を受けることができるとされている債権者（まとめて1グループとなる）があり、これら4つ以上のグループ内での債権者平等が確保されるように、弁済方法等を定めなければならない（破産法90/42条の3）。

更生計画作成者から更生計画の提出を受けた管財人は、可及的速やかに更生計画の承認を判断するための債権者集会を招集しなければならない。管財人は、更生計画の写しを債権者に送付するとともに、債権者集会の日時等を通知しなければならない。債権者集会の日時は、10日以上前に新聞等で公告もなされる（破産法90/44条）。

債権者、債務者および更生計画作成者は、債権者集会の3日以上前に、管財人に対し書面で更生計画案の変更を求めることができる（破産法90/45条）。

更生計画上、自らのグループ分けに不服のある債権者は、グループ分けを知った日から7日以内に裁判所に異議を申し立てることができ、裁判所が申立てに理由があると認めた場合、裁判所は、更生計画作成者に対し、直ちにグループ分けを修正する旨の命令を発する。この異議に対する裁判所の判断には、不服を申し立てることができない（破産法90/42条の2第2項）。

7　更生計画の承認

　債権者集会における更生計画の承認要件は、①更生計画上、更生計画が承認された日から 15 日以内に利息を加えた債務全額の弁済を受けることになる債権者等グループ以外の各グループの債権者集会に出席・投票した債権者の債権総額の 3 分の 2 以上の債権額を有する債権者の賛成が得られ、かつ各債権者グループにおいて出席・投票した債権者の過半数の同意が得られた場合か、②更生計画上、更生計画が承認された日から 15 日以内に利息を加えた債務全額の弁済を受けることになる債権者等グループ以外の債権者グループの少なくとも 1 つで、①を満たす決議があって、かつ各債権者グループの集会において更生計画に賛成した債権者の債権額合計が、債権者集会で議決権を行使した債権者の債権額合計の半額超を満たす場合に、承認される（破産法 90/52 条）。後述のとおり、いずれの承認要件かで、裁判所における審査基準が異なる。

　債権者集会において更生計画が承認された後速やかに、裁判所が更生計画の審査を行う。この審理の日は、3 日以上前に、管財人から更生計画作成者、債務者、債権者に対して通知する（破産法 90/56 条）。

　裁判所は、更生計画につき、法定記載事項に漏れがないか、同グループの債権者間での不公平がないか、上記②により更生計画が可決された場合には更生計画案における配当の順序が破産手続の順序と同一か、更生計画における弁済率が、破産手続によった場合の弁済率を上回るかが審査される（破産法 90/58 条）。

　裁判所が更生計画を承認した場合、裁判所は、その命令を更生計画作成者および更生計画管理者（事業更生計画に基づき債務者の事業および財産を管理する者。破産法 90/1 条）に遅滞なく通知する（同法 90/59 条）。

8 事業更生手続の終了

　債務者の経営者、更生計画管理者、管財人などにおいて更生計画が計画通り遂行されたと判断した場合、更生手続廃止の申立てが行われ、聴聞手続実施後、裁判所は、更生手続廃止決定を行うか否かを判断する。そして、裁判所が更生計画が遂行されたと判断した場合には、更生手続廃止決定を行う（破産法90/70条1項）。一方、更生計画遂行完了がなされずに更生計画実施期間が経過した場合には、期間の経過から14日以内に裁判所に報告され、裁判所は、管財人に対して聴聞の日時を通知し、管財人は債務者および債権者に対し、聴聞日の少なくとも3日前までに通知する。聴聞手続実施後、裁判所は、破産が相当と判断する場合、財産保全命令を発令し、破産が不相当と判断する場合、更生手続廃止決定を行う（同法90/70条2項）。

9 SMEの事業更生手続

　SME事業更生手続においては、SME事業者である債務者が、①債務の支払いができず、②その債務が事業から生じたものであり、③単独または複数の債権者に対する債務の合計が、債務者が自然人の場合は200万バーツ以上、法人格のない団体、上記の各種パートナーシップ[2]およびその他規則により規定された法人の場合は300万バーツ以上（かつ、非公開会社の場合は1,000万バーツ未満）であり、④事業更生の合理的な見込みがある場合には、SME事業者の債権者または当該SME事業者は、裁判所に対して、SME事業更生手続開始決定の申立てを行うことができる（破産法90/92条、90/93条）。しかし、通常の事業更生手続と異なり、SME事業更生手続の申立人は、申

---

2) ここでいうパートナーシップとは第1章に記載の民商法上のパートナーシップを指す。詳細は、第1章のパートナーシップの記述を参照されたい。

立てとともに、事業から生じた債務額の少なくとも3分の2を有する債権者が承認した更生計画を提出しなければならない（同法90/95条）。申立ておよび更生計画の提出が同時にされることから、通常の事業更生手続よりも迅速に進められることが想定されている。裁判所にこの申立てが受理された場合、通常の事業更生手続同様、前記3(2)のとおり、債権者による訴訟手続、強制執行申立て、破産申立て、法人の解散請求、事業許認可の剥奪などの行為は原則として禁止される（同法90/104条）。この原則禁止の範囲には、担保権実行も含まれる。

　そして、裁判所は、申立原因が存在すると判断する場合、事業更生手続開始決定および更生計画認可を発行し、これらを発行し次第、さらに官報公告および登記を行う（破産法90/100条、90/106条）。その後、債務者、債務者経営者、更生計画管理者などにおいて更生計画が計画通り遂行されたと判断した場合、更生手続廃止の申立てが行われ、聴聞手続実施後、裁判所は、更生手続廃止決定を行うか否かを判断する（同法90/116条1項）。また、更生計画遂行完了がなされずに更生計画実施期間が経過した場合には、期間の経過から14日以内に裁判所に報告され、裁判所は、いずれが適切かの判断に従い、事業更生手続開始決定および更生計画認可の取消し、または更生手続廃止の決定を行う（同法90/116条2項）。

Chapter 17 テクノロジー・フィンテック関連法

第17章

第 17 章　テクノロジー・フィンテック関連法

　タイは、近年、情報通信技術（ICT）施設の積極的な投資勧誘や開発、通信環境の整備、フィンテックビジネスへの大手銀行の参入等により、電子商取引およびフィンテック市場が ASEAN 諸国の中でも急速に成長している国の 1 つである。

　特にモバイル・バンキング業界は、格安スマートフォンの普及や新型コロナウイルス（COVID-19）が追い風となり、ここ数年、非常に速いペースで成長している。BOT が公開している統計によれば、現在、約 7,500 万件のモバイル銀行口座が存在し、モバイル・オンライン送金の件数は 2011 年の約 9,500 万件から 2021 年には約 96 億件に増加している。

　また、2021 年のビットコインの価格高騰を受けて、同時期にタイでも暗号通貨のブームが起こり、これに伴って、暗号資産にかかる規制が比較的早い段階から急ピッチで整備されている。加えて、電子商取引の急激な普及に伴い、これに関連する規制も頻繁に改正がなされている状況にある。

　本章では、タイのテクノロジー・フィンテック分野に関して、日本企業が特に興味を持つと思われる重要な法令・規制の概要を説明する。

1　フィンテック関連規制

(1)　概　　要

　タイにおけるフィンテック事業は幅広いモデルが存在するが、特に一般に浸透しているのは E マネー、E ウォレット（e-wallet）、E ペイメント（e-payment）であり、大手金融機関およびノンバンク金融業者の双方が参入している分野である。日本企業やその他外国の企業が参入する場合、タイの外国人事業法上の一般的な外資規制を常に検討する必要があるが、本章では、関連する業規制法令の概要のみを説明する。

＊本章は森・濱田松本法律事務所アジアプラクティスグループ「MHM Asian Legal Insights」134 号（2022 年 2 月号）・137 号（2022 年 4 月号）・146 号（2023 年 1 月号）を参考にしている。

(2) 決済システム法

決済システムおよび決済サービスの監督を強化するため、Payment System Act B.E. 2560 (2017)（以下「決済システム法」という）が 2018 年 4 月 16 日に施行されている。同法の主な目的は、以下の事項について規制を設けることにある。

① 高度な重要性を有する決済システム（国の決済システム、金融システム、通貨システムのセキュリティ・安定性にとって重要な決済システム）（5 条）
② 以下に該当するものとして指定された支払システム（12 条 1 項）
    (i) 小売資金移転システム、支払カードネットワーク、決済システム等、資金の移転・決済を行うシステム利用者間のネットワーク決済システム
    (ii) 決済システムのセキュリティ・安定性や公共の利益に影響を及ぼすおそれのあるその他の支払システム
③ 以下に該当するものとして指定された支払サービス（16 条 1 項）
    (i) クレジットカード、デビットカード、ATM カードサービスの提供
    (ii) E マネーサービスの提供
    (iii) 第三者電子決済を受理するサービスの提供
    (iv) E マネー送金サービスの提供
    (v) 支払システムまたは公益に影響を及ぼすおそれのある他の支払業務

新規参入のフィンテック事業者のビジネスモデルに主に関係するのは上記③となる。また、日本企業やその他外国の企業が興味を多く示すのは、特に③のうち(ii)の E マネーサービスであるといえる。

(3) 最近の動向

最近、新たなフィンテックのビジネスモデルも登場してくる中で、タイ中

央銀行はこれに対する規制の枠組みを組成している。特に注目を集めているのは以下の2つである。

① デジタル・レンディング

　2020年9月15日、タイ中央銀行は、デジタル個人貸付プラットフォーム事業に関するタイ中央銀行通達（Circular No. BOT.FhorGorSor.（01）Wor. 977/2563 Re: Criteria, Procedures and Conditions on Digital Personal Loan Business Operations）を発行した。この通達は、通常の融資を受けることのできない所得証明の無い者や担保となる資産を保有していない者に対する個人向けローンの規制基準を緩和し、個人向けローンを電子的に提供する個人向けローン提供者の事業機会の拡大・柔軟性を与えることを目的としている。

② Peer-to-Peer貸付プラットフォーム

　2019年4月30日、タイ中央銀行は、Peer-to-Peer貸付プラットフォーム事業に関するタイ中央銀行告知（Notification of the Bank of Thailand No. SorNorSor. 4/2562 Re: Rules, Procedures and Conditions for Undertaking Peer to Peer Lending Platform Businesses）を発行した。

　いわゆるPeer-to-Peerのプラットフォームの運営を行う事業者は、タイ中央銀行の規制サンドボックスに参加し一定の基準を満たさなければならない。当該基準を満たした場合にタイ中央銀行を通じて財務省からライセンスを取得できることとなる。同プラットフォーム運営者は、オンライン上のマーケットプレイスまたはマッチメーカーの範囲でのみ、貸付人と借入人の間のバーツ建て貸付契約締結を仲介・促進することができる。貸付人は個人・法人いずれも可能であるが、借入人は個人のみが認められる。

　2023年5月8日時点において、タイ中央銀行の規制サンドボックスに参加した事業者は5社確認されている。そのうち1社は2023年4月22日に正式に財務省から許可を取得している。

2　デジタルプラットフォームサービス関連規制

(1)　概　　要

　2022年12月23日、電子取引法（Electronic Transaction Act, B.E. 2544（2001））に基づき制定されたRoyal Decree on Operation of Digital Platform Services Which Require Notification（以下「デジタルプラットフォームサービス勅令」という）が官報に掲載され、当該勅令は2023年8月20日付で施行された。

　デジタルプラットフォームサービス勅令の趣旨は、サービスの提供がタイ国内・国外いずれから行われるかにかかわらず、タイの消費者にサービスを提供することを目的としたデジタルプラットフォームについて一定の規制を及ぼすことにある。

(2)　デジタルプラットフォームサービス勅令

①　定　　義

　デジタルプラットフォームサービス勅令の対象となる「デジタルプラットフォームサービス」とは、有償か無償かを問わず、電子的取引を目的として、コンピュータネットワークを通じてデータを管理し、企業、消費者、サービスの提供を受ける者の間を媒介するための電子媒体を提供するサービスと定義されている。ただし、デジタルプラットフォームサービス事業者（またはその関連会社）自身の商品またはサービスの提供のみを行う場合は、この規制対象に含まれないものとされている（デジタルプラットフォームサービス勅令3条）。

②　規制対象

　以下の基準を満たす「デジタルプラットフォームサービス」を提供する事業者は、原則として事業を開始する前に電子取引開発局（Electronic

Transactions Development Agency：ETDA）への届出が必要となるほか、下記④記載の各義務を負うことになる（デジタルプラットフォームサービス勅令8条1項）。

(i) タイ国内において「デジタルプラットフォームサービス」を提供することによる総収入が、事業者が自然人の場合は180万バーツ以上、法人の場合は5,000万バーツ（約2億550万円）以上の「デジタルプラットフォームサービス」である場合、または

(ii) ETDAが定める基準に従って算出されるタイ国内での月間利用者数が5,000人を超える「デジタルプラットフォームサービス」である場合

ただし、上記の基準に該当しないデジタルプラットフォームサービス事業者も、事業開始前および年に一度、ETDAにプラットフォーム事業の概要を報告する必要がある（デジタルプラットフォームサービス勅令8条4項）。

なお、タイ中央銀行やSECが監督するデジタルプラットフォームについては、当該デジタルプラットフォームサービス勅令は適用されない（デジタルプラットフォームサービス勅令4条1項1号）。

③ 域外適用

デジタルプラットフォームサービス勅令には域外適用に関する条項があり、海外のデジタルプラットフォームサービス事業者がタイ国内の消費者にサービスを提供することを目的としている場合も、同勅令の適用対象となる（デジタルプラットフォームサービス勅令9条）。この点について、タイ国外のデジタルプラットフォームサービス事業者が以下のいずれかの条件を満たす場合には、タイ国内の消費者にサービスを提供することを目的としているとみなされる（同勅令10条）。

(i) プラットフォームの全部または一部がタイ語で表示されている。

(ii) プラットフォームがタイ語のドメイン名（例：「.th」またはタイを示すその他のドメイン名）を使用している。

(iii) プラットフォームがタイの通貨による支払いを受け入れている。

(iv) プラットフォーム上で発生する取引について、準拠法がタイ法、または管轄がタイの裁判所とされている。
(v) タイ国外のデジタルプラットフォームサービス事業者が、特にタイの居住者がプラットフォームを見つけることができるようにするため、SEO サービスを利用している。
(vi) プラットフォームがタイ国内にカスタマーサポートセンター(事務所、法人、または担当者)を有している。
(vii) その他別途電子取引委員会（Electronic Transaction Committee）が別途定める基準を充足している。

④ デジタルプラットフォームサービス事業者の義務
 (i) 届　　出
　　デジタルプラットフォームサービス事業者は、事業開始前に ETDA に届出を行う必要がある（デジタルプラットフォームサービス勅令 8 条）。届出を行う内容の詳細および手続については、下位法令で定められる予定である（同勅令 12 条 2 項、14 条）。
 (ii) 年次報告書の提出
　　デジタルプラットフォームサービス事業者は、各会計年度末から 60 日以内に、ETDA が公表する様式に従って年次報告書を作成し、ETDA に提出しなければならない（デジタルプラットフォームサービス勅令 15 条 1 項）。
 (iii) 利用規約の公開
　　デジタルプラットフォームサービス事業者は必要事項を記載した利用規約を公開する必要があり、また ETDA は、透明性確保のため、より具体的なサービスに関する内容をユーザーに周知するよう求めることができるものとされている（デジタルプラットフォームサービス勅令 17 条）。

⑤ 罰　　則

　デジタルプラットフォームサービス勅令に違反したデジタルプラットフォームサービス事業者に対して、ETDA はその違反が是正されるまで当該事業者の事業の停止を命ずることができるものとされている（デジタルプラットフォームサービス勅令 33 条 1 項）。また、ETDA による事業停止命令後 90 日以内に違反が是正されない場合、当該事業者の届出は取り消されることとされている（同条 2 項）。その他に、デジタルプラットフォームサービス事業者が ETDA への届出を怠った場合、または ETDA による事業停止命令に従わなかった場合、1 年以下の禁錮もしくは 10 万バーツ（約 41 万 1,000 円）以下の罰金を科され、またはこれらが併科される可能性がある（電子取引法 44 条）。また、違反者が法人の場合には、取締役その他の責任者も同様の刑罰を科される可能性がある（同法 46 条）。

3　デジタル資産関連法制

(1)　概　　要

　2018 年、SEC が Emergency Decree on Digital Asset Business B.E. 2561（2018）（以下「デジタル資産事業緊急勅令」という）を発行し、これによりデジタル資産事業を包括的に規制している。

(2)　デジタル資産の分類

　デジタル資産事業緊急勅令上、「デジタル資産」は、「暗号通貨」（cryptocurrency）および「デジタルトークン」（digital token）と定義されている（デジタル資産事業緊急勅令 3 条）。

　「暗号通貨」とは、商品、サービス、またはその他の権利との交換のための媒体、もしくはデジタル資産間の交換の媒体として使用される目的で、電子的システムまたはネットワーク上で作成される電子的データのユニットを

3 デジタル資産関連法制

指し、かつ SEC の告示で指定されたものを含む、と定義されている（デジタル資産事業緊急勅令 3 条）。

「デジタルトークン」とは、以下の目的のために電子システムまたはネットワーク上で作成される電子データのユニットをいう（デジタル資産事業緊急勅令 3 条）。

① プロジェクトや事業への投資に参加する権利を特定すること。
② 発行者と保有者の間の契約に基づき、特定の商品、サービス、またはその他の権利を取得する権利を特定することであり、および SEC の告示で指定されたその他権利表象のユニットを含むこと。

また、デジタルトークンは、投資目的のデジタルトークン（investment token）と、特定の商品やサービスと交換する利用目的のデジタルトークン（utility token）の 2 種類に分けられる（Notification of the Securities and Exchange Commission No. GorJor. 15/2561 Re：Offering of the Digital to Public 2 条）。さらに、利用目的によって、即利用可能なもの（ready-to-use utility token）とそうでないもの（not ready-to-use utility token）の 2 種類がある（デジタル資産事業緊急勅令 3 条（図表 17-1 参照））。

【図表 17-1】デジタル資産の種類

(3) 事業者の分類

デジタル資産事業緊急勅令関連法上、デジタル資産の事業の種類は以下の

とおり分類されている。
① デジタルトークン発行による資金調達のためのシステム提供者（ICO Portal）
② デジタル資産取引所（Digital Asset Exchange）
③ デジタル資産ブローカー（Digital Asset Broker）
④ デジタル資産ディーラー（Digital Asset Dealer）
⑤ デジタル資産への投資を助言するアドバイザー（Digital Asset Advisor）
⑥ デジタル資産への投資を運営するファンドマネジャー（Digital Asset Fund Manager）
⑦ デジタル資産のカストディアン（Digital Asset Custodian）

　SECウェブサイト上、状況としては、2023年9月6日時点では、①デジタルトークン発行による資金調達のためのシステム提供者（ICO Portal）の許可を取得した事業者数はこれまでに7社、②デジタル資産取引所（Digital Asset Exchange）の許可を取得した事業者数は9社、③デジタル資産ブローカー（Digital Asset Broker）の許可を取得した事業者数は10社、④デジタル資産ディーラー（Digital Asset Dealer）の許可を取得した事業者数は3社、⑤デジタル資産への投資を助言するアドバイザー（Digital Asset Advisor）の許可を取得した事業者数は2社、また、⑥デジタル資産への投資を運営するファンドマネジャー（Digital Asset Fund Manager）の許可を取得した事業者数は1社となっている。

⑷　**新規コイン公開（Initial Coin Offering：ICO）**

　新規コイン公開（ICO）の発行者は、非公開会社または公開会社でなければならない。発行者は、募集に先立ち、SECの告知に記載されている登録届出書および目論見書草案（Whitepaper）についてSECの承認を得る必要があり、デジタル資産の募集は、届出書および目論見書草案（Whitepaper）がSECにより承認された後に限り許可される。当該募集は、SECの承認を受

けたシステム提供者、いわゆる ICO Portal を通じて行われるものとする。

2023年9月6日時点では、デジタル資産にかかる法制ができてから5年近く経つが、仮想通貨の価格高騰の時期に注目を集めていたにもかかわらず、未だにデジタルトークン発行（Initial Coin Offering：ICO）の件数は2件に留まっている。

⑸　Ｎ Ｆ Ｔ

NFT については、Notification of the Securities and Exchange Commission No. KorThor. 18/2564 Re: Rules, Conditions and Procedures for Undertaking a Digital Asset Businesses（No.11）（以下「NFT 告知」という）に基づき、デジタル資産取引所に、トークン発行者が以下の特徴を有するユーティリティ・トークンまたは特定の種類の暗号通貨を上場することを規制するためのデジタル資産の上場に係るルールを設定する義務が課されている。

① 　Meme トークン：明確な目的・実態を持たず、その価格がソーシャルメディアのトレンドに基づき変動するもの
② 　ファン・トークン：インフルエンサーの名声によってトークン化されているもの
③ 　非代替トークン（NFT）：所有権の宣言またはその他の特定の権利を付与するデジタル創作物であって、同種のデジタルトークンと同等の量での交換や代替が可能ではないもの
④ 　ブロックチェーン取引において使用され、デジタル資産取引所またはその関係者が発行するデジタルトークン

特定の NFT がタイの法律において規制されるかどうかは、その NFT がデジタル資産事業緊急勅令関連法令のどの種類のデジタルトークンの定義に該当するかどうかによることとなる。また、2022年1月6日に発行されたSEC の指針によれば、一定の NFT はデジタル資産事業緊急勅令関連法令および NFT 告知の規制の適用除外となる。たとえば、トークン発行の時点で

第17章　テクノロジー・フィンテック関連法

すでに使用可能な製品またはサービスに紐付けられた、即利用可能な利用目的デジタルトークン（ready-to-use utility token）がこれに当たる。但し、NFT、利用目的デジタルトークン、およびデジタルトークン全般にかかる規制体制はまだ流動的であり、進展を常に確認する必要がある。

(6)　決済手段としての利用の禁止

　タイにおいては、日本と同様、暗号通貨は法定通貨には含まれていない。ビットコインの価格高騰の時期に、暗号通貨を商品またはサービスの対価の支払いに利用させるサービスが登場し、また、大手の不動産デベロッパーがコンドミニアムユニットなどの購入の際に、暗号通貨の支払いを受け付けるような事例も見られた。

　暗号通貨は、価値の変動幅が大きく、所有者に不測の損害を生じさせる可能性があること等から、SEC は、財務省およびタイ中央銀行と折衝の上、2022 年 3 月 18 日 に、SEC 告 示（Notification of the Capital Market Supervisory Board Re: Rules, Conditions, and Procedures on Provision of Services of Digital Asset Operators that Must Not Have Characteristics of Supporting the Use of Digital Assets as Means of Payment）を発行し、当該告示の下、デジタル資産の事業者は、暗号通貨を含むデジタル資産を決済手段として利用する行為を支援および推奨してはならないものとした。

　具体的には、デジタル資産の事業者は以下の行為等を行ってはならないとされている。

①　デジタル資産が決済手段として利用可能である旨を広告その他に表示すること

②　デジタル資産による支払いのための技術的なシステム（QR コード等）を提供すること

③　デジタル資産を単価として商品またはサービスの価格を表示する仕組みを導入すること

④　商品またはサービスの対価の支払いに利用されたデジタル資産を当該

商品またはサービスの提供者がタイバーツに変換するための仕組みを導入すること
⑤　商品またはサービスの提供者が対価の支払いをデジタル資産で受けるための電子ウォレットを提供すること
⑥　支払いのためにデジタル資産を第三者のデジタル資産口座に送付するための仕組みを提供すること
⑦　その他暗号資産を決済手段として利用する行為を支援するようなサービスを提供すること

　当該告示の制定によって、タイでの暗号通貨の普及および利用には相当の歯止めがかかっている状況である。

(7)　今後の動向

　広告の要件改定、ICO の手続に関する改正の動きや ICO への投資のための要件の変更（緩和・厳格化）等を通じて、SEC はデジタル資産分野の規制や解釈を頻繁に改定しており、今後も引き続き最新の規制内容について常に確認していく必要性の高い分野であると考えられる。

事項索引

欧　字

Absolute receivership order　→　財産保全命令
Anti-Nominee 規制……………………31
Automatic stay　→　自動停止
BOI……………………………………30
Chain Principle Rule…………………83
CIPITC……222, 236, 248, 262, 267, 268
Commercial Arbitration Institute of the Board of Tarde of Thailand（BOT）
……………………………………377
Connected Loan 規制………………136
Cryptocurrency　→　暗号通貨
Data Controller　→　情報管理者
Data Processor　→　情報処理者
Data Protection Officer（DPO）　→　情報保護責任者
DEDE………………………………188
Digital Asset Exchange　→　デジタル資産取引所
Digital Token　→　デジタルトークン
DIP…………………………………222
DOEB………………………………188
DPO…………………………………345
DSI…………………………………264
Eマネー……………………………398
ECD…………………………………264
EGAT………………………………187
Electronic Transactions Development Agency（ETDA）………………401

entire business transfer　→　全部事業譲渡
EPC 契約……………………………193
EPPO………………………………188
ERC…………………………………188
ESOP………………………………119
GDPR………………………………340
IBC　→　国際ビジネスセンター
ICO Portal…………………………406
IHQ　→　国際統括本部
Initial Coin Offering　→　新規コイン公開
IPO　→　国際調達事務所
IPP…………………………………187
ITC　→　国際貿易センター
Market Power　→　市場力
MEA…………………………………189
NEPC………………………………188
NFT　→　非代替トークン
nominee　→　ノミニー
PEA…………………………………189
Peer-to-Peer 貸付プラットフォーム
……………………………………400
PFPO　→　プロパティ・ファンド
Personal Data　→　個人情報
PPP　→　官民連携
PPP 政策委員会……………………177
PPP プロジェクト準備計画…………178
REIT…………………………………202
REIT マネジャー……………205, 212
SEPO………………………………177
Share Transfer Instrument　→　株式譲

411

渡証書
SME 事業更生手続……………387
SPP………………………………187
Sub-Ing-Sithi……………………169
superficies → 地上権
Superior Bargaining Power → より高
　い交渉的立場
Thai Arbitration Institute（TAI）……377
Thailand Arbitration Center（THAC）
　……………………………………377
VSPP……………………………187
Whitewash………………………88

あ 行

暗号通貨…………………………404
意匠権……………………………251
意匠要件…………………………251
インサイダー取引………………131
インフラトラスト………………213
インフラファンド………………213
訴え提起…………………………370
営業秘密…………………………260
営業秘密委員会…………………262
営業秘密保護法…………………259
エクイティ性証券………………117
エネルギー省……………………188
恩典
　BOI 投資奨励における──…36
　基本──……………………………36

か 行

会計監査人…………………62, 70
会計帳簿……………………68, 69
解雇………………………………282
解雇禁止事由……………………287

外国人………………………………18
外国人事業許可……………………10
外国人事業法………………………10
外国人就労………………………309
外国人就労許可…………………311
外国人就労禁止職種……………309
外国における裁判………………367
外国における仲裁………………367
外国判決の承認・執行…………375
解雇補償金………………………284
解散・清算…………………………71
外資規制………………18, 162, 212
　──の回避スキーム……………31
会社設立の登記……………………16
解除………………………………321
開発危険の抗弁…………………332
革命政府による布告………………6
瑕疵担保責任……………………322
仮装通貨…………………………407
合併…………………………91, 105
株券………………………………47
　──必要的記載事項……………47
株式売渡請求権……………………77
株式公開買付意向書………………79
株式譲渡……………………………77
株式譲渡証書………………………48
株式の譲渡制限……………………48
株式引受け…………………………14
株主総会……………………………61
株主名簿……………………………47
株主割当…………………………119
仮差押え…………………………337
カルテル規制……………………108
監査委員会…………………………67
間接有限責任………………………9
官民連携…………………………176
関連当事者取引…………………125

事項索引

期間の定めのない雇用	279
企業結合	104
企業結合規制	100
規制対象業種	21
既発行株式の取得	77
基本定款	14
休暇	304
旧競争法	98
休日時間外手当て	301
休日労働	301
休日労働手当て	301
吸収合併	91, 93
強制執行	336
行政罰	99
競争制限的行為	100
競争の著しい制限	100
共同保有者とみなされる場合	84
強迫	319
虚偽表示	317
緊急仮処分の申立て	336
緊急業務届出	313
緊急勅令	5
金融機関	134, 148
金融機関事業法	27, 135
金利上限規制	138
クラスアクション制度	375
グリーンフィールドプロジェクト	218
グループ間組織再編	100
計算書類	68
継続開示	122
刑法	355
契約委員会	326
契約言語	323
決済システム法	399
権原証書	156
現行憲法	3
減資	50

合意管轄	371
行為能力	317
公開会社	9
——のガバナンス	64
——の減資	59
——の新株発行	57
公開買付け	78
強制的——	78
共同——	86
任意的——	79
部分的——	85
公開買付価格	83
公開買付期間	80
公開買付規制	
——の適用の免除	88
——の適用免除申請書	89
公開買付条件	80
公開買付届出書	80
公開買付報告書	81
工業団地公社	29
広告委員会	325
公序良俗	316
公正価格	83
更生計画	392
更生計画管理者	393
更生計画作成者	387, 389
更生手続廃止決定	394
控訴審手続	374
公募	121
公務員	355
国営企業労働関係法	276
国際調達事務所	41
国際統括本部	41
国際ビジネスセンター	41
国際貿易センター	41
国内における裁判	366
国内における仲裁	367

個人情報…………………………………341
「個人情報保護のための十分な基準を
　満たしている」国………………………351
国家汚職防止委員会……………………354
雇用契約……………………………278, 308
コンセッション……………………………185
コンドミニアム法…………………………163

さ　行

サービス契約………………………………185
サービスマーク……………………………229
債権回収方法………………………………334
債権者集会…………………………………382
財産保全命令（absolute receivership
　order）…………………………380, 381
在宅勤務……………………………………304
最低賃金……………………………………298
最低登録資本金要件…………………………12
歳入法…………………………………………10
再販売価格の固定…………………………104
債務不履行…………………………………319
詐欺…………………………………………318
錯誤…………………………………………317
差止命令……………………………………337
産業上の利用可能性………………………238
時間外手当て………………………………301
時間外労働…………………………………301
事業更生手続…………………………387, 390
事業更生手続開始決定……………………389
事業者内部の組織再編……………………105
事業譲渡………………………………………90
事業担保権…………………………………149
事業担保法…………………………………147
自己株式の取得…………………………49, 55
事後届出……………………………………100
市場支配………………………………100, 107

市場支配力…………………………………103
　――の濫用……………………………100
市場独占……………………………………107
市場力（Market Power）………………110
事前届出……………………………………100
質権…………………………………………146
執行手続……………………………………374
実体審査請求………………………………249
実用新案……………………………………248
実用新案要件………………………………249
私的実行……………………………………144
支店……………………………………………10
自動停止（Automatic stay）……………389
事物管轄……………………………………371
私募……………………………………118, 121
私募REIT……………………………………211
資本金の払込み………………………………15
社会保険法…………………………………276
社債…………………………………………120
就業規則……………………………………307
重大な悪影響…………………………………80
集団訴訟……………………………………332
就労ビザ……………………………………311
種類株式…………………………………33, 46
障がい者雇用………………………………281
障がい者支援法……………………………276
試用期間……………………………………280
商業登記法……………………………………10
証券取引委員会…………………………79, 114
商工業用不動産賃貸借法…………………167
商号の予約……………………………………13
上告審手続…………………………………374
証拠調べ……………………………………372
上場会社………………………………………9
上場会社買収規則告示………………………79
上場廃止……………………………………128
上場廃止申請書………………………………82

譲渡制限……………………………9
消費者事件手続法…………………328
消費者保護委員会…………………324
消費者保護法………………………324
消費貸借……………………………137
商標…………………………………228
　　――の出願公開…………………230
　　――の存続期間…………………232
　　――のライセンス………………233
商標委員会……………231, 234, 267
商標異議……………………………231
商標権の無効、取消し……………234
商標法………………………………228
商標要件……………………………229
商品・役務安全委員会……………327
情報管理者…………………………341
情報処理者…………………………341
情報保護責任者……………………345
商務省…………………………………11
省令……………………………………5
条例……………………………………6
職務著作……………………………268
職務発明………………………239, 268
署名権者………………………………61
書面決議………………………………62
新規コイン公開……………………406
シン・コーポレーション事件………35
人員整理……………………………290
新株の取得……………………………87
新株発行………………………………49
新株引受権……………………………89
新規株式公開………………………117
新規性………………………………237
審級制度……………………………369
シングル・レンディング・リミット規
　　制……………………………………136
新設合併………………………………91

進歩性………………………………238
心裡留保……………………………317
ストライキ…………………………294
生産物分与契約……………………185
製造物責任法………………………331
生命保険法……………………………26
整理解雇……………………………291
石油所得税法………………………184
石油法………………………………184
設立株主総会…………………………14
センシティブ個人情報……………341
先使用の抗弁………………………248
全部事業譲渡…………………………90
専門控訴裁判所……………………263
相殺…………………………………335
送達…………………………………370
争点整理……………………………372
争点整理手続期日の指定…………371
相当対価請求権……………………268
訴訟費用……………………………371
その他サービス業……………………20
損害賠償の予定……………………320
損害保険法……………………………26

た　行

第一審手続…………………………370
第三者割当て…………………………9
第三者割当増資………………………87
タイ証券取引所……………115, 207
タイ中央銀行…………………………27
太陽光発電事業……………………190
大量保有報告書……………………130
ダウンストリームインベストメント
　　………………………………………34
建物の所有権………………………157
談合防止法…………………………355

地域統括本部	23
地上権（superficies）	172
チャノート	156
駐在員事務所	10
仲裁機関	377
懲罰的損害賠償	332, 340, 348
直接無限責任	9
勅令	5
著作権登録制度	259
著作権の保護期間	256
著作権法	253
著作者人格権	255
著作物	254
賃金	296
抵当権	143
データ・ポータビリティ権	344
適格機関投資家	118
適格消費者団体	329
適時開示	122
デジタル資産	404
デジタル資産取引所	406
デジタルトークン	404
デジタルプラットフォーム	401
デジタル・レンディング	400
電子契約	323
電子署名	323
伝聞証拠	373
登記官等による処分	337
投資奨励	30
謄写請求権	344
答弁書の提出	371
特定有期雇用	279
特別決議事項	64
独立取締役	66
土地管轄	371
土地事務所	156
土地所有権	154

土地デュー・ディリジェンス	164
土地法	29
土地利用権	154
特許	
——の実施行為	243
——の無効	247
特許異議	242
特許権のライセンス	244, 269
特許法	236
特許保証	272
特許無効の抗弁	248
特許要件	237
トリガーポイント	78
取引競争委員会	98
取引競争法	98
トレンス・システム	155

な　行

日タイ経済連携協定	24
入札談合	109
ニューヨーク条約	273
任意の債権回収	334
ノミニー（nominee）	31

は　行

ハードコア・カルテル	100
パートナーシップ	8
排除措置命令	99
配当可能額	69
派遣労働者	280
破産宣告	383
——の申立て	380
破産手続	380
——の廃止	386
——の免責	386

破産廃止命令……386
発行可能株式総数……56
発明……237, 249
発明者……239
発明者人格権……239
反汚職法……355
判決……373
非安全商品責任法……331
非公開会社……9
　──のガバナンス……60
　──の減資……52
　──の新株発行……51
　──の設立手続……13
非公知性……261
被告の身体拘束……337
非上場化……82
非上場化告示……82
非代替トークン……407
非ハードコア・カルテル……100
秘密管理性……261
表示（ラベル）……326
表示委員会……326
標章……228
ファシリテーションペイメント……363
福祉委員会……293
不公正解雇……288
不公正な取引……100
附属定款……9
普通決議事項……64
普通パートナーシップ……8
物上保証……144, 151
不当広告……324
不動産開発事業……170
不動産賃貸借……168
不動産登記制度……155
ブラウンフィールドプロジェクト……218
プロジェクトファイナンス……176, 191

プロパティ・ファンド（PFPO）……202
紛争解決方法……366
ベルヌ条約……255
変更報告書……130
弁済請求手続……384
冒認出願……242, 266
法律……4
保証……140
保全処分の申立て……336
保全命令……336
発起人……11
保有株式報告書……79

ま　行

マドリッドプロトコール……222
民事執行局……336
民事保全……336
民商法……9, 276, 316
無限責任パートナー……9

や　行

有期雇用……279
有限責任パートナー……9
有限パートナーシップ……8
有用性……261
より高い交渉的立場（Superior Bargaining Power）……110

ら　行

利益配当……69
立法議会……340
利用権証書……157
労働安全衛生環境法……276
労働関係法……276

労働組合……………………292
労働裁判所…………………277
労働裁判所法………………276
労働時間……………………299
労働者委員会………………293
労働者の承継………………291
労働者保護法………………276

ロックアウト………………294

わ 行

和解…………………………372
和議……………………380, 382
忘れられる権利……………344

執筆者紹介

◆河井　聡（かわい・さとし）【第 15 章担当】

- 1987 年　東京大学法学部卒業
- 1989 年　弁護士登録、第一東京弁護士会所属
- 1995 年　コロンビア大学ロースクール修了
- 1995 年　Cleary, Gottlieb, Steen & Hamilton 法律事務所（ニューヨークオフィス）にて執務（～1996 年）
- 1996 年　ニューヨーク州弁護士登録
- 1996 年　Nomura Securities International, Inc.（ニューヨークオフィス）にて執務（～1997 年）
- 2004 年　東北大学法科大学院非常勤講師（～2015 年）
- 2017 年　Chandler MHM Limited（森・濱田松本法律事務所バンコクオフィス）にて執務（～2019 年）
- 2020 年　法制審議会仲裁法制部会委員（～2022 年）
- 2023 年　日本弁護士連合会 ADR センター委員長（～現在）

[主な取扱分野]

M&A／企業再編、プライベート・エクイティ、ベンチャー、金融関連規制、保険、薬事／医事、消費者関連法、民事争訟、会社法関係争訟、国際争訟、仲裁／調停／その他 ADR、金融関連争訟、知的財産争訟、税務争訟、労働争訟、消費者関連争訟、IT システム開発争訟、国際通商、PL 法／製品安全、行政争訟、企業刑事法務

[主な著書・論文]

日本弁護士連合会 ADR（裁判外紛争解決機関）センター国際投資紛争特別部会「投資協定仲裁制度（ISDS）を巡る議論に関する報告書」(2013・共著)、日本弁護士連合会 ADR（裁判外紛争解決機関）センター編『金融紛争解決と ADR』（弘文堂・2013・共著）、第一東京弁護士会司法研究委員会編『社会インフラとしての新しい信託』（弘文堂・2010・共著）、稲葉威雄編『実務相談株式会社法〔補遺〕』（商事法務・2004・共著）、「Poison Pill in Japan」Columbia Business Law Review Vol. 2004 ほか多数

◆髙谷　知佐子（たかや・ちさこ）【第 11 章担当】

- 1993 年　東京大学法学部卒業
- 1995 年　弁護士登録、第二東京弁護士会所属

1999 年	コーネル大学ロースクール修了
1999 年	Arthur Loke Bernard Rada and Lee 法律事務所（シンガポールオフィス）にて執務（～2000 年）
2000 年	ニューヨーク州弁護士登録
2000 年	Kochhar & Co. 法律事務所（ニューデリーオフィス）にて執務
2013 年	第二東京弁護士会労働問題検討委員会副委員長（～2018 年）
2014 年	日本弁護士連合会国際交流委員会副委員長（～現在）
2015 年	LAWASIA 日本代表理事（～2020 年）
2016 年	日本ローエイシア友好協会理事（～現在）
2016 年	第二東京弁護士会国際委員会委員（～現在）
2019 年	第二東京弁護士会労働問題検討委員会委員長
2020 年	第二東京弁護士会労働問題検討委員会副委員長（～現在）
2020 年	Chandler MHM Limited（森・濱田松本法律事務所バンコクオフィス）にて執務（～現在）
2022 年	日本弁護士連合会労働法制委員会委員（～現在）

［主な取扱分野］

争訟／紛争解決、労働法務、制度構築、行政対応、組合対応、M&A ／企業再編、東南アジア法務、南アジア法務

［主な著書・論文］

森・濱田松本法律事務所アジアプラクティスグループ編『アジア新興国のM&A 法制〔第 4 版〕』（商事法務・2023・共著）、森・濱田松本法律事務所編『M&A 法大系〔第 2 版〕』（有斐閣・2022・共著）、森・濱田松本法律事務所編『新・会社法実務問題シリーズ／9 組織再編〔第 3 版〕』（中央経済社・2022・共著）、森・濱田松本法律事務所編『リーガル・トランスフォーメーション ビジネス・ルール・チェンジ 2022』（日経 BP 日本経済新聞出版本部・2022・共著）、『秘密保持・競業避止・引抜きの法律相談〔改訂版〕』（青林書院・2019・共著）、第二東京弁護士会労働問題検討委員会編『2015 年派遣法改正と実務対応 労働事件ハンドブック 2016 年追補』（第二東京弁護士会・2016・共著）、『労契法・派遣法・高年法 平成 24 年改正 Q&A』（商事法務・2013・共著）、労働行政研究所編『労働法実務 Q&A 全 800 問（上）人事・労務管理』（労働行政・2011・共著）ほか多数

◆小野寺　良文（おのでら・よしふみ）【第 10 章担当】

1998 年	東京大学農学部応用生命科学課程森林生命科学専修中退
2000 年	弁護士登録、第二東京弁護士会所属

2007 年　青山学院大学法科大学院客員教授（知的財産法）（～2015 年）
2013 年　日本弁護士連合会知的財産センター委員（国際 PT）（～現在）
2014 年　国際法曹協会会員（IBA）知的財産及びエンターテイメント委員会オフィサー（～現在）
2014 年　東京税関知的財産権専門委員（～2019 年）
2014 年　森・濱田松本法律事務所北京オフィス首席代表（～2020 年）
2020 年　森濱田松本知識産権代理（北京）有限責任公司 執行董事・総経理（～現在）

［主な取扱分野］
知的財産権／エンターテインメント、国際争訟（知的財産争訟）、仲裁／調停／その他 ADR、国際業務（中国法務、ASEAN 法務）等

［主な著書・論文］
石本茂彦編集代表『中国経済六法〔2023 年増補版〕』（日本国際貿易促進協会・2023・共著）、『The Trademarks Law Review 6th Edition』（Law Business Research Ltd.・2022）、『The Patent Litigation Law Review 6th Edition』（Law Business Research Ltd.・2022）、小松岳志ほか編著『インドネシアビジネス法実務体系』（中央経済社・2020・共著）、森・濱田松本法律事務所アジアプラクティスグループ編『ベトナムのビジネス法務』（商事法務・2018・共著）、「新興国（タイ、ベトナム、インドネシア）における知財リスク調査」（特許庁委託事業 日本貿易振興機構バンコク事務所知的財産部・2016 年 5 月）ほか多数

◆秋本　誠司（あきもと・せいじ）【第 2 章・第 3 章・第 5 章・第 14 章・第 16 章担当】

1999 年　東京大学法学部卒業
1999 年　ソニー株式会社にて勤務（～2001 年）
2002 年　弁護士登録、第二東京弁護士会所属
2008 年　シカゴ大学ロースクール修了
2008 年　Kirkland & Ellis 法律事務所（シカゴオフィス）にて執務（～2009 年）
2009 年　ニューヨーク州弁護士登録
2015 年　森・濱田松本法律事務所バンコクオフィスにて執務（～2016 年）
2017 年　Chandler MHM Limited（森・濱田松本法律事務所バンコクオフィス）にて執務（～現在）

［主な取扱分野］
M&A／企業再編、プライベート・エクイティ、タイ法務、マレーシア法務、アフリカ法務、コーポレートガバナンス等

[主な著書・論文]
　森・濱田松本法律事務所アジアプラクティスグループ編『アジア新興国のM&A法制〔第4版〕』（商事法務・2023・共著）、森・濱田松本法律事務所グローバルコンプライアンスチーム編『海外進出企業のための外国公務員贈賄規制ハンドブック』（商事法務・2018・共著）ほか多数

◆塙　晋（はなわ・すすむ）【第6章・第7章・第9章・第12章・第16章担当】
　2003年　東京大学法学部卒業
　2004年　弁護士登録、第二東京弁護士会所属
　2009年　みずほ証券グローバル投資銀行部門に出向（～2010年）
　2012年　シンガポール国立大学およびニューヨーク大学ロースクール修了（Dual Degree Program）
　2012年　LCT Lawyers法律事務所（ベトナム・ホーチミン）にて執務
　2013年　Soewito Suhardiman Eddymurthy Kardono（SSEK）法律事務所（インドネシア・ジャカルタ）にて執務（～2013年）
　2013年　ニューヨーク州弁護士登録
　2015年　森・濱田松本法律事務所シンガポールオフィスにて執務（～2016年）
　2017年　Chandler MHM Limited（森・濱田松本法律事務所バンコクオフィス）にて執務（～現在）

[主な取扱分野]
　アジア不動産投資・開発、不動産ファンド、不動産ファイナンス、インフラ開発、ストラクチャードファイナンス、アジアREIT、J-REIT、タイ法務、ベトナム法務、インドネシア法務

[主な著書・論文]
　森・濱田松本法律事務所アジアプラクティスグループ編『アジア新興国のM&A法制〔第4版〕』（商事法務・2023・共著）、「アジア不動産開発――法務・税務の視点から見た、非分譲不動産案件におけるEXITの選択肢の概観と各国REITやS-REITへのEXITに関する留意点」ARES不動産証券化ジャーナル69号（2022・共著）、「アジア不動産開発――インダストリアル系アセットに対する投資にあたっての法的留意点」ARES不動産証券化ジャーナル59号（2021・共著）、「アジア不動産開発――現地デベロッパーの信用悪化に備えた、既存の合弁案件における対応策と新規取引にあたっての法的留意点」ARES不動産証券化ジャーナル57号（2020・共著）、森・濱田松本法律事務所グローバルコンプライアンスチーム編『海外進出企業のための外国公務員贈賄規制ハンドブック』（商事法務・2018・共著）、森・濱田松本法律事務所アジアプラク

ティスグループ編『ベトナムのビジネス法務』（商事法務・2018・共著）、森・濱田松本法律事務所アジアプラクティスグループ編『アジア不動産法制——不動産・インフラ事業の手引き』（商事法務・2018・共著）、『詳解 インドネシアの法務・会計・税務』（中央経済社・2017・共著）、「アジアにおけるインフラビジネスと法律事務所の役割」会計・監査ジャーナル739号（2017）、「インドネシアの不動産投資スキーム〜インドネシアのREIT制度、不動産ファイナンスの留意点〜」ARES不動産証券化ジャーナル30号（2016・共著）ほか多数

◆岸　寛樹（きし・ひろき）【第8章担当】

- 2004年　東京大学法学部卒業
- 2006年　中央大学大学院法務研究科卒業
- 2007年　弁護士登録、第二東京弁護士会所属
- 2012年　みずほ証券IBプロダクツグループに出向（〜2013年）
- 2014年　コーネル大学ロースクール修了（LL.M.）
- 2014年　Mattos Filho, Veiga Filho, Marrey Jr. e Quiroga法律事務所（ブラジル・サンパウロオフィス）にて執務（〜2015年）
- 2015年　ニューヨーク州弁護士登録
- 2017年　Chandler MHM Limited（森・濱田松本法律事務所バンコクオフィス）にて執務（〜2021年）
- 2021年　森・濱田松本法律事務所 ハノイオフィス（Mori Hamada & Matsumoto Vietnam Hanoi Office）共同代表就任（〜現在）

[主な取扱分野]

ストラクチャードファイナンス、インフラ／PPP、電力・ガス、資源、不動産投資・ファイナンス、プロジェクト・ファイナンス、中南米法務、タイ法務、ベトナム法務、その他アジア関連業務

[主な著書・論文]

森・濱田松本法律事務所アジアプラクティスグループ編『アジア新興国のM&A法制〔第4版〕』（商事法務・2023・共著）、「Getting The Deal Through - Project Finance 2024 - Vietnam Chapter」（Law Business Research・2023・共著）、森・濱田松本法律事務所グローバルコンプライアンスチーム編『海外進出企業のための外国公務員贈賄規制ハンドブック』（商事法務・2018・共著）、森・濱田松本法律事務所アジアプラクティスグループ編『アジア不動産法制——不動産・インフラ事業の手引き』（商事法務・2018・共著）、「ブラジル不動産投資法制概説」ARES不動産証券化ジャーナル31号（2016・共著）ほか多数

◆ **Panupan Udomsuvannakul**（パヌパン・ウドムスワンナクン）【第 2 章・第 3 章・第 16 章・第 17 章担当】

 2006 年 東京外国語大学留学生日本語教育センター卒業
 2010 年 東京大学法学部卒業
 2012 年 東京大学大学院法学政治学研究科修士修了
 2012 年 Baker & McKenzie 法律事務所（バンコクオフィス）にて執務（～2016 年）
 2014 年 タイ弁護士登録
 2016 年 森・濱田松本法律事務所バンコクオフィスにて執務
 2017 年 Chandler MHM Limited（森・濱田松本法律事務所バンコクオフィス）にて執務（～現在）
 2018 年 コロンビア大学ロースクール修了（LL.M., James Kent Scholar）
 2018 年 Slaughter and May 法律事務所（ロンドンオフィス）にて執務（～2019 年）
 2019 年 Uría Menéndez 法律事務所（マドリードオフィス）にて執務
 2020 年 ニューヨーク州弁護士登録

[主な取扱分野]

M&A／企業再編、会社法務、テクノロジー、FinTech、IT、個人情報保護法、タイ関連業務全般

[主な著書・論文]

森・濱田松本法律事務所アジアプラクティスグループ編『アジア新興国の M&A 法制〔第 4 版〕』（商事法務・2023・共著）、「Business and Technology Law」コラム（共著・Bangkok Business Newspaper）2022 年から連載中、「Chambers Global Practice Guide – Fintech」（Chambers & Partners・2023・共著）、「タイにおけるモバイルゲームの現状と、モバイルゲームをリリースする場合の法的留意点」（BUSINESS LAWYERS・2022・共著）、「タイのスタートアップ企業への出資・買収におけるスキームの設計と法務デューディリジェンスの留意点」（BUSINESS LAWYERS・2022・共著）、「タイ法では電子署名は有効か？タイで電子契約を行う際に注意するべきポイントは？」（BUSINESS LAWYERS・2022・共著）、「東南アジア M&A・ガバナンス最新実務（1）タイ公開買付規制・上場会社ガバナンスの最新実務」旬刊商事法務 2148 号（2017・共著）ほか多数

◆細川　怜嗣（ほそかわ・れいじ）【第 4 章・第 13 章・第 17 章担当】
　2005 年　慶應義塾大学法学部法律学科卒業
　2008 年　慶應義塾大学法科大学院修了
　2009 年　弁護士登録、第二東京弁護士会所属
　2014 年　株式会社 KKR キャピタル・マーケッツに出向
　2015 年　コロンビア大学ロースクール修了（LL.M.）
　2015 年　Ropes & Gray 法律事務所（ボストンオフィス）にて執務
　2016 年　ニューヨーク州弁護士登録
　2016 年　森・濱田松本法律事務所ジャカルタデスク（Arfidea Kadri Sahetapy-Engel Tisnadisastra（AKSET Law）法律事務所（インドネシア・ジャカルタ）内）にて執務
　2017 年　Chandler MHM Limited（森・濱田松本法律事務所バンコクオフィス）にて執務（～2019 年）
　2020 年　シンガポール外国法弁護士登録
　2020 年　森・濱田松本法律事務所シンガポールオフィス（Mori Hamada & Matsumoto（Singapore）LLP）にて執務（～現在）

［主な取扱分野］
　M&A／企業再編、タイ法務、シンガポール法務、マレーシア法務、インドネシア法務その他アジア関連業務全般、アジアの個人情報保護／プライバシー法制

［主な著書・論文］
　森・濱田松本法律事務所アジアプラクティスグループ編『アジア新興国の M&A 法制〔第 4 版〕』（商事法務・2023・共著）、「タイにおけるモバイルゲームの現状と、モバイルゲームをリリースする場合の法的留意点」（BUSINESS LAWYERS・2022・共著）、「タイのスタートアップ企業への出資・買収におけるスキームの設計と法務デューディリジェンスの留意点」（BUSINESS LAWYERS・2022・共著）、「タイ法では電子署名は有効か？タイで電子契約を行う際に注意するべきポイントは？」（BUSINESS LAWYERS・2022・共著）、「アジアにおける多国籍カーブアウト M&A の実務と留意点」旬刊商事法務 2275 号（2021・共著）、森・濱田松本法律事務所グローバルコンプライアンスチーム編『海外進出企業のための外国公務員贈賄規制ハンドブック』（商事法務・2018・共著）、「東南アジア M&A・ガバナンス最新実務（1）タイ公開買付規制・上場会社ガバナンスの最新実務」旬刊商事法務 2148 号（2017・共著）、「バングラデシュにおける M&A 法制」旬刊商事法務 2002 号（2013・共著）ほか多数

◆白井　啓子（しらい・けいこ）【序章・第 1 章・第 5 章・第 12 章担当】
　　2006 年　明治大学法学部法律学科卒業
　　2009 年　慶應義塾大学法科大学院修了
　　2010 年　弁護士登録、第一東京弁護士会所属
　　2011 年　外立総合法律事務所勤務（～2012 年）
　　2012 年　株式会社 LIXIL 勤務（株式会社 LIXIL グループ兼務）（～2013 年）
　　2014 年　Asia Alliance Partner Co., Ltd. 勤務（～2017 年）
　　2017 年　YIC Asia Pacific Corporation Limited 勤務（～2018 年）
　　2018 年　Chandler MHM Limited（森・濱田松本法律事務所バンコクオフィス）にて執務（～現在）
　　2021 年　英国ロンドン大学キングス・カレッジ校ロースクール修了（国際金融法）
　　［主な取扱分野］
　　M&A ／企業再編、会社法務、労務、コンプライアンス、タイ法務、その他アジア関連業務
　　［主な著書・論文］
　　森・濱田松本法律事務所グローバルコンプライアンスチーム編『海外進出企業のための外国公務員贈賄規制ハンドブック』（商事法務・2018・共著）

◆山本　健太（やまもと・けんた）【第 6 章・第 7 章・第 10 章・第 11 章担当】
　　2009 年　東京大学法学部卒業
　　2012 年　中央大学法科大学院修了
　　2014 年　弁護士登録、東京弁護士会所属
　　2014 年　神奈川県内法律事務所にて執務（～2014 年）
　　2014 年　インフラ精密機器メーカーに出向（～2016 年）
　　2016 年　神奈川県内法律事務所にて執務（～2019 年）
　　2019 年　SCL Nishimura（旧 Siam City Law Offices）にて執務（～2021 年）
　　2021 年　Chandler MHM Limited（森・濱田松本法律事務所バンコクオフィス）にて執務（～現在）
　　［主な取扱分野］
　　M&A ／企業再編、会社法務、アジア関連業務（タイ法務）、不動産投資、労務
　　［主な著書・論文］
　　森・濱田松本法律事務所アジアプラクティスグループ編『アジア新興国のM&A 法制〔第 4 版〕』（商事法務・2023・共著）

◆ 千原　剛（ちはら・ごう）【第2章～第4章・第14章担当】
　2012年　慶應義塾大学法学部法律学科卒業
　2014年　東京大学法科大学院修了
　2015年　弁護士登録、第二東京弁護士会所属
　2023年　Chandler MHM Limited（森・濱田松本法律事務所バンコクオフィス）
　　　　　にて執務（～現在）
[主な取扱分野]
　争訟／紛争解決、M&A／企業再編、危機管理、コーポレート・ガバナンス
[主な著書・論文]
　森・濱田松本法律事務所アジアプラクティスグループ編『アジア新興国のM&A法制〔第4版〕』（商事法務・2023・共著）、山内洋嗣ほか編著『類型別不正・不祥事への初動対応』（中央経済社・2023・共著）、野村修也監修『コンプライアンスのための金融取引ルールブック［2022年版］』（銀行研修社・2022・共著）、澤口実監修、内田修平ほか編著『コーポレートガバナンス・コードの実務〔第4版〕』（商事法務・2021・共著）ほか多数

◆ **Supakan Nimmanterdwong**（スパカーン・ニンマンタートウォン）【第4章担当】
　2015年　大阪大学法学部卒業
　2017年　大阪大学大学院法学研究科修了
　2017年　Chandler MHM Limited（森・濱田松本法律事務所バンコクオフィス）
　　　　　にて執務（～現在）
　2019年　シカゴ大学ロースクール修了
　2022年　タイ弁護士登録
[主な取扱分野]
　M&A／企業再編、競争法／独占禁止法、個人情報保護、ヘルステック等

◆ **Mai Lertpanyanuch**（マイ・ラパンヤヌ）【第9章担当】
　2017年　チュラロンコン大学卒業
　2018年　タイ弁護士登録
　2018年　Chandler MHM Limited（森・濱田松本法律事務所バンコクオフィス）
　　　　　にて執務（～現在）
[主な取扱分野]
　REIT、キャピタル・マーケッツ、不動産ファンド、不動産ファイナンス

◆**西村　良**（にしむら・まこと）【第 15 章・第 16 章担当】
　2018 年　東京大学法学部卒業
　2019 年　弁護士登録、第二東京弁護士会所属
　2023 年　Chandler MHM Limited（森・濱田松本法律事務所バンコクオフィス）
　　　　　にて執務（～現在）
　[主な取扱分野]
　争訟／紛争解決、労務、国際関係法務
　[主な著書・論文]
　『Q&A 越境ワークの法務・労務・税務ガイドブック』（日本法令・2023・共著）、労働行政研究所編『2022 年版　年間労働判例命令要旨集』（労務行政・2022・共著）、「Getting The Deal Through - Occupational Health & Safety - Japan Chapter」（Law Business Research・2021・共著）

◆**Poompat Udomsuvannakul**（プームパット・ウドムスワンナクン）【第 8 章・第 12 章・第 13 章・第 17 章担当】
　2012 年　チュラロンコン大学卒業
　2015 年　タイ弁護士登録
　2016 年　東京大学大学院法学政治学研究科修士課程修了
　2020 年　東京大学大学院法学政治学研究科博士課程修了
　2020 年　Chandler MHM Limited（森・濱田松本法律事務所バンコクオフィス）
　　　　　にて執務（～現在）
　[主な取扱分野]
　M&A／企業再編、会社法務、個人情報保護、労務、タイ関連業務
　[主な著書・論文]
　森・濱田松本法律事務所アジアプラクティスグループ編『アジア新興国のM&A 法制〔第 4 版〕』（商事法務・2023・共著）

最新 タイのビジネス法務〔第3版〕

2017年4月27日　初　版第1刷発行
2019年12月30日　第2版第1刷発行
2023年11月10日　第3版第1刷発行

編　者	Chandler MHM Limited 森・濱田松本法律事務所バンコクオフィス
発行者	石　川　雅　規
発行所	㈱ 商 事 法 務

〒103-0027　東京都中央区日本橋 3-6-2
TEL 03-6262-6756・FAX 03-6262-6804〔営業〕
TEL 03-6262-6769〔編集〕
https://www.shojihomu.co.jp/

落丁・乱丁本はお取り替えいたします。　　印刷／広研印刷㈱
© 2023 Chandler MHM Limited.　　　　　　Printed in Japan
　　森・濱田松本法律事務所バンコクオフィス
Shojihomu Co., Ltd.
ISBN978-4-7857-3051-2
＊定価はカバーに表示してあります。

[JCOPY]〈出版者著作権管理機構　委託出版物〉
本書の無断複製は著作権法上での例外を除き禁じられています。
複製される場合は、そのつど事前に、出版者著作権管理機構
（電話 03-5244-5088、FAX 03-5244-5089、e-mail: info@jcopy.or.jp）
の許諾を得てください。